조선부문사

조선수군사
(고대-중세편)

사회과학출판사

차 례

머리말 ··(8)

제1편. 고대의 수군 ···(10)

제1장. 고조선의 수군 ··(10)

제1절. 고조선사람들의 해상활동과 수군건설 ···············(10)
제2절. 고조선수군의 해상기동 ································(13)

제2장. 진국의 수군 ··(15)

제1절. 진국사람들의 해상활동과 수군건설 ···············(15)
제2절. 진국사람들의 해외진출과 수군 ·······················(17)

제2편. 삼국, 발해 및 후기신라시기의 수군 ···············(20)

제1장. 고구려의 수군 ··(20)

제1절. 고구려사람들의 해상활동과 수군건설 ···············(20)
제2절. 4세기말～5세기초 수군의 강화와
　　　　제해권을 장악하기 위한 투쟁 ······················(22)

제3절. 5세기 중엽－6세기 고구려수군의
       해상활동 강화···(30)

제4절. 수, 당침략을 반대하는 전쟁시기
       고구려수군의 투쟁····································(36)

   1. 고구려－수전쟁시기 수군의 투쟁···············(37)
   2. 고구려－당전쟁시기 수군의 투쟁···············(41)

제2장. 백제의 수군···(45)

제1절. 백제사람들의 해상활동과 수군건설··········(46)

제2절. 백제수군의 적극적인 해외진출···················(48)

제3절. 당나라의 침략을 반대하는 전쟁시기
       백제수군의 활동···(51)

제3장. 전기신라의 수군···(53)

제1절. 전기신라사람들의 해상활동과 수군건설·········(54)

제2절. 3세기－5세기 왜의 침입을 반대한
       신라수군의 활동···(55)

제3절. 해상진출의 적극화, 선부서의 설치··········(61)

   1. 우산국의 통합, 남해 및 서해수군의 창설·········(61)
   2. 선부서의 설치···(63)

제4절. 당나라침략군을 몰아내기 위한
       전쟁시기의 신라수군, 676년
       기벌포바다싸움의 승리······························(64)

제4장. 가야의 수군 (69)

제5장. 발해의 수군 (71)

  제1절. 발해의 수군건설 (71)

  제2절. 발해 – 당전쟁에서 수군의 투쟁 (75)

제6장. 후기신라의 수군 (78)

  제1절. 수군무력강화를 위한 제반 대책의 수립 (78)

    1. 함선건조술과 항해술의 발전 (78)

    2. 선부의 설치 (81)

    3. 새로운 수군기지 – 진들의 설치 (82)

  제2절. 신라수군의 강성, 청해진의 역할 (84)

제3편. 고려시기의 수군 (88)

제1장. 10세기 – 12세기의 수군 (88)

  제1절. 10세기 – 12세기의 수군건설 (88)

    1. 수군무력 편성과 수군기지 설정 (88)

    2. 함선건조와 무기무장 제작 (92)

  제2절. 후백제통합을 위한 투쟁에서 고려수군의 활동 (97)

  제3절. 서북 및 동북지방에서 국토수복을 위한
      투쟁에서 고려수군의 활동 (98)

제4절. 묘청의 정변때 고려수군의 반동적역할 ·················(105)

제2장. 13세기－14세기 고려의 수군 ·························(107)

  제1절. 몽골과의 전쟁시기 고려수군의 활동 ················(108)

  제2절. 삼별초의 항전과 해상유격전의 전개 ···············(111)

  제3절. 고려함대의 제주도원정,
        원나라침략세력의 구축 ································(120)

  제4절. 14세기 후반기 왜구의 침입을 물리치기
        위한 투쟁, 고려수군의 강성 ··························(122)

    1. 왜구의 침입을 반대한 투쟁초기 고려수군의 활동·········(123)

    2. 왜구격멸의 결정적대책 수립,
       화약무기로 무장한 강력한
       함대의 건설 ···(127)

    3. 진포바다싸움과 박두양싸움의 승리 ·····················(135)

    4. 쯔시마원정의 빛나는 승리 ································(139)

제4편. 리조시기의 수군 ······································(142)

제1장. 리조 전기의 수군 ····································(142)

  제1절. 수군무력의 증강을 위한 조치 ························(143)

    1. 선군 및 함선의 량적증가 ································(143)

    2. 수군기지의 증설과 정비, 수군통솔체계의 수립,
       진관제의 실시 ··(150)

3. 함선건조와 무기, 장비류의 개선 ················· (170)

제2절. 수군의 처지, 반봉건투쟁 ··················· (182)

   1. 수군의 처지와 각종 부담 ····················· (182)

   2. 수군군사들의 반봉건투쟁 ····················· (188)

제3절. 리조수군의 초기활동,

      1419년 쯔시마원정 ························· (191)

제4절. 16세기 왜적과 녀진의 침입을 물리치기

      위한 투쟁에서 리조수군의 활동 ············· (197)

   1. 왜적의 침입을 물리치기 위한 투쟁 ············ (198)

   2. 녀진인들의 침입을 막기 위한 투쟁 ············ (210)

제2장. 임진조국전쟁시기의 수군 ···················· (212)

제1절. 16세기말의 내외정세, 일본

      침략자들의 전쟁도발 ······················· (213)

제2절. 조선련합함대의 련속적인 승리,

      적의 《수륙병진》계획의 파탄 ··············· (216)

   1. 애국적장병들의 수군력 강화 ················· (216)

   2. 조선련합함대의 제1차 출정,

      옥포바다싸움의 승리 ······················· (218)

   3. 조선련합함대의 제2차 출정, 사천앞바다

      싸움과 당포, 당항포바다싸움의 승리 ········· (222)

4. 조선련합함대의 제3차 출정, 한산대첩과

      안골포바다싸움의 승리 ··(228)

   5. 조선련합함대의 제4차 출정,

      부산앞바다싸움의 승리 ··(233)

제3절. 전면적반공격작전시기 수군의 투쟁 ························(237)

제4절. 일본침략자들의 재침준비에 대처한

      국방력강화조치 ···(243)

   1. 1593년 가을~1594년 봄 수군강화를

      위한 제반 대책의 수립 ··(244)

   2. 1594년 3월 진해—당항포바다싸움의 승리 ···············(245)

   3. 1594년 9~10월 장목포—영등포전투 ·························(248)

   4. 수군무력의 가일층 강화 ··(250)

제5절. 울돌, 로량바다싸움의 승리,

      일본침략군의 종국적구축 ···(253)

   1. 일본침략군의 재침공, 리조수군력의 약화 ················(253)

   2. 울돌바다싸움과 로량바다싸움에서의

      승리, 일본침략군의 종국적구축 ···································(256)

제3장. 리조 후기의 수군 ··(264)

제1절. 수군무력의 복구, 보존대책 ······································(265)

    1. 진관제의 정비, 개편 ··(266)

    2. 함선의 건조, 개량 ··(285)

    3. 수군군정의 확보와 습조(훈련) ································(292)

    4. 무기, 장구류의 보장, 개선 ·····································(295)

  제2절. 외래침략을 반대하는 투쟁에서 수군의 역할 ·········(297)

맺는말 ···(302)

머 리 말

우리 인민은 예로부터 외래침략자들이 쳐들어올 때마다 조국을 보위하는 성스러운 싸움에 한사람같이 떨쳐나서 침략자들을 물리치고 반만년의 슬기로운 력사를 창조하였다.

슬기롭고 용감한 우리의 선조들은 외래침략자들을 몰아내기 위한 줄기찬 투쟁행정에서 일찌기 고대에 수군을 건설하고 강화발전시킴으로써 나라의 수군사를 빛내였다.

유구한 력사와 찬란한 민족문화를 창조한 우리의 선조들은 넓은 바다와 긴 해안선을 끼고 살아온 유리한 자연지리적조건을 리용하여 일찍부터 바다로 나갔으며 바다를 개척하고 해상활동을 벌려오는 과정에서 얻은 경험과 외래침략을 반대하는 전쟁과정에서 얻은 군사적 경험들에 기초하여 그리고 생산력의 발전에 의거하여 고대에 벌써 자기의 수군을 건설하고 수군에 의거하여 연해를 지켜냈으며 해외진출을 믿음직하게 뒤받침하게 되였다.

수군은 삼국시기 고구려에서 더욱 발전되여 해상무력으로서의 기본틀을 갖추게 되였다. 백제와 전기신라, 발해, 후기신라에서도 강력한 수군을 건설하여 나라의 자주권을 지키고 해외에 적극 진출하였으며 수군군사예술을 개척하고 발전시켰다. 10세기초까지 수군은 동해, 서해, 남해의 제해권을 튼튼히 틀어쥐고 동방의 해상강국으로서의 위용을 떨치게 하였다.

    수군은 고려시기이후에 더욱 강력한 해상무력으로 자라나 일대 강성기를 이룩하였다.

    고려의 수군은 세계에서 처음으로 화약포로 장비한 새형의 싸움배들로 함대를 꾸리고 끊임없이 침입하는 왜적함대를 격멸소탕하였으며 왜적의 기지까지 원정하여 여지없이 격파분쇄하였다.

    리조수군은 세계최초의 철갑선인 거북선을 기둥으로 한 강력한 함대를 무어 일본침략자들의 대규모적인 무력침공을 반대하는 임진조국전쟁에서 수배, 수십배에 달하는 일본함대를 격멸소탕함으로써 세계해전사에 빛나는 페지를 장식하였다.

    근대에 부패무능한 국왕과 봉건통치배들이 개인의 향락과 안일을 추구하면서 국방에 무관심하고 권력쟁탈을 위한 파쟁을 일삼은것으로 하여 나라의 국방력은 심히 약화되고 수군은 극도로 쇠퇴하여 이름만 남게 되였으며 자기의 사명과 역할을 수행할수 없는 형편에 이르게 되였다.

    이 책에서는 고대부터 중세까지의 수군사를 4개 편으로 나누어 취급하였다.

제1편. 고대의 수군

제1장. 고조선의 수군

제1절. 고조선사람들의 해상 활동과 수군건설

우리 나라의 첫 노예소유자국가였던 고조선은 B.C. 3 000년 기 중엽까지 조선반도를 중심으로 서북조선으로부터 랴오시지 방에 이르는 넓은 지역을 차지하였고 B.C. 3세기초에는 연나라 의 침공으로 서쪽의 일부 지역을 상실하였으나 B.C. 3~2세기 에는 례성강과 강원도북부를 남쪽계선으로 하고 북쪽은 랴오하 하류류역, 동쪽은 강원도, 함경남도 일부 지역까지 차지한 나라 로 되였다.

그리하여 고조선은 랴오둥지방과 조선중부이북의 긴 해안선을 가진 해양국으로 되였다.

고조선에서 수군이 언제 창설되였는지는 잘 알수 없으나 늦어 도 B.C. 1000년기에는 벌써 독자적인 군종으로 되여있었다고 말할 수 있다.

고조선에서는 생산력이 발전하고 물고기잡이와 바다나물채취 등을 통한 해상활동경험이 축적됨에 따라 통나무와 널판자로 무은 비교적 큰 구조선을 건조할수 있게 되였다. 이로부터 사람들은 먼바다에로 진출하여 해상활동을 보다 활발히 벌리게 되였다.

고조선에서 배무이수공업이 발전될수 있었던 중요한 요인의 하나는 일찍부터 청동제공구 특히는 강철제도구가 생산에 도입되고있었다는것이다.

근면하고 재능있는 우리 선조들은 B.C. 2 000년기말부터 철을 생산하기 시작하였다.

이에 따라 상당히 복잡한 구조를 가진 목조구조선을 무어낼수 있게 되였다.

고조선사람들은 넓은 수역에서 생산, 운수활동을 하는 과정에 바다의 기상수문조건, 그에 맞는 항해술을 차츰 익혀나가게 되였으며 이것은 수학, 력학, 천문, 기상학 등 전반적인 과학기술의 발전과 더불어 해상활동에 있어서 없어서는 안될 지식을 가질수 있게 하였다.

결과 고조선사람들은 마침내 먼바다에로의 배길을 열어 다른 나라들과 해상교류를 벌리게 되였다.

랴오둥반도에서 산둥반도까지의 배길은 55mile(약 100km)에 불과하며 그사이에는 크고작은 섬들이 마치 렬을 지은듯이 이어져있어 불리한 자연기후조건에서도 안전하게 항해할수 있으며 따라서 10～15t급의 목제구조선으로써도 얼마든지 왕래할수 있었다. 바람새가 좋으면 몇시간이면 충분히 가닿을수 있는 곳이였다.

고조선에서는 자기의 국가통치제도를 점차 정비강화하는 과정에 대내적으로는 인민대중의 투쟁을 억누르며 대외적으로는 외적의 침습으로부터 나라를 지키는것을 사명으로 하는 국가적규모의 정규무력이 꾸려졌다. 바다에 나가 어로작업을 하는 인민들을 통제장악하며 바다세금을 징수하기 위해서도 최소한 경비, 경찰임무를 수행하는 수군무력이 필요하였다. 또한 외래침략을 성과적으로 막아내기 위하여서는 바다로부터 쳐들어오는 적을 막고 자기 나라 사람들의 해상활동을 보호할수 있는 자체의 수군무력을 가져야만 하였다.

특히 한나라의 성립이후 서북방면으로부터의 위협은 현저히 강화되였다.

고조선에서는 이러한 여러가지 조건과 가능성에 기초하여 본격적으로 자기의 수군을 건설하였다.

물론 수군이 건설되였다 하여도 당시의 군사조직의 특성으로부터 그것은 매우 낮은 단계에 머물러있었다. 당시의 사회경제적조건에서 군사조직은 상비군의 경우에도 대체로 전임무관이나 전임군인이 얼마간 있었을뿐이고 일반군사들은 농업, 목축업, 어업 등에 종사하는 평민들에게 병역의무를 지워 교대별로 복무하게 하거나 일단 유사시에 징집하여 대오를 편성하여 군사적임무를 수행하게 하는것이 일반적현상이였다.

수군의 경우에도 이와는 크게 다를것이 없었다. 싸움배와 민용선박의 구조상차이가 별로 없었던 조건에서 처음부터 전투용으로 만든 배와 직업적이며 상비적인 수군은 극히 적고 필요에 따라 바다가에서 살면서 배를 타고 다룰줄 아는 인민들을 모아다가 수군으로 편성하였다고 보인다.

이로부터 초기 수군의 임무와 활동은 초보적인 군사적과업 즉 연해와 해안의 경비, 긴급한 련락임무, 지상부대의 수송보장, 반상륙방어전에 대비하는 정도였다.

그리고 당시 수군의 무장은 륙군과 같이 칼, 창, 활 등 도창무기가 기본이였으며 싸움배들도 기동력이 낮고 그리 견고치도 못하였다. 이러한 조건에서 바다싸움을 하는 경우에도 접현전(싸움배들이 현측을 맞대고 육박전의 형식으로 싸움을 하는것)의 형태로 진행하였기때문에 그 전투조법도 극히 단순하였다.

제2절 고조선수군의 해상기동

고조선에서 수군이 건설되여 자기의 기능을 수행하고있었다는 사실은 B.C. 2세기초 만의 정변당시 고조선의 준왕이 조선서해중부지역에로 대규모의 해상기동을 한 사실에 비추어보아도 알수 있다.

B.C. 3세기말~B.C. 2세기초 고조선왕 준은 본래 연나라에 있다가 자기 고국으로 돌아온 만에게 고조선의 서부변강지대 100여리의 땅을 주어 한나라의 침공을 막게 하였다. 그런데 만은 자기의 세력지반이 강화되자 한나라군대가 10도로 갈라져 쳐들어온다는 허위보고를 하고 수도를 지킨다는 구실밑에 불의에 왕검성에 쳐들어왔다. 이 급보에 접한 준왕은 만과 싸워 이길수 있는 힘이 없었으므로 수천명의 인원을 데리고 바다길로 하여 마한땅으로 피신하게 되였다.*

> *《삼국지》권30 한전. 이 사건에 대하여《후한서》한전에는 이때 준이 마한을 공격하여 격파하고 스스로 왕이 되였으며 그가 죽은 후에 진국의 통치자인 진왕이 다시 자립하여 왕이 된것으로 씌여졌다. 그러나《위략》을 비롯한 다른 력사기록에는 그가 다만 마한땅에 가서 살았다는것으로 되여있다. 따라서, 그는 진국왕-마한왕의 승인밑에 하나의 제후왕으로 된것으로 볼수 있다. 그가 도착하여 살게 된 마한의 한 지방은 오늘의 전라북도 익산으로 전해온다.

준왕일행이 수행한 해상기동은 그의 행동성격으로 보아 군사적목적을 가진 하나의 해상작전이였다.

그것은 첫째로, 고조선왕 준이 만에게 정권을 빼앗기고 쫓겨달아났던것만큼 뒤로는 만의 있을수 있는 추격을 견제하며 앞으로는 조우할수 있는 적대세력을 쳐부시며 미지의 땅에 상륙하여야 하는 해상기동 즉 전투를 예견한 해상기동이였다는것이며

둘째로, 그것이 멸망에 직면한 왕권을 유지하려는 하나의 대피기동이였다는것이며

셋째로, 쫓기우는 준왕일행의 큰 이동이 비교적 조직적이고 빠르게 수행되였다는 사실로 미루어보아 그것은 조직된 함선집단-수군에 의거하였다는것으로써 설명되는것이다.

준왕의 해상기동은 고조선수군의 준비상태가 비교적 높은 수준에 있었으며 그 력량이 상당한 정도로 큰것이였다는것을 시사해주고있다.

준왕이 수천명의 측근신하들과 왕족들, 호위병들과 노비들을 모아싣고 큰 선단(함대)을 무어 행동하였다는 사실은 고조선에 많은 배가 있었고 고조선국가가 조직된 해상력량을 가지고있었다는것을 보여주고있다.

준왕일행이 다급한 환경에서 떠났던만큼 배에 실었던 재물들과 생활도구는 많지 않았을수 있다. 그러나 전투성원들이 적지 않았으니 그들이 가지고간 무장장비나 식량과 항해용음료수까지 념두에 둔다면 그 물동량이 상당히 많았을것이다. 그러므로 준왕의 함선집단은 아마도 50t급의 목제구조선 수십척에 달하였을것이다. 또한 복잡한 해구 및 수문기상조건을 극복하면서 먼거리항행을 수행하였다는 사실로 보아 그것은 조직된 함선집단-수군함대가 없이는 실현할수 없었을것이다.

일반민용선박들을 급히 모아가지고 떠난다는것은 당시 조건에서 매우 어려운 일이였던것만큼 준왕의 선단은 조직된 수군함대로 구성된것이였다고 보아야 할것이다.

수십척의 큰 함선집단이 먼거리항행을 하려면 준비도 어렵거니와 항해서렬을 유지하기 위한 숙련된 동작이 요구된다. 즉 정연한 서렬편성과 통일적인 지휘, 그를 실현하기 위한 신호체계, 능숙한 기동, 발달한 항해수단과 수문기상 및 해구조건, 배길에 대한 초보적

인 파악이 있어야 한다.

　　준왕이 망명할 때 수행한 해상기동은 고조선의 수도부근에 있었던 함선들로 진행되였을것이므로 고조선수군의 전체 함선가운데 일부에 지나지 않았다고 볼수 있다. 어쨌든 이때 수행된 해상기동은 당시의 조건에서는 강한 규률과 높은 전투력이 없이는 수행될수 없는 대규모작전이였다고 말할수 있다.

　　B.C. 2세기초에 이처럼 큰 규모의 해상기동을 실현하였다는 사실은 고조선에서 수군이 창설된 시기가 그보다 훨씬 앞선 때였다는것을 보여주는 하나의 유력한 증거로 된다. 왜냐하면 함선의 건조, 해상활동과 군사적경험의 축적, 군사기술기재의 준비 등은 많은 시간을 요구하는것이기때문이다.

　　그러므로 고조선에서의 수군건설은 늦어도 B.C. 3세기이전이라고 보아야 할것이다.

　　고조선의 수군은 출현하여 외래침략으로부터 나라의 연해를 지켜 자기의 사명을 수행하였으며 해안경비, 해상순찰, 바다싸움을 비롯한 초기의 바다싸움조법을 창조함으로써 수군의 면모를 갖추어나갔다.

　　고조선의 수군건설과 그의 활동은 우리 나라에서 수군사와 수군군사예술사의 시원으로 되며 그의 뒤를 이은 진국, 고구려, 백제, 신라의 수군건설에 귀중한 경험과 밑천으로 되였다.

제2장. 진국의 수군

제1절. 진국사람들의 해상활동과 수군건설

　　우리 나라 고대국가의 하나인 진국(삼한—마한, 진한, 변한)은 그 북쪽에 있던 고조선, 부여, 구려주민들과 한피줄을 이은 겨레의 나라였다.

    진국은 고조선의 앞선 문화를 받아들여 청동기와 철기를 생산하여 생산력을 발전시켜나갔으며 고대국가사회제도를 정비해나갔다. 그 과정에 해상경비와 방위를 주되는 목적으로 하는 수군도 건설되였다.

    진국의 북쪽은 패하(례성강)를 계선으로 고조선과 이웃하였고 동, 서, 남변은 바다에 면하여있었으며 특히 해안선의 굴곡이 심하였으므로 역시 수천리에 이르는 긴 해안선을 가지고있었다. 진국의 령토는 고조선의 몇 분의 1밖에 되지 않았지만 해안선은 약 1 000mile (4 500여리)이나 되였고 거기에다가 2 000여개의 크고작은 섬들이 있었다. 이것은 해상활동에 매우 유리한 조건으로 되였다. 또한 기후가 온화하고 밀물과 썰물의 차가 심하여 사철 바다가에서 물고기잡이와 조개잡이, 바다나물뜯기를 기본생업의 하나로 하였다.

    오랜 바다생활과정에 그들은 점차 먼바다항행도 할수 있는 큰 배를 만들어내였으며 수산업과 해상운수도 발전시켜나갔다.

    고대국가인 진국에서는 수십개의 소국을 지방통치단위로 하고 있었고 그중 많은 소국들이 바다를 끼고있었다. 이것은 마한, 진한, 변한의 여러 소국들로 하여금 해상활동을 적극 장려하고 발전시키게 하였다. 그 과정에 그들사이에는 바다의 리용을 위한 분쟁도 생겨나게 되였을것이다. 진국에서의 수군건설은 외적의 침략에 대한 방어보다도 소국들사이에 발생하는 분쟁을 조절하며 어민들과 상인들을 지배통치하기 위한 질서의 수립을 위하여 필요하였다. 이것은 고조선에서의 수군건설목적과는 차이나는 특징이라고 말할수 있다. 그러다가 진국사람들의 일본렬도진출이 계속 강화되면서 진국의 수군에서도 대외적방위의 사명이 점차 일정한 비중을 가지게 되였다.

    진국과 그안의 여러 소국들에서 수군이 구체적으로 어떤 규모에서 조직되였는가에 대한 기록자료는 전하지 않는다. 그러나 철제생산도구의 광범한 도입, 배무이수공업의 발전, 항해술의 발전에 따라 진국에서도 상당한 크기의 구조선-싸움배가 건조되고 청동무기, 후에는 강철제무기로 무장한 수군이 조직되여 자기 기능을 수행하고있었을것이다.

그것은 진국사람들의 일본렬도진출이 상당히 큰 규모에서 그리고 련속적으로 진행된 사실에 의해서도 짐작할수 있다.

제2절. 진국사람들의 해외진출과 수군

일본땅에서 발굴된 력사유적유물들과 일본의 건국신화자료들은 진국을 비롯한 우리 나라의 고대주민들이 B.C. 4~B.C. 3세기부터 일본렬도에 적극적으로 진출하여 원시상태에 있던 그곳에 금속문화와 농경문화를 보급하고 사회경제적관계를 급속히 변화시키는데 커다란 작용을 놀았다는것을 보여준다.

지금까지의 연구성과들에 의하면 진국-삼한사람들은 각각 가까운 지역들에 건너가서 발을 붙이고 새 생활을 꾸린것으로 알려졌다. 즉 변진(변한)사람들은 북규슈와 세또나이해연안지대에, 마한사람들은 서북부 및 서부규슈지방에, 진한사람들은 조선동해에 면한 혼슈 서북 및 중부지방에 많이 건너가서 거점을 설정하고 고국에서의 생활을 재현하고 고국과의 밀접한 련계를 유지하면서 새 기술, 새 문화를 끊임없이 받아들였다.

B.C. 3세기초의것으로 알려진 북규슈의 구마모또현 사이또산에서 발굴된 강쇠도끼(단조품)라든가 혼슈 서부 시마네현 고진다니에서 알려진 수백자루의 좁은놋단검을 비롯한 일본 각지의 좁은놋단검문화유물을 포함한 야요이문화유적유물들이 다 조선(주로는

진국)에서 직접 건너간것이거나 조선이주민과 그 후예에 의하여 창조된것이라는것은 아주 명백한 사실이다.

　진국사람들이 일본땅에로 광범히 진출한 사실과 그의 해상활동으로 미루어보아 진국에서도 수군을 건설하였고 그의 도움에 의하여 해외진출을 성과적으로 수행하였다는것을 알수 있다. 그것은 진국사람들이 선진문화를 가지고 일본렬도각지에 진출하여 자기의 소국들을 형성하고 생활하는 과정에는 소국들끼리 충돌하는 일도 있었고 이주민과 원주민사이의 군사적충돌이 있었을것이며 따라서 진국사람들의 일본렬도진출은 일정한 무력적뒤받침이 없이는 실현되기 어려웠기때문이다. 어떤 경우에는 이주 그자체가 일정한 군사행동을 동반하였을것이다.

　진국사람들은 이러한 해상활동의 경험과 해외진출의 요구에 비추어 배무이기술과 항해술을 개선해나갔고 자기의 수군을 더욱 강화하였으며 그에 의거하여 나라의 연해를 지켜내고 해상활동을 담보하였으며 일본땅에 형성한 자기들의 소국들을 유지하였다.

　《삼국사기》 신라본기에는 기원전후시기부터 왜인들이 신라(사로)의 변방에 침입하였다는것이 적혀있다. (《삼국사기》권1 신라본기 혁거세거서간 8년, 남해차차웅 11년) 그것이 가야나라들과 결탁한 침입이였다고 하더라도 륙지로가 아니라 동해에 상륙하여 침입한 일도 여러번 있었던것을 보면 일본렬도안의 반진한－반신라세력이 수군함선들을 가지고 침공하였다는것을 명백히 알수 있다. 이에 대처하여 사로소국을 비롯한 진한의 여러 소국들이 자체의 수군무력을 꾸렸고 해상전투도 진행하였을것은 의심할바없다.

　이처럼 진국－삼한사람들이 일본렬도 각지에서 자기의 소국들을 형성하고 장기간에 걸쳐 그것을 유지하였던 사실은 진국에서 수군이 건설되고 수군이 주민들의 해상활동을 담보하였다는것을 뚜렷이 실증하여준다.

　진국의 수군이 이룩한 성과는 그뒤를 이은 백제와 신라의 수군에 의하여 더욱 개선되고 발전하게 되였다.

　　고조선과 진국의 수군은 초기의 해상무력으로서 일련의 제한성을 가지고있었으나 그것은 우리 나라에서 수군의 기원을 열어놓고 수군군사예술사의 시발점을 개척하였다는 의미에서 중요한 력사적 역할을 담당하였다. 그것은 전세계적범위에서 놓고보더라도 고대 동방과 그리스, 로마 등 일부 나라들을 제외하고는 가장 일찌기 수군을 건설하고 적극적이며 능동적인 해상방위임무를 수행한 실례로 된다.

　　고대의 수군건설과 그 경험은 중세전반기에 고구려와 백제, 신라의 삼국에 이어져 더욱 발전하게 되였으며 강력한 해상무력으로서 그 위용을 떨치게 되였다.

　　　※ 우리 나라의 고대국가들가운데서 주로 내륙국가로 형성되였던 부여, 구려에 대해서는 수군활동에 관한 자료가 전해지는것이 없으므로 고대편에서는 고조선과 진국의 수군에 대하여서만 취급하였다.

제2편. 삼국, 발해 및 후기신라시기의 수군

제1장. 고구려의 수군

고구려사람들은 조국을 위하여 충성다하는것을 가장 영예로운 일로, 신성한 의무로 간주하고있었다. 그들은 어려서부터 조국을 사랑하는 정신으로 교양되고 무술을 성실히 배우기 위하여 애썼으며 용감성으로 단련되였기때문에 높은 민족적긍지와 씩씩한 기상을 지니고있었으며 외적의 침략을 걸음마다 분쇄하였다.

고구려의 위력은 그가 강력한 해상무력-수군을 가지고있는것으로 하여 더욱 튼튼히 담보될수 있었다.

제1절. 고구려사람들의 해상 활동과 수군건설

고구려는 B.C. 277년에 압록강중류류역과 훈강류역을 중심으로 나라를 세웠다. 그러나 오래지 않아 고구려의 령역은 동해와 서해에 미치게 되였으며 해상활동을 벌리게 되였다. A.D. 1세기말까지의 고구려령역은 동남쪽으로는 오늘의 함경남도 및 강원도북부계선, 서남쪽으로는 대동강류역계선, 동북쪽으로는 로씨야 연해변강 남부지방, 서북쪽으로는 훈하상류지방에 미치게 되였다. 또한 3세기 초엽까지 고구려는 압록강하구일대를 완전히 장악하게 되였다.

이 시기 고구려에는 서쪽으로 랴오둥반도지역에 남아있던 외래침략세력을 물리치고 고조선의 령토를 되찾으며 남쪽으로 오늘의 황해남북도이남지역을 차지하여 장차 국토를 통일할수 있는 기지를 튼튼히 마련하기 위하여 륙군을 강화하는것과 함께 수군무력을 창설하고 강화하는것이 중요한 과업으로 나서게 되였다.

고구려는 고대국가들의 수군건설경험을 이어받고 인민대중의 창조적로동으로 더한층 발전하게 된 생산력과 과학기술성과에 의거하여 함선건조를 다그쳤으며 서해안의 요충지들에 수군근거지들을 설정하고 수군무력을 배치하였다.

압록강, 청천강, 대령강하구부근은 각각 배무이에 적합한 곳이였으며 또 해상으로부터 있을수 있는 적의 침입을 막기 위한 중요한 관문들이였다. 그러므로 수군기지들은 우선 이러한 강하천어구부근에 설치되였을것이다. 또한 신도, 신미도, 초도를 비롯한 중요한 섬들과 만들에는 수군함선들이 배치되여 경비임무를 수행하였을것이다.

당시 고구려수군의 무장장비도 우수한것이였다.

고구려에는 일찍부터 맥궁으로 널리 알려진 강력한 활과 쇠뇌, 긴창, 긴칼, 여러가지 형의 갈구리(적병을 말에서 끌어내리며 바다싸움에서는 적의 싸움배를 끌어당기는데 쓰는 무기) 등이 있었다. 이러한 무기들은 당시 수군도 바다싸움에서 널리 리용한것들이였다.

이처럼 고구려의 수군은 3세기초까지 수상무력으로서의 기본면모를 갖추게 되였다.

3세기에 고구려에서는 해상활동을 활발히 진행하였을뿐아니라 바다길을 개척하여 대외관계를 넓혀 나갔다.

233년에 중국 남방의 오나라가 료동지방의 공손연에게로 보낸 사신이 공손연의 배신행위로 감금, 살해되였을 때 그를 따라갔던 진단 등이 고구려로 피신해왔다. 당시 고구려로서는 그 서쪽에 이웃해

있으면서 고구려에 대한 침공을 일삼던 공손연세력을 견제하기 위하여 오나라와 국교관계를 맺는것이 필요하였다. 그리하여 고구려왕정에서는 배길로 조의(하급관리) 25명을 호송원으로 삼아 오나라사람들을 본국에 보내주면서 돈가죽 100장, 할계피 10장을 례물로 보내주었다. (《삼국지》권2 오서 가화 2년 3월조의 주석)

이때 고구려의 선박은 안평구(압록강하구)에서 출발하여 조선서해를 건너 중국의 동해안을 따라 창강하구에 이르렀다.

공손세력이나 위나라의 해상무력이 있는 조건에서 고구려선박이 창강까지 가려면 무장을 갖춘 먼바다항행용선박을 리용하여야만 하였다. 따라서 이것은 고구려에 수군이 있었다는것을 립증하는 하나의 뚜렷한 실례로 된다.

오나라와의 관계는 오래 계속되지 못하였지만 고구려는 그후 동진(317년-420년)과도 국교를 맺고 바다로 왕래하였다. 4세기 초엽에만 하더라도 336년, 343년에 각각 사신을 보낸 일이 있었다. (《삼국사기》권18 고구려본기 고국원왕 13년 7월, 《진서》권7 성제기 함강 2년 2월 경신, 강제기 건원 원년 12월)

이와 같이 고구려가 중국의 남쪽나라들과 바다길로 왕래하면서 사신거래와 교역을 진행한 사실은 고구려의 해상활동이 높은 수준에 이르고있었으며 배무이수공업과 항해술이 당시로서는 상당한 수준에 있었다는것을 실증하여준다. 동시에 그것은 사신일행의 안전을 담보하기 위한 수군의 활동능력도 해당한 수준에 이르고있었다는것을 보여주고있다.

제2절. 4세기 말~5세기초 수군의 강화와 제해권을 장악하기 위한 투쟁

고조선지역을 되찾기 위한 외래침략세력과의 오랜 투쟁과 삼국의 통일을 위한 적극적인 투쟁행정에서 강력한 국방력을 마련한 고구려는 나라의 방위체계를 더욱 정비하여나갔다.

고구려는 긴 해안선을 차지한 실정에 맞게 해상방위력으로서의 수군을 강화하는것을 중요한 과업의 하나로 제기하였다.

3세기이후에 령토의 확대, 생산의 급속한 장성과 경제력의 강화 등은 수군건설을 한층더 큰 규모로 내밀수 있게 하는 조건을 성숙시켰다. 고구려는 이전보다 훨씬 더 많은 배를 무어내여 물고기잡이와 대외무역 등 해상활동을 적극적으로 전개하게 되였으며 그 과정에 선박건조기술, 항해술 등이 더욱 발전하게 되였다. 이것은 더 높은 수준에서 수군건설을 다그칠것을 요구하였으며 또 그 실제적가능성을 마련하였다.

고구려의 수군은 4세기 후반기에 와서는 대규모의 해상기동작전을 벌릴수 있으리만큼 강화발전되였다.

고구려의 함대가 4세기말~5세기초에 진행한 해상원정들을 놓고보아도 고구려에서의 수군강화과정을 능히 추측할수 있다.

수군의 군사행동에서 가장 높은 형태의 전투작전인 해상원정은 강력한 수군력과 튼튼한 경제토대에 의거하여서만 가능한것이다. 해상원정을 수행하려면 상대방의 무력을 타승할수 있는 전투력을 가진 비교적 방대한 군사력(수군, 해상륙전대, 보병 등)과 해상을 자유로이 항행할수 있는 큰 함선 수십척 또는 수백척이 있어야 하고 다량의 무장과 군수물자들이 확보되여야 하며 어렵고 복잡한 정황하에서 작전과 전술적임무를 수행할수 있게 준비된, 다시말하여 세련된 전투조법을 소유한 구분대들이 있어야 한다. 특히 령활하고 능숙한 전투지휘와 높은 조직성과 규률성, 신속정확한 전투조직, 세련된 항해술 등이 없이는 해상원정을 성과적으로 실현할수 없는것이다.

그러므로 해상원정을 수행할수 있는 강력한 수군을 건설한다는것은 매우 어려운 일이며 당시의 조건에서는 적어도 100여년간의 비교적 오랜 시일이 필요하였다.

고구려는 자기의 정치군사적목적을 달성하기 위하여 뷔해와 조선서해 그리고 조선동해의 제해권을 틀어쥐기 위한 투쟁을 벌리게 되였다.
　여기에서 우선 당면하게 긴요한 문제로 나서는것은 조선서해의 북부와 뵈해의 제해권을 장악하는것이였다. 그것은 이 시기 고구려국가의 가장 중요한 정책이 고조선의 령토를 수복하기 위한 투쟁을 마감짓는것이였기때문이다.
　후한, 공손연, 서진, 동진, 전연 등 외래침략세력을 물리친 고구려는 4세기 초엽에 이르러 랴오둥지방의 넓은 지역을 차지하고 또 오늘의 황해남북도지역을 거의다 차지하게 되였다. 이것은 고구려가 료동반도의 남부해안선들과 례성강이북의 서해북부해안선들을 다 자기의 령역으로 삼았다는것을 말해준다.
　그러나 고구려는 이무렵 료서를 중심으로 세력을 뻗치고있던 전연의 모용선비족세력과 대결하게 되면서 료동군의 일부 지역을 수복하지 못하였으며 342년 전쟁에서 실패함으로써 한때 형세가 불리하게 되였다.
　고구려는 전연침략자들을 최종적으로 격파하기 위한 자체의 군사적력량과 잠재력을 키우는데 한동안 힘을 넣지 않을수 없었다.
　고구려는 전연침략자들에 대한 보복전을 준비하면서 륙군무력과 함께 수군무력을 강화하는데 큰 힘을 넣었다.
　고구려는 이 시기 전연과 대항하던 큰 세력인 북중국의 석씨의 조나라(石趙)와 바다로 련게를 맺기도 하였다. 고구려수군은 조나라가 전연을 치기 위한 공동작전을 위하여 300척의 배로 고구려측에 식량 30만곡을 운반해왔을 때(《자치통감》권96 진기 함강 4년) 그것을 보호하는 역할을 수행하였다고 보인다. 마침내 북부중국에서 전진이 전연에 대하여 큰 군사적공세를 취하게 된 370년 말이후 고구려는 전연세력을 최종적으로 격파하기 위한 일대 공세를 취하였다.
　376년초에 소기의 목적을 달성한 고구려는 주동적으로 다링하계선까지 철수하였다. 384년에 전진이 약화되고 전연과 꼭 같은 위험한 침략세력인 후연이 성립되자 고구려는 385년에 료서지방에 있던 후연의 료동군과 현도군을 함락시켰으며 400년에는 서북변방을 침범한 후연을 격파하였다. 그후 고구려는 402년에 후연의 평주를 함락시켰다. 404년에 와서 고구려는 수군의 원정으로 후연의 연군(燕郡)을 들이침으로써 심대한 타격을 주었다. 당시 연군은 오늘의 산하이관 서쪽의 허베이성 동북부지방에 있었다.

고구려의 서북국경선이 다링하하류에 있었던 조건에서 그곳을 공격하려면 반드시 수군을 파견하여 바다길로 치는수밖에 없었다. (《16국춘추》후연록 6 광시 4년 12월)

수군무력을 계통적으로 키워온 고구려는 이 시기 뷔해수역의 대부분까지도 제압할수 있었고 그에 기초하여 먼바다항행과 상륙전을 단행할수 있었던것이다.

랴오동반도에서 출발하였다고 하더라도 뷔해만의 절반을 돌아가자면 2 000리길이 된다. 이것은 4세기말~5세기초 고구려수군의 서해 및 동해원정과 함께 당시로서는 큰 규모의 해상원정의 하나로 되였다.

이 시기 고구려가 뷔해의 제해권을 장악한것은 후연침략세력을 제압하고 서북국경지대의 안전을 보장하는데서 매우 중요한 의의가 있었다.

360년대말에 이르러 백제는 고구려와 맞서나서는 세력으로 등장하였다.

백제는 자기의 후방을 강화하기 위하여 신라의 압력을 받던 가야나라들과 그 이주민들의 후예들이 세운 북규슈의 왜국을 자기편으로 끌어들이고 이에 기초하여 북방으로 진출하려고 시도하면서 371년과 377년에는 고구려의 평양성(남평양)을 침공하였다. 369년부터 시작된 고구려-백제전쟁은 그후 오래동안 계속되였다.

이 시기 고구려는 동남방에 있던 신라를 자기의 동맹자로 만들었다. 신라는 백제와 련합한 가야와 왜의 빈번한 침공을 받고있었던 조건에서 고구려에 의존하려고 하였다.

391년 백제, 가야는 왜의 군사를 불러다가 신라, 고구려에 대한 공격에 써먹으려 하였다.

이에 대하여 광개토왕릉비문에는 다음과 같이 지적되여있다.

《백잔(백제)과 신라는 옛적에는 우리의 속민이였으며 그전부터 조공을 바쳐오던것인데 왜가 신묘년에 왔기때문에 (고구려는)(바다를) 건너가 백잔을 격파하고 (동쪽으로) 신라를 (초유하여) 신민으로 삼았다.》

비문에서 보는바와 같이 고구려군은 왜세력까지 끌어들인 백제에 대한 일대 징벌작전을 벌리게 되였다. 《삼국사기》에 의하면 고구려는 392년이후 패수(례성강)를 건너 백제북부의 석현성 등 10개 성과 바다가의 요새인 관미성을 함락시켰다.

관미성은 3면이 바다로 둘러싸인 요새로서 그것을 함락시키는데 20일이라는 시간이 걸렸다. 이 시기 고구려의 서해수군은 강력한 전투력량으로 되고있었던만큼 패수도하작전이나 관미성공격에는 고구려의 수군도 참가하였다고 보아야 옳을것이다.

그렇게 보아야 광개토왕릉비문의 《(바다를) 건너가서 백제를 격파하였다.》는 기록을 옳게 해석할수 있는것이다. 당시 고구려수군은 패수도하작전이나 관미성공격작전이외에도 더 남쪽으로 내려가 한강하구의 강화도부근에 있던 백제의 무력에 대한 위력정찰 또는 해상조우전투를 진행하였을것이다.

백제는 390년대 전반기에 심대한 타격을 받았으나 고구려를 반대하는 전쟁을 계속 준비하였다. 때문에 백제에 결정적타격을 주는것은 시급한 당면과업으로 나섰다. 그리하여 고구려는 396년에 수륙 두 방면으로 백제에 쳐들어가 커다란 타격을 주었다.

이 전쟁에서 고구려의 광개토왕은 수군에 의한 적의 배후공격작전에 커다란 의의를 부여하였다. 그리하여 고구려의 수군함대는 396년에 대규모적인 해상원정을 단행하였다.

광개토왕릉비문에 의하면 《(영락) 6년 병신년(396년)에 왕은 직접 수군을 이끌고 잔국(백제-인용자)을 토벌하였다.》 고구려군은 먼저 륙지로 림진강을 건너서 백제의 여러 성들을 함락시켰으나 백제의 서북변에 총총히 배치된 요새들로 이루어진 성곽방위체계를 돌파한다는것은 쉬운 일이 아니였다.

그러므로 고구려는 수군함대를 출동시켜 한강이북의 백제 전연의 후방을 들이치는 동시에 한강이남의 백제성들을 공격하였다.

  그리하여 55~56개 성들을 함락시켰으나 백제는 완강하게 저항하였다. 고구려의 광개토왕은 직접 수군을 이끌고 아리수(한강) 도하작전을 지휘하여 백제의 수도 한성(남한성)으로 육박하였다. 백제의 아신왕은 수도가 함락될 위기에 처하자 하는수없이 58개 성을 넘겨주고 왕의 동생과 10명의 대신을 볼모로 보냈으며 그밖에도 가는베 1 000필과 노비 1 000명을 바치면서 자신은 이제부터 고구려왕의 노객(신하)으로 되겠다고 다짐하지 않을수 없었다.

  396년 전쟁에서 고구려가 큰 승리를 이룩하는데서 수군함대는 실로 커다란 역할을 하였다.

  그것은 그때까지의 전쟁력사에서 처음으로 되는 정규수군에 의한 대규모의 해상원정, 해상기동작전이였다.

  이와 같은 대규모의 군사행동을 하려면 강력한 후방기지가 있어야 하며 많은 선박과 숙련된 수군군사들이 있어야 한다.

  후연에 대한 해상원정을 놓고볼 때 이것은 당시 고구려가 동해와 중부조선이북 서해의 제해권을 장악한 해상강국으로 되였다는것을 보여준다.

  400년, 404년, 407년에도 고구려는 백제, 왜와의 전쟁을 계속하였는데 그중에서도 404년 전쟁은 대방지경(황해남도 해안지대)에 침공한 왜군과의 치렬한 싸움이였다. 이 전투에는 고구려의 수군이 참가하여 싸웠던것으로 인정된다.

  광개토왕릉비문에 의하면 영락 14년 갑진년(404년)에 왜는 백제의 후원밑에 수많은 싸움배를 나누어 타고 무모하게도 대방지경에 침입하여왔다. 고구려의 왕당(국왕직속부대)은 즉시 출동하여 적을 맞받아침으로써 섬멸적타격을 주었다. 이 전투에서 적들은 수많은 군사인원과 무수한 갑옷, 투구와 무기장구류들을 잃었다.

  404년 전투가 백제와 왜가 해상으로부터의 상륙작전을 시도한것과 관련하여 일어났던 대규모의 전투였다는 사실은 그에 대응한 많은 수의 고구려군의 수상 및 륙상무력의 존재를 추측할수 있게 한다.

그후 407년에 있은 백제에 대한 징벌작전에서도 고구려의 수군은 중요한 역할을 담당하였을것이다. 이때 고구려군이 주로 륙상에서 진격하였다고 하더라도 수군은 그 익측에서 백제군의 있을수 있는 해상기동, 병력 및 군수물자수송 등을 가로막음으로써 전쟁승리에 기여하였을것이다.

고구려의 수군은 4세기말~ 5세기초에 동해에서도 원거리항행을 함으로써 신라를 도와 왜의 수군이 날치지 못하도록 제압하였다.

400년에 고구려륙군은 신라를 도와서 임나가라(경상남도)까지 진격하였다. 이 시기를 전후하여 수군도 멀리 동해안북부인 오늘의 정평, 원산, 고성 등지에서 떠나 동해안을 남하하여 부산앞바다에 진출하여 경계임무를 수행하였다.

고구려가 동해안에도 수군기지들과 수군함대를 가지고 해상활동을 진행하였다는것은 418년에 신라가 박제상을 보내여 고구려에 볼모로 와있던 왕자 복호를 데리고 갈 때 고성포(강원도 고성군 구읍리)에 정박하고있던 신라배를 타고 돌아갔던 사실을 통해서도 알수 있다.*

> * 《삼국유사》권1 기이 나물왕김제상,《삼국사기》권45 박제상렬전. 복호귀환사건과 관련하여 명백한것은 고성포가 고구려의 중요항구의 하나였으며 수군함선들이 있었던 수군기지의 하나였다는 사실이다.

고구려가 동해의 수군을 남쪽으로 보내여 경비임무를 수행하도록 한 사실은 이 시기에 박제상이 왜국에 건너가서 치자(동등한 나라가 교환하는 인질)로 있던 눌지왕의 동생 미사흔(미해)을 데리고 오려고 했을 때의 일을 보아서 알수 있다. 이때 박제상은 계략을 써서 자신이 신라를 배반하고 온것처럼 가장하였는데 왜왕은 그것을 믿지 않고있다가 신라연해로 파견한 왜의 순라군이 고구려수군에 의하여 처단된 사실을 알고서야 비로소 박제상의 말을 믿게 되였다는것이다. 이것은 당시 고구려가 해상에서도 신라를 도와 왜국이나 가야 등 적대세력의 해상활동을 봉쇄하는 작전을 벌리고있었다는것을 실증하여준다.

4세기말~5세기초 고구려수군의 전투활동은 력사기록에 처음으로 나타나는 해상공격작전으로서 그 력사적의의가 큰것이다.

그것은 북쪽으로는 뷔해의 제해권을 틀어쥐고 후연땅 깊이 수군함대를 원정시킴으로써 후연의 침략책동을 파탄시키게 하였고 서해(북부)와 동해의 제해권을 장악한데 기초하여 백제수군의 해상활동을 저지시키며 더 나아가서는 백제와 가야의 조종밑에 고구려의 남방일대와 신라의 서남부일대에서 소란을 피우던 왜의 수군에게 큰 타격을 줌으로써 그들로 하여금 감히 고구려를 반대하는 군사행동을 제멋대로 일으키지 못하게 하였다는데 그 의의가 있었다.

당시 고구려의 수군이 동방최대의 강력한 수군무력을 가지게 된 것은 고구려봉건국가가 수군의 중요성으로부터 건강하고 무술에 능하며 배타기에도 익숙한 군사들을 수군으로 뽑았으며 또 함선건조에 큰 힘을 넣고 수군기지들을 튼튼히 꾸렸기때문이다.

당시 고구려의 항구로서 문헌기록에 전하는것은 압록강하구의 안평구밖에 없다. 그러나 고구려함대의 기동정형으로 보아 실지로는 수많은 항구들과 수군기지들을 가지고있었던것으로 인정된다. 황해남도 옹천성(옹진군 화산리)이 그 실례로 된다. 옹천성은 세면이 바다로 둘러싸이고 깊숙한 만이 형성되여있는 곳에 있다. 고구려는 바로 이러한 유리한 지형조건을 리용하여 바다가에 견고한 요새―성을 쌓고 방어력을 강화하는 한편 항만시설을 잘 꾸려놓고 수군기지로 되게 하였다.

이러한 수군기지들은 배가 닿기에 좋은 곳들 실례로 례성강부근, 연안, 강령, 대동강구, 청천강구, 압록강구, 다양하구, 다리엔, 진저우 등 여러곳에 설정되여 바다로부터 오는 적을 막는 동시에 서해, 뷔해에도 진출하여 적대세력의 해상활동을 봉쇄하고 제해권을 장악하는데서 큰 역할을 담당하였을것이다.

한편 동해안에서도 선박들이 풍파를 피하기 좋은 항구들 실례로 오늘의 정평, 원산, 통천, 고성(장전), 고성포(고성군 구읍리) 등은 수산업의 거점인 동시에 수군근거지로 되였으며 동해로부터 침입하는 적들을 물리치기 위한 전초기지로 되였다.

이상에서 본바와 같이 고구려의 수군은 4세기말~5세기초에 이르러 강력한 해상무력으로 장성강화되여 넓은 수역의 제해권을 틀어쥐고 해상방위무력으로서의 자기의 사명을 훌륭히 수행하였으며 수군군사예술을 더욱 발전시킴으로써 우리 나라 초기의 수군사를 빛내였다.

제3절. 5세기 중엽-6세기 고구려 수군의 해상활동 강화

고구려는 427년에 수도를 평양으로 옮기게 되면서 조선서해중부지대의 수군기지들을 더욱 튼튼히 꾸림으로써 그후 조선서해에서의 해상활동을 보다 적극화할수 있게 되였다.

그것은 우선 자기 나라안에서 조세와 공물의 운반을 원만히 보장하기 위하여 필요하였다. 국내성이 기본수도로 되여있을 때에도 압록강의 수운을 리용하였으나 그것은 작은 배로 수송하는것에 지나지 못하였으므로 많은 물동량은 감당할수 없었다.

그러나 평양이 기본수도로 된 다음에는 봉건국가의 조세, 공물을 비롯한 물동량의 많은것을 서해와 대동강, 재령강의 물길을 리용하여 운반하게 되였다. 6세기 후반기부터는 보통강의 다경문부근에서 중성의 정양문앞까지 운하가 굴착되여 로선(갈대지붕을 이은 배)이 다니였다. 오늘의 평안남북도, 경기도 등지의 곡창지대 그리고 멀리 랴오하하류류역, 랴오둥반도지역에서 많은 물동량이 수로로 운반되여 평양에 집중되였다.

5~6세기 고구려가 자기의 수군무력을 더욱 정비증강하여야 하

였던것은 국토통일위업을 실현하기 위한 대외활동과 남방진출을 보장하는데서 수군이 담당하는 역할이 더욱 중대된것과도 관련된다.

5세기 중엽이후 고구려는 국토와 겨레의 통일위업을 더욱더 적극적으로 추진시키게 되였다. 고구려는 백제와 신라를 제압하면서 남방진출을 강화해나갔으며 또 중국의 여러 왕조들 및 왜와의 대외관계를 자기에게 유리하게 조절하기에 힘썼다.

이 시기 고구려의 수군은 백제와 왜의 수군을 누르고 중국의 나라들과 일본땅에로의 해상진출을 믿음직하게 담보하였다.

고구려는 국력이 강성하던 5~6세기의 근 한세기동안에 중국의 북쪽에 위치하고있으면서 국경을 접하고있던 북위(386년-534년)와 약 70회의 외교사신왕래와 무역거래를 하였다. 이것은 많은 경우 륙로를 리용하였으나 일부는 바다길로 산둥반도로 가는 길을 리용하였다. 고구려는 또한 북위, 동위(534년-540년), 북제(540년-577년) 등 북조의 나라들과 대립관계에 있던 중국남부의 남조나라들 [송(420년-479년), 남제(479년-502년), 량(502년-557년), 진(557년-589년)]과도 선린관계를 유지하기에 힘썼다. 이것은 한편으로는 북조나라들을 경계함으로써 후방의 안전을 유지하며 다른편으로는 중국의 남북조나라들이 백제와 접근하고 지원하지 못하게 하려는 정치군사적목적을 추구한것이였다. 고구려의 국력이 강대한 조건에서 중국의 여러 왕조들은 고구려와 좋은 관계를 가지기 위하여 적극 노력하였다.

남조 송나라와의 관계에서 비교적 큰 충돌사건이 발생하였을 때에도 고구려의 수군은 중요한 역할을 담당하였다.

436년 북연이 북위의 공격으로 멸망에 직면하자 고구려는 북연왕 풍홍의 요청으로 군대를 보내여 그를 랴오둥반도의 평곽(오늘의 랴오닝성 거저우부근)에 와있게 하였다. 그러나 438년에 북풍(오늘의 랴오닝성 선양서북)에 옮겨진 풍홍이 고구려를 배신하고 송나라에 망명할것을 제기하였을 때 송나라는 7 000명의 군대를 파견하여 고구려의 수비군을 기습하고 풍홍을 탈취해가려고 하였다. 이때 고구려군은 즉시 반격을 가하여 송나라군대를 몽땅 소멸하거나 포로하였다.

　송나라가 군사 7 000명을 보내려면 적어도 수십척의 함선이 있어야 한다. 따라서 그들을 포위소멸하려면 반드시 강력한 함대로 그들의 퇴로를 차단하고 격파하여야만 하였다. 이것은 하나의 대규모적인 수상작전이 진행되였다는것을 보여준다.

　고구려는 북위와의 관계를 고려하면서 포로한 송나라장병의 일부를 송나라자체가 처벌하도록 하는 조치를 취하였다.

　486년 남제로 가는 고구려사신이 탄 배가 북위의 광주(光州-470년에 산둥반도에 둔 주)산하 수군무력에 의하여 억류된 일이 있었다. 그러나 이때에도 북위는 고구려사신을 고스란히 송환하였다. (《삼국사기》권18 고구려본기 장수왕 68년)

　남조나라들과의 외교무역관계는 전적으로 바다길을 리용하여 진행되였는데 《삼국사기》 고구려본기에 의하면 480년대이후 580년대까지 남조나라들에 고구려가 사신을 파견한 회수는 16차에 달한다. 532년에는 고구려사신이 량나라를 두차례씩이나 방문하였다. (《삼국사기》권19 고구려본기 안원왕 2년 4월, 11월) 이것은 고구려사람들이 서해를 횡단하여 남중국으로 가는 고정항로를 개척하고 리용하고있었다는것을 의미한다. 이것은 또한 고구려의 먼바다항행용 선박들이 수군의 보호를 받으면서 안전하게 항행을 하는 경우가 많았겠다는것을 짐작할수 있게 한다.

　고구려의 민용선박들과 함선들은 서해 각지의 항구들을 떠나서 한쪽으로는 랴오둥반도 남쪽연해를 거쳐 먀오다오렬도를 지나 산둥반도로 갔으며 다른쪽으로는 장산곶앞에서 곧바로 서해를 건너 산둥반도로 가거나 중부중국의 동해안연해를 남하하여 창강하구로 갔다.

　일본과의 사이에도 일정하게 고정된 항로가 개척되였다.

　고구려사람들이 일본렬도에 본격적으로 진출하게 된것은 5세기경부터였다. 고구려사람들은 일본렬도 혼슈서북의 해안지대로 가서 자기의 선진문화를 전달해주기도 하고 소국을 형성하여 일본렬도로 이주한 신라, 가야, 백제계통 주민들이 세운 소국들과 서로 대립하기도 하였다.

그후 5세기 초중엽에 와서 신라가 백제, 가야와 접근하는 정책을 쓰기로 하였다는것과 관련하여 왜의 중심세력은 북규슈에서 셋쯔(오늘의 오사까지방), 야마또(오늘의 나라지방)로 동천하게 되였다. 그러나 이 왜왕조는 계속 백제와 친밀한 관계를 유지하였다. 이렇게 된 정세속에서 고구려는 당면한 삼국통일정책을 촉진시키는데 유리한 환경조건을 조성하기 위하여 왜국과도 신축성있고 능동적인 외교정책을 씀으로써 그가 백제를 적극 지원하는것을 저지시키려고 하였다.

6세기에 이르러서는 고구려의 사신이 대부분 고시노구니(에찌젠-오늘의 노또반도일대)로 항행하여갔는데 이것은 고구려선박들이 동해항로를 옳게 선정하였다는것을 의미한다.

그것은 고구려의 동해안항구에서 떠난 배들이 조선반도 동해안을 따라 내려가다가 구로시오해류의 지류를 타고 일본 혼슈서북부연해를 따라 북상하는 경우 대체로 노또반도에 도착하게 되기때문이다. 이것은 일본렬도로 가는 고정항로가 개척되였다는것을 의미한다.

5~6세기에 일본렬도안에는 아직도 수많은 소국들이 남아있었다. 또한 신라도 5세기 말엽부터는 반고구려세력으로 변하였다. 이런 형편에서 고구려선박들이 수군의 믿음직한 보호없이 무사히 항행할수는 없었다.

그러므로 서해항로와 마찬가지로 동해항로의 개척과 리용도 수군력의 담보가 없이는 실현될수 없었다.

5세기 중엽-6세기 고구려수군의 앞에 나선 주되는 투쟁과업은 삼국통일을 위한 남방진출을 각방으로 원만히 보장하는것이였다.

5세기 초엽에 백제는 고구려의 거듭되는 공세로 궁지에 빠졌으나 계속 고구려와 맞서서 고구려의 국토통일을 가로막고있었다. 475년 9월 고구려는 백제에 대한 일대공세를 취하였다. 고구려군은 백제수도 한성(북한성과 남한성)을 함락시키고 개로왕을 죽임으로써 백제에 다시한번 커다란 타격을 주었다.

475년전쟁이 있은 후 고구려는 한강이북으로 다시 철수하였으나 백제는 수도를 웅진성(공주)으로 옮기지 않을수 없었다.

이 전쟁에서 고구려의 수군이 수행한 역할에 대하여서는 전하는 기록이 없다. 그러나 396년전쟁에서와 같이 고구려의 수군이 한강도하작전 및 한강이남지역에 대한 상륙작전, 군사인원과 군수기자재의 수송을 담당하였으리라는것은 알만 한 일이다. 이 전쟁을 통하여 고구려의 서해에 대한 제해권은 더욱 강화되였다. 고구려의 수군은 서해 남부해역까지도 자기의 순찰, 경계대상으로 삼게 되였다.

그것은 484년에 백제가 남방항로를 따라 남제로 보내는 사신일행이 탄 배가 고구려의 해상순찰선대의 방해로 목적을 달성하지 못하고 되돌아가지 않을수 없었다는 기록(《삼국사기》권26 백제본기 동성왕 6년) 하나만 가지고도 립증할수 있다.

다른편으로 고구려수군은 동해에서도 더욱 적극적으로 활동하였다.

475년 백제와의 전쟁때에 신라통치배들이 고구려와 형제간이 되겠다던 맹약을 어기고 백제를 군사적으로 지원해나선것은 고구려-신라관계를 급속히 악화시켰다. 고구려는 이에 대한 대응책으로 481년에 신라에 대한 징벌작전을 벌리였다. 고구려군은 호산성 등 7개 성을 합락시키고 멀리 미질부(오늘의 포항시 의창면)까지 진격하였다. 이것은 신라수도(경주)에서 겨우 120리 밖에 안되는 곳이였다. 백제와 가야의 후원으로 고구려의 진격은 일단 저지되였으나 고구려는 그후에도 미질부의 바로 북쪽인 청하계선을 지킴으로써 동남방향으로 가장 멀리까지 령역을 확장하였다.

481년전쟁에서 고구려의 수군은 륙군과의 긴밀한 협동작전을 벌리였으며 전쟁승리를 위하여 큰 역할을 하였다고 인정된다. 그것은 고구려의 군사행동이 죽령을 넘어 내륙지방으로도 전개되였겠으나 주로는 태백산줄기, 경상산줄기이동의 해안지대를 남하하는 방법으로 진행되였기때문이다. 륙군의 기동이 지연되는 경우 수군에 의한 상륙전으로 신라의 후방을 차단한 경우도 있을것이고 해상운수로 후방공급을 원활하게 하기 위한 수송작전도 맡아하였을것이다. 그러자면 고구려수군은 동해안 중부지역에 있는 오늘의 속초, 주문진, 묵호, 울진 등 항구들을 거점으로 꾸리고 더 큰 구조선도 만들었을것이다.

동해안에서 고구려의 남진은 일본렬도로 진출하는 동해항로의 개척에도 긍정적작용을 미치였다.

5세기말~6세기초에 고구려의 남방정세는 새로운 변화를 보이게 되였다. 즉 백제가 일정하게 강화되여 다시 고구려의 서남방을 위협하는 세력으로 등장하게 되였다. 이 시기 백제는 중국의 남조나라인 남제와 련합하여 북위를 반대하는 투쟁을 성과적으로 진행함으로써 자기의 국력을 다시 떨치게 되였다.

488년, 490년 북위의 수십만대군을 물리친 백제는 조선서해안의 한강, 림진강류역에서도 일정하게 북상하게 되였으며 6세기초에는 고구려의 수곡성을 공격하는데까지 이르렀다. 이것은 위험한 사태가 아닐수 없으므로 고구려는 동해연안에서 일정하게 후퇴하여 실직(삼척)계선까지 들어오는 대신에 신라로 하여금 중립을 지키도록 하였다. 또한 조선반도 중부-충청북도일대와 경기도 동부 및 북부일대의 무력배치를 강화하고 백제에 대한 새로운 타격전을 준비하였다.

529년에 고구려는 먼저 수군으로 백제의 혈성(강화도)을 공격하였다. 역시 전쟁준비를 다그쳐오던 백제는 고구려와의 일대 결전을 벌릴 심산으로 3만명의 대군을 내몰아 고구려의 오곡(서흥)벌로 진출하였다. 그러나 면밀한 전략전술을 세우고 대기하던 고구려군의 반격으로 오곡벌전투에서 크게 패전한 백제군은 고구려의 수군과 륙군이 이르는 곳마다에서 퇴로를 차단하자 대오를 수습할 사이도 없이 총 붕괴상태에 빠졌다. 승승장구한 고구려군은 아산만계선까지 단숨에 진출하였다. (《고구려사》(1) 과학백과사전종합출판사, 1990년. 372~378페지)

고구려의 서해수군은 오늘의 경기도해안 연해지방을 완전히 장악하였으며 그 활동범위를 넓히였다.

력사기록은 그후 고구려가 백제의 주요 수군기지인 석두성(오늘의 충청남도 당진군 송악면 한진리)을 여러차례 공격하였다는것을 전하고있다. (《증보문헌비고》 권33 여지고 21 관방 9 해방 3 대진포, 《삼국사기》 권20 고구려본기 영양왕 18년 5월)

529년 오곡벌전투를 계기로 한 고구려의 대규모남진은 백제로 하여금 다시 일어서기 어려운 지경에 빠져들게 하였고 백제는 538년에 사비성(부여)으로 다시한번 수도를 옮기지 않을수 없었다. 이때로부터 고구려수군은 서해중남부에 대한 공세를 더욱 강화할수 있게 되였고 한강하류, 강화도와 교동도, 자연도 등지에 자기의 수군거점들을 다 설정할수 있게 되였다.

이상에서 보는바와 같이 고구려의 수군은 5~6세기 대외활동을 담보하였을뿐아니라 백제와 신라에 대한 공세에 적극 참가하여 남진정책수행에 크게 기여하였다.

이 시기 고구려의 수군은 조선동해와 서해의 항로개척과 원양항해, 수륙병진작전의 수행 등 수많은 전투와 활동과정에서 그 전투력을 더욱 강화하였으며 새로운 전투조법들을 적용발전시켜 수군군사예술을 더욱 발전시켜나갔다.

제4절. 수, 당침략을 반대하는 전쟁시기 고구려수군의 투쟁

고구려인민은 6세기말부터 중국에 나타난 강대한 수나라, 당나라의 침략군들을 반대하는 70여년간의 힘겨운 전쟁을 진행하지 않으면 안되였다.

수, 당침략자들의 거듭되는 대규모적인 침략을 반대하여 싸운 고구려인민들의 영용한 투쟁은 동방은 물론 세계의 중세전쟁사에서도 찾아보기 드문 큰 규모의 반침략전쟁이였다.

1. 고구려 - 수전쟁시기 수군의 투쟁

  6세기말에 중국을 다시 통일한 수나라의 통치배들은 천하를 지배하려는 망상을 품고 고구려에 대한 침략을 준비하였다.
  당시 고구려는 돌궐족에 쫓기워 고구려편으로 넘어온 거란족들을 자기의 영향하에 두고있었으며 다링하이서, 랴오하상류의 넓은 지역에까지도 세력을 뻗치고있었다. 수나라통치배들은 일찍부터 자기의 동북방에 위치한 강대한 나라 고구려를 정복하려고 획책하였다. 585년에 고구려에 속해있던 거란족들이 고구려를 반대하고 수나라에 가붙으려고 했을 때에 수나라 문제는 그들을 받아들였으며 고구려의 서쪽국경지대인 영주에 총관부를 신설하고 다링하이서지역에 전초기지를 꾸리는 한편 고구려를 외교적방법으로 굴복시켜보려고 책동하면서 위협적인 내용으로 일관된 국서를 보내왔다. *¹
  고구려는 수나라의 침략에 대처하여 598년 2월 1만명의 기병대를 파견하여 수나라의 전초기지였던 영주를 공격하여 그곳에 집결하고있던 적들을 소멸해버렸다. *²

    *¹, *² 《수서》권4 양제기 대업 8년 정월 임오, 권81 고려전

  이것은 수나라측의 침략에 대한 응당한 보복타격이였다. 그러나 수나라통치배들은 이 사건을 계기로 598년에 수륙 30만의 정예군을 편성하고 후방부대까지 포함하여 100만의 대군을 내몰아 고구려에 대한 침공을 감행하였다. (《자치통감》권181 수기 양제 대업 7년 12월)

수나라침략군은 륙지와 바다 량면으로 쳐들어왔다. 그러나 수나라륙군은 처음부터 고구려의 군인들과 인민들의 완강한 항거에 부딪쳐 랴오하계선에서 격파분쇄되고 쫓겨났다.*¹

한편 총관 주라후가 거느린 수나라의 수군은 바다길로 고구려의 평양성부근에 침입하여 지상부대와 협동하여 공격할 기도밑에 산둥반도의 동래를 떠나 뷔해와 조선서해를 건느던 도중 풍랑을 만나 많은 함선들이 깨지고 아무런 소득도 없이 되돌아갔는데 수나라의 군대는 이 전쟁에서 10분의 8~9가 죽었다고 한다.*²

*¹, *² 《수서》 권81 고구려전, 권65 주라후전

수나라의 수군이 풍랑에 의하여 거의 다 녹아났다는 《수서》의 기록은 그대로 믿기 어렵다. 그것은 우선 수나라의 수군이 항행한 배길은 비교적 안전하였기때문이다. 수나라의 수군이 먀오다오렬도를 지나 랴오둥반도 남해안을 따라오다가 오골강(다양하)이나 패수(압록강)의 하구로 기여드는 경우에도 배길은 안전하며 풍랑이 일어난다 하더라도 그것을 피할수 있는 가능성이 많았다. 더우기 바람새가 좋으면 짧은 시간안에 목적지에 도달할수 있는 거리에서 풍랑에 의하여 거의 전부가 녹아났다고 볼수 없는것이다. 따라서 그것은 주로는 고구려수군과의 싸움에서 패배한 결과였다고 보는것이 더 정확할것이다.

604년에 임금이 된 수양제는 대외침략에 더욱 열을 올린자로서 즉위하자 곧 고구려침공을 위한 준비를 서둘렀다. 610~611년에는 전쟁준비로써 수백만의 인민들을 동원하여 다링하서쪽에 군량을 날라가게 하였으며 수많은 군마들을 준비하게 하고 막대한 량의 무기 무장류들을 새로 만들도록 하였다. 또한 산둥반도 동래에서 300척의 배를 만들게 하였는데 어찌나 모질게 다그쳤는지 배만드는 장공인들이 밤낮 물속에 선채로 일을 한 결과 허리아래에 구데기가 쓸었고 10명에 3~4명이 죽었다고 한다. (《자치통감》 권181 수기 양제 대업 7년 2월 임오)

수나라의 침공이 눈앞에 다달은 정세에서 고구려는 방어전투준

비를 다그치지 않을수 없었다. 고구려는 료수계선의 성곽방위체계를 더욱 정비하는 한편 일부 수군분함대를 보내여 료서지방의 적수군보루, 초소들을 습격하고 전투정찰을 강화하였다. (《수서》권4 양제기 대업 8년 정월 임오)

수양제는 611년말까지는 300만대군을 탁군(허베이)에 집결시켰고 113만 3 800명으로 구성된 기본부대는 24개 군단으로, 측근부대는 6개 군단으로 편성하여 612년 1월에 끝내 고구려를 침공하는 길에 나섰다.

수양제가 일으킨 이 전쟁은 세계의 중세전쟁사에서 찾아보기 힘든 큰 규모의 침략전쟁이였다.

수양제는 자신이 직접 륙군을 인솔하여 지상으로 쳐들어왔으며 뒤이어 수백척의 함선에 수만명의 병력으로 무어진 수군함대를 침입시켰다. (《수서》권4 양제기 대업 8년 정월 임오, 《자치통감》권181 수기 양제 대업 8년 6월 기미)

고구려의 애국적인 군민들은 국경지대 료수계선에서 강력한 방어전으로 침략군에게 심대한 타격을 주었다. 특히 료동성전투와 그 이후의 오골성전투, 북평양성(환도성－평황성)전투, 살수(샤오즈하)에서의 큰 승리(살수대첩)는 침략자들에게 섬멸적타격을 주었다.

이 전쟁에서 고구려의 수군도 나라의 연해를 굳건히 지켜내면서 압록강하구로 기여드는 적의 수군을 견제하여 놈들의 《수륙병진》계획을 파탄시키는데 일정하게 기여하였다.

래호아가 거느린 수나라의 수군은 산둥반도에서 출발하여 압록강하구에로 진출하였다. 그들은 원래 륙군과 협동하여 당시 고구려군의 전선사령부가 자리잡고있던 북평양성을 점령해보려고 기도하였다. 그러나 수나라의 수군이 압록강하구에 진출할 때까지 적의 륙군은 료동성에 머물러있었으며 별동대인 9군은 압록수(타이즈하)를 건느지 못하고있었다.

래호아는 어리석게도 수군의 힘만으로 북평양성을 불의에 기습하여 점령해보려고 북평양성밖 60리지점에서 상륙전을 감행하였다.
　당시 고구려수군의 활동중심이 조선서해중부지대였던만큼 압록강하구부근에 있는 수군력량은 그리 많지 못하였다. 고구려의 수군은 불의에 기습을 받은 불리한 정황에서도 용감하게 싸웠으나 력량상 관계로 압록강하구를 지켜내지 못하였다.
　수나라의 수군은 압록강하구를 차지하고 4만명의 정예부대를 뽑아서 상륙하여 남쪽으로부터 북평양성을 공격하였으나 고구려군의 유인전술로 하여 북평양성 라곽(외성)에서 매복에 걸려 대부분의 병력을 잃고 겨우 수천명만이 살아 돌아갈수 있었다. (《자치통감》권 181 수기 양제 대업 8년 6월 기미)
　고구려군의 된타격을 받게 된 적수군은 너무 급한 나머지 압록강을 따라 바다로 나와 륙군을 기다리지도 않고 도망치고말았다. 력사기록에는 전하지 않으나 이것은 서해수역에 있던 고구려의 수군이 집결되어 수나라수군의 후방을 위협하고있었던 사정과 많이 관련되여있었을것이다. 만일 고구려수군의 공격위협이 없었다면 래호아가 수양제의 명령을 어기고 제멋대로 먼저 돌아가지를 않았을것이며 특히 살수(샤오즈하)전투에서 참패하고 분산된 30만 가까운 수나라군대가 바다가로도 돌아갈수 없었던것은 고구려의 수군이 랴오둥반도 남쪽연해를 완전히 봉쇄하고있었기때문이다.
　612년의 침공에서 만회할수 없는 패배를 당하였으나 수양제는 613년에 세번째로, 614년에는 네번째로 고구려를 침공하였다. 그러나 그때마다 심대한 타격을 받고 쫓겨갔다. 이 시기의 싸움들에서 바다싸움을 벌린 기록이 없고 다만 세번째 침공때 적들이 적은 력량의 수군을 비사성(랴오둥반도의 남단)에 침입시켜 지상부대와 합류한 것밖에 없다. 그러므로 이 시기에도 고구려의 수군은 나라의 연해를 지켜 자기의 사명을 훌륭히 수행하였을것이다.
　고구려를 침공하기 위하여 집요하게 달려들던 수나라는 전쟁의 무거운 부담을 반대하여 일떠선 자국내인민들의 투쟁에 의하여 멸망하고말았다.

2. 고구려-당전쟁시기 수군의 투쟁

수나라침략자들의 침공을 물리친 고구려인민들은 전쟁의 상처를 채 가시기도 전에 또다시 당나라의 침공을 받게 되였다. 당태종은 고구려침공을 위한 군사적준비를 다그치는 한편 《화친》의 간판밑에 압력과 간섭으로 고구려를 굴복시켜보려고 책동하였다.

왕을 비롯한 고구려의 일부 통치배들이 당나라의 압력에 양보하는 정책을 실시하자 연개소문을 비롯하여 일부 봉건귀족들은 642년에 무장정변을 일으키고 정권을 틀어쥠으로써 강경한 대외정책을 실시하였으며 나라의 방위력을 강화하기 위한 일련의 조치를 취하였다.

연개소문은 고구려-수전쟁 당시 신라통치배들이 탈취한 죽령이북 500리땅을 되찾기 위한 투쟁을 벌리는 한편 백제와의 관계를 개선하고 신라가 당나라로 통하는 해상길목요새인 당항성(경기도 화성시)을 공동으로 공격하려고 하였다. 이 작전적기도는 그 어떤 리유에 의해서인지 실현되지는 못하였으나 고구려수군의 주동적인 참가와 상륙전을 예견한것이였다는데 그 중요한 의의가 있다. 고구려는 또한 천리장성의 축조를 빨리 끝내고 료동지방의 성들을 보강하고 군량을 축적하는 등 전쟁준비를 갖추어나갔다. 이를 위하여서는 륙상수송보다 수상수송이 더 효과적이였고 따라서 고구려의 수군도 이 전쟁준비에 적극 참가하였을것이다.

당나라 태종은 신라를 지원한다는 구실밑에 고구려에 대한 침공준비를 다그치면서 644년에는 400척의 군함을 건조하게 하는 한편 수만명의 군대를 풀어 고구려의 료동지방에 대한 공격을 감행하였고 이해 11월에는 수십만의 침략군을 유주에 집결시켰으며 드디여 645년 4월에는 대규모적인 무력침공을 개시하였다.

고구려의 애국적인 군인들과 인민들은 전통적인 수성청야전술로 침략자들에게 심대한 타격을 줌으로써 큰 승리로 이 전쟁을 결속지었다.

력사기록에는 이 전쟁에서 고구려의 수군이 바다싸움을 하였다는 것이 전해지지 않는다. 그것은 수륙병진을 계획했던 당태종의 륙군이 랴오둥반도에서 못 박힌채 더 앞으로 나가지 못하였고 따라서 당나라 수군은 압록강하구를 정찰하는것으로 그칠수밖에 없었기때문이다.

당시 고구려의 수군은 한편으로 신라의 대당외교의 통로인 조선서해를 봉쇄하는 일과 나라의 전반적연해수역을 지키는 일을 기본사명으로 하고있었다.

645년 전쟁에서 적수군이 제멋대로 기동하지 못한것은 고구려수군함대가 해상에서 맞서고있었기때문이였다.

당나라침략자들은 거듭되는 참패를 당하면서도 647년과 648년에 다시 료동지방에 대한 침공을 감행하였다가 패배하고 쫓겨났다.

고구려의 수군은 647년 7월 랴오둥반도의 남쪽으로 침입하였던 우진달, 리해안 등이 거느린 당나라의 수군을 격퇴하였다.

《신당서》와 《자치통감》에 의하면 적의 수군은 랴오둥반도에 침입하여 한때 석성을 강점하고 적리성을 공격하면서 100여차례의 전투를 벌렸다고 하였다. (《신당서》권220 고려전, 《자치통감》권198 당기 태종 정관 21년 7월)

100여차례나 진행한 싸움이 모두 바다싸움일수는 없으나 적의 수군이 얼마 못 가서 격퇴된 사실로 미루어보아 적이 내륙깊이 침공할수는 없었다는것을 알수 있다. 이것은 고구려의 수군이 적의 상륙을 반대하여 반상륙방어전을 전개하였으며 적함대와의 해상전투도 진행하였으리라는것을 추측할수 있게 한다. 그것은 이해 가을에 당태종이 장강이남 12주의 수공업자들을 동원하여 큰배 수백척을 건조하게 한 사실을 보아도 짐작할수 있다. 이미 644년에 400~500척의 선박을 만들었고 645년에는 500척의 전함들을 출동시켰던만큼 그사이에 적지 않은 손실을 당하지 않았더라면 또다시 수백척의 배를 만들 필요가 없었기때문이다. (《자치통감》권197 당기태종 정관 18년 7월 신묘, 11월 갑오, 권198 정관 21년 8월 무술)

중국봉건사가들은 자기들의 전패상을 극력 축소하여 기록하였는데 645~648년의 고구려-당전쟁에서도 례외가 아니였다.

648년 1월에 고구려군은 압록강하구로 침입하였던 적장 설만철이 지휘한 3만의 침략군과 오호섬에 있던 당나라군대가 련합하여 쳐들어온것을 격퇴해버렸다. 특히 역산성(易山城)에서 고구려군은 적의 함선들이 정박하여있던 곳을 야간에 기습하였다. 이때 고구려수군이 그 선봉에서 잘 싸웠던것은 더 말할것도 없다. 이해의 전투들 역시 당나라사가들은 저들이 승리한것으로 묘사하였지만 실지로는 그와는 반대였다. 그것은 대장 설만철이 당나라로 돌아간 뒤에 패전의 책임을 지고 먼곳으로 귀양간 사실을 통해서도 찾아볼수 있다. (《자치통감》권198 당기 태종 정관 22년 4월 갑자, 9월 계미)

이때 당나라의 수군은 비교적 준비된 력량이였다. 3만의 군사를 태우고 바다를 건너왔던것만큼 함선들도 비교적 크고 견고한것들로서 수백척에 달하였을것이다.

고구려의 수군은 이러한 적의 수군을 지상방위부대와의 협동밑에 소멸하고 격퇴해버렸다.

그후 650년대에 이르러 당나라통치배들은 상대적으로 적은 병력으로 고구려의 변방을 교란함으로써 고구려인민들이 늘 긴장되고 동원된 상태에 있으면서 농사를 지을수 없게 하는 신경전, 소모전의 전략을 쓰는데로 나왔다.

648년에 당나라를 방문한 신라의 실권자 김춘추는 승리하는 경우 패강을 계선으로 하여 고구려, 백제의 령토를 분할할데 대한 비밀협약을 맺는 천추에 용서 못할 배족적행위를 저질렀다. 이때 고구려의 수군은 귀국하는 김춘추의 배를 습격하여 그를 처단하려고 하였으나 김춘추로 가장한자를 죽이고 돌아오고말았다.

그후 660년에 이르러 13만대군의 당나라침략자들은 신라의 5만병력과 합세하여 백제땅을 강점하였으며 결과 고구려는 북과 남의 두 전선에서 침공을 받게 되는 매우 불리한 정황에 놓이게 되였다.

661년말~662년초에 소정방이 지휘하는 당나라침략군은 수백척의 대함대로 서해를 넘어 패강으로 기여들어 고구려의 수도 평양성을 공격하려고 시도하였다.

평양성부근싸움에서 대동강과 조선서해를 지키던 고구려의 수군은 지상부대와 협동하여 침략군을 쳐물리치는데 기여하였다.

666년 애국명장 연개소문이 사망하자 고구려통치배들속에서는 더러운 권력쟁탈전이 벌어지게 되고 나라에는 정치적혼란이 조성되였으며 봉건국가의 기능은 마비되다싶이 되였다.

이 기회를 리용하여 수십만명의 당나라침략군과 20만명의 신라군이 고구려땅 깊이 침공하여왔으며 668년 9월에 고구려봉건국가는 자기의 존재를 끝마치게 되였다.

667~668년 전쟁에서 고구려의 수군이 어떻게 싸웠는가에 대해서도 력사기록에 남은것이 없다. 그러나 랴오둥반도와 압록강이남지역의 수많은 성들이 침략자들을 반대하여 불굴의 투쟁을 계속하였는데 그가운데는 바다를 낀 고을들도 적지 않다. 그러므로 고구려의 수군은 륙군과 함께 반침략투쟁을 계속하였다고 보아야 할것이다. 그후 고구려인민들은 강점자들을 몰아내기 위한 30년간의 힘겨운 투쟁을 벌렸으며 마침내 698년에 고구려를 계승한 진국(발해)을 세웠다. 이것은 외래침략자들을 몰아내기 위한 투쟁에서 고구려유민들이 이룩한 빛나는 승리로 된다.

×　　×　　×

우리 나라의 첫 봉건국가였던 고구려는 근 1 000년이란 기나긴 력사적기간에 수십차의 외래침략자들을 물리침으로써 민족의 슬기와 용맹을 온 세상에 떨쳤다.

고구려의 수군은 전기간 수륙 두 방면으로 달려드는 외적을 반대하는 투쟁에서와 나라의 통일을 실현하기 위한 투쟁에서 적대세력의 공격을 물리치고 나라의 연해를 굳건히 지켜냈으며 여러차례의 해상원정을 진행하여 조선수군사를 빛내였다.

고구려의 수군은 오래동안 뷔해의 동부수역과 조선동해 및 서해중부이북연해수역의 제해권을 틀어쥐고 적극적인 해상활동을 벌리면서 나라의 대외활동과 대외적진출을 믿음직하게 보장하였다.

고구려의 수군은 강력한 경제력과 발전된 배무이수공업, 무기제조기술에 기초하여 당시로서는 우수한 함선들을 가질수 있었으며 수많은 크고작은 바다싸움, 해상원정, 상륙전, 반상륙방어전, 해안방어와 진(기지)건설 등을 통하여 여러가지의 전투조법들을 창조하고 적용하였다.
　이밖에도 고정항로의 운영, 해상경비와 순찰의 정상화, 첫 동해 횡단항해 등 수군건설과 수군군사예술발전을 위한 훌륭한 경험들도 축적하였다.
　고구려수군이 남긴 업적과 경험들은 신라, 백제의 수군건설과 그의 발전에 큰 영향을 주었으며 그뒤를 이은 발해의 수군건설과 활동에서 귀중한 밑천으로 되였다.

제2장. 백제의 수군

　백제는 조선반도의 서남부를 차지하고 B.C. 1세기 말엽에 성립된 봉건국가였다.
　B.C. 3세기 중엽에 형성된 백제소국은 지금의 한강하류지방 좁은 지역을 차지하고있었으나 B.C. 1세기 말엽에는 독자적인 큰 봉건국가를 이루었으며 그후 A.D. 3세기말까지는 오늘의 전라남도 남쪽 바다가지역까지 령토를 넓혔다.
　그리하여 북쪽은 오늘의 례성강이남지역과 강원도의 일부 지역을 차지하고 고구려와 접경하였으며 동쪽은 오늘의 충청남북도 지역에서 신라와, 지리산이남지역에서는 섬진강계선에서 가야나라들과 각각 접경하였고 남쪽은 조선남해, 서쪽은 조선서해를 끼게 되였다.
　백제는 조선서해중남부와 조선남해서부를 개척하여 해상활동을 활발하게 벌리는 과정에 3세기 중엽경에는 독자적인 군종으로서의 수군무력을 편성하게 되였으며 해상경비, 해상전투를 담당하게 하였다.
　그 과정에 수군무력을 강화하여 4세기 말엽이후는 료서지방과 산둥지방 등지에 100여년간이나 자기의 통치지역을 유지하였다.

제1절. 백제사람들의 해상활동과 수군건설

　　백제봉건국가가 발생한 한강하류지역은 고조선과 고구려의 선진적인 문화의 영향을 받아 경제와 문화가 일찍부터 발전된 지방이였다. 이 지방에서는 기원전 수세기부터 제철기술이 널리 도입되고 철기생산이 늘어났으며 전반적으로 사회적생산력이 발전하였다.
　　인민들의 창조적로동에 의하여 이룩된 기술과 경제력을 리용하면서 백제의 봉건통치배들은 처음부터 무력을 강화하는데 힘을 넣었으며 4세기 중엽에 이르러서는 강력한 륙상 및 해상무력을 가지게 되였다.
　　백제가 차지한 조선서해중부로부터 조선남해에 이르는 긴 해안선에는 약 2 000개의 섬들이 있으며 밀물과 썰물의 차가 심하였다. 이것은 바다가생활에서 특이한 조건을 지어주었다. 또한 백제땅에는 배가 다닐수 있는 수많은 강하천들이 있었다.
　　배무이수공업의 발전은 해상활동을 활발히 벌리게 하였으며 반대로 해상활동의 발전은 배무이수공업의 발전을 자극하였다.
　　백제는 4세기 중엽 가야나라들과 동맹관계를 맺고 남해진출을 더한층 강화하였다. 이 시기 북규슈를 비롯한 일본각지에 형성된 백제계통소국들은 백제의 제후국으로서 백제에 대하여 신속관계를 가지고 있었다. 그뿐아니라 백제는 북규슈에 있던 가야계통소국들에도 큰 영향을 미치였으며 일본렬도의 정치, 경제, 문화발전에서 커다란 역할을 담당하였다.
　　4세기말~5세기 초경에는 왜(일본)가 백제에서 왕인, 아직기 등 학자, 기술자들을 초빙하여 왕자의 스승으로 삼기도 하고 여러가지 기술을 배웠으며 또 각지에서 배를 만들었다. 그후 7세기까지 백제계통이주민들은 왜국안에서 선진문화의 전달자, 소유자로서 중요한 역할을 놀았다.
　　백제사람들은 중국에 있던 나라들과도 국교를 맺고 해상으로 사신왕래와 무역거래를 하였다.
　　력사기록에 나오는 가장 이른 기록은 372년에 양자강(창강)이

남에 있던 동진에 사신을 파견한것이다. (《진서》 간문제기 함안 2년 정월 신축)

또한 《남제서》를 비롯한 중국 남조나라들의 력사책들에는 백제가 한때 료서지방에 진출하였고 그곳에 료서군, 진평군 등을 설치하였다는것 그리고 5세기말에는 백제가 북위와 싸워서 이겼다는것이 기록되여 있다.

《진서》 마한전에는 3세기 말엽에 마한이 료동에 있던 진나라 동이교위주재지에 여러번 왔다고 기록되였다. 여기에서 마한이라고 한것은 마한잔여세력으로서의 소국들인 경우도 있으나 백제 또는 백제의 통치밑에 있던 나라들인 경우가 더 많았다고 생각된다.

백제는 마지막시기까지도 중국의 여러 나라들과 비교적 긴밀한 외교무역관계를 유지하였다.

백제사람들의 높은 수준의 배무이기술과 해상활동, 풍부한 경험은 해상무력으로서의 백제수군건설의 토대로 되였다.

백제에서의 수군건설은 다른편으로 백제봉건국가의 통치기구와 무장장비발전의 일정한 단계에 이르러 비로소 실현될수 있었다.

소국들을 병합하고 령토를 늘이는 과정에 백제국가의 관제가 정비되고 통치기구가 째여졌으며 인민들에 대한 탄압기능과 대외적방위기능을 겸하여 수행하는 무장력도 장성강화되였다.

260년에는 6좌평제도와 16개의 벼슬등급제를 실시하였고 그후 5부 5방제 등을 실시하여 나라의 통치체제와 국방체제를 정비하였다.

백제에는 전문화된 무기제조수공업이 있었고 그를 관할하는 사공부에서는 국가적으로 필요한 여러가지 우수한 무기들을 생산하여 공급하였다. 제철술이 발전한 백제에서는 철단조기술이 높은 수준에 이르러 백련철(백번 담금질하여 단조한 쇠), 팔십련철 등 우수한 강철을 생산하여 질좋은 환도, 창, 검과 같은 무기들을 생산하였으며 투구, 갑옷 등 장비들을 생산하였다.

백제는 이에 기초하여 자기의 해상무력인 수군을 편성하고 발전시켜나가게 되였다.

백제에서 3세기 중엽이전에 이미 독자적인 군종으로서의 수군이 조직되였다고 보게 되는것은 중국의 나라들과의 교섭이 개시된 시기가 3세기 중엽경이며 또 일본렬도에로의 진출이 적극화된 시기가

3세기 말엽이후였다는 사실에 근거하고있다. 큰 바다를 넘나들면서 외교무역활동을 하거나 이주민을 보낸다는것은 수상무력의 존재를 전제로 하기때문이다.

그후 고구려, 신라와의 관계가 악화되였던 4세기 후반기에 이르러서는 백제에서 해상방위를 위한 수군의 강화문제는 더욱 절실한것으로 되였다.

370년대이후 백제는 가야, 왜(북규슈의 가야, 백제계통소국)와 련합하여 고구려, 신라련합세력과 맞서게 되였는데 이 시기 고구려는 강력한 수군함대를 가지고 백제를 반대하는 작전들을 수행하였다.

이에 대처하여 백제는 가야, 왜를 인입하여 남쪽에서는 신라를 부단히 위협하고 서북쪽에서는 대방지경(황해남도 남부해안지대)에도 침입하여 고구려군과 충돌하였다.

당시 가야, 왜에 비하면 선진대국이였던 백제는 이 나라들에 대한 선진기술의 전달자였다. 선박건조, 무기, 무장, 제조수공업면에서도 백제는 이러한 역할을 놀고있었던것만큼 당시 백제의 수군도 상당한 정도로 강화되고있었다고 보아야 할것이다.

제2절. 백제수군의 적극적인 해외진출

백제는 국력이 강화되고 령토가 확장된 4세기이후에는 수군에 의거하여 해상활동을 더욱 활발히 벌려나갔으며 일본렬도와 중국의 나라들에 적극 왕래하였다.

강력한 해상무력으로 장성강화된 백제의 수군은 연해를 지켜 나라의 안전을 담보하였을뿐아니라 일본렬도안에 형성된 소국들과의 래왕을 보장하는데서 커다란 역할을 수행하였다.

북규슈 왜왕국의 통치자들이 긴끼지방(기내야마또)으로 그 중심지를 옮긴 다음에도 수많은 백제사람들이 왜땅으로 건너가서 그 지배계급의 구성성분으로 되였다. 6~7세기에 왜 왕정안에서 백제의 영향은 참으로 컸다. 당시 일본의 의복, 건축양식 기타 각종 수공업품제조기술 등은 많은 분야에서 백제풍이 지배적인것으로 되여있었다. 이것은 부단한 왕래와 집단적이주가 없이는 실현될수 없는것이였고 백제수군의 뒤받침이 없이는 불가능한 일이였다.

498년에 백제는 탐라국(오늘의 제주도)이 조공을 바치지 않는다고 하여 정벌하려고 무진주(광주시)까지 갔다가 탐라국왕이 투항해왔으므로 중지하였다.(《삼국사기》권26 백제본기 동성왕 20년 8월) 이 사실은 백제가 큰 규모의 수군함대에 의거하여 원정을 단행할수 있었다는것을 말해준다.

백제는 또한 북중국일대에서 혼란이 일어나고있던 370년대에 료서지방에로 진출하였다.

《송서》(권97) 백제전에는 《고려(고구려-필자)가 료동을 빼앗아가지게 되자 백제는 료서를 빼앗아가지게 되였다. 백제가 다스린 곳은 진평군 진평현이다.》라고 기록되여있다.

또한《량서》(권54) 백제전에는 《진나라때 고구려가 이미 료동을 빼앗아가지니 백제는 료서, 진평땅을 차지하고 스스로 백제군을 두었다.》라고 하였다.

※ 《송서》는 6세기 량나라의 사람 심약이 편찬한 책인데 그때에 백제와 중국의 나라들과의 관계가 밀접하였던것으로 미루어보아 백제에 대한 심약의 지식은 정확하였다고 볼수 있다. 그러므로 심약의 《송서》에 기록된 사실은 믿을수 있는것이다.

백제가 료서를 치게 된 시기는 고구려가 료동지역을 차지한 시기에 해당된다. 즉 고구려는 370년대에 료동지방을 완전히 차지하여 고조선의 옛땅을 거의다 되찾게 되였다. 그러므로 백제가 료서에 진출한 시기도 대체로 이 시기에 해당되며 백제는 거기에 백제군을 설치하였고 그후 5세기 후반기까지 100여년간 그 부근에서 백제군을 유지한것으로 된다.*

* 백제가 설치한 군의 위치는 아직 밝혀지지 못하고있다. 그러나 그후 5세기에 여러차례에 걸쳐 백제가 남조의 송나라, 제나라에

보낸 국서들을 보면 백제에는 광양태수, 광릉태수, 청하태수, 성양태수 등 중국지명들과 관련된 관직명들이 있었다. 그리고 488년과 490년에는 북위의 수십만군대와 싸워 그를 격퇴하였다. 이러한 자료들로 미루어보면 백제는 란하하류류역 또는 산동반도 뷔해만의 일각에 자기의 거점을 설정하고 대체로 남조와 련합하여 북위의 세력을 견제하였다고 볼수 있다.

백제의 료서진출은 수군함대에 의거하여 바다길로 수행된것이였다. 당시 백제에서 료서로 가려면 륙로로는 갈수 없었던만큼 백제의 료서진출은 바다길로 간것이 아닐수 없다. 따라서 반드시 수군함대에 의거한것으로 보지 않을수 없는것이다.

당시 고구려와 백제는 대립되여 싸우고있었다. 때문에 바다로 진출하는 경우에도 백제의 함대는 고구려의 연해 앞바다(조선서해 북반부지역과 뷔해)를 피하고 조선서해를 가로질러가야 하였다. 이것은 백제가 원정함대를 편성함에 있어서 수군력량을 최대한으로 동원하지 않을수 없게 하였다.

백제의 수군이 료서땅에 계통적으로 왕래하였다는 사실은 이 시기에 백제의 수군이 상당한 정도로 강화되고 발전하였다는것을 보여준다.

백제의 원정함대가 금강하구나 한강하구지역에서 출발하였다고 가상하여도 거기에서 료서까지 근 500mile은 된다. 풍랑사납고 변덕스러운 서해의 한복판을 가로질러 뷔해만에로 장거리항행을 하려면 크고 견고한 함선들이 무어져야 하며 높은 항해술과 함께 바다싸움과 상륙전 등 군사기술적숙련을 갖춘 수군이 있어야 하였다. 백제의 료서진출이 100여년간 계속되였다는 사정으로 미루어볼 때 못해도 원양함선 수십척~100여척이 있어야 하였을것이며 따라서 백제는 강력한 수군함대에 의거하여 료서나 산동지방의 일부 지역을 차지하고 유지하였다고 말할수 있다.

백제의 료서진출은 일본렬도진출과 함께 배길로 해외에 진출하여 거점을 마련한것으로서 백제의 위력을 크게 시위한것으로 되며 동시에 우리 수군사에서 중요한 자리를 차지하는 사변으로 되였다.

제3절. 당나라의 침략을 반대하는 전쟁시기 백제수군의 활동

　　6세기 후반기이후 백제의 봉건통치배들은 개인의 권세와 향락을 위한 추악한 권력쟁탈전을 일삼으면서 국방에 힘을 돌리지 않았다. 결과 국력은 점차 쇠퇴하고 나라의 방위력은 약화되였다.

　　국력의 쇠퇴는 백제의 국방력, 더 나아가서는 수군의 약화를 초래하였다. 6세기말이후에 백제의 수군은 고구려수군에는 물론 신라수군에게도 위압당하게 되였다. 그러나 백제는 당시로서는 의연히 경제와 문화가 발전된 나라로서 7세기 초엽에는 다시 륙상 및 수상무력을 강화하여 신라의 서북, 서남방으로 쳐들어가기도 하였다.

　　백제는 589년에 중국을 통일한 수나라와 그뒤를 이은 당나라와도 빈번한 외교무역관계를 맺고있었으며 640년대 초에는 고구려와의 관계를 개선하였다. 당시 고구려와의 관계는 바다길로 하게 되여있었다.

　　이 시기 백제선박들은 주로 금강하구(백강 또는 기벌포), 당진만, 변산반도, 영산강하구일대의 항구들을 떠나 북쪽으로 항행하거나 흑산군도를 거쳐 중국의 창강하구로 항행하였으며 또 오늘의 전라남도 해남, 강진, 고흥군의 항구들을 리용하여 탐라(제주도) 및 일본과의 해상교통을 보장하였다. 따라서 백제수군의 기지들도 이러한 항구와 그 부근의 섬들에 설정되여있었던것으로 보인다.

　　640년대 초에 백제와 고구려의 공세로 궁지에 빠진 신라통치배들은 외래침략세력인 당나라와 손잡고 동족의 나라들인 고구려와 백제를 반대하는 배족적행위까지도 서슴지 않고 감행하였다. 이러한 조건에서 백제앞에는 당나라침략자들의 해상으로부터의 공격을 막아낼 대책을 세우는것이 시급한 문제로 나섰다. 이와 관련하여 좌평 성충은 656년에 외래침략자들이 바다로 기여드는것을 막기 위하여서는 수도의 서쪽관문인 기벌포에 쳐들어오지 못하도록 그곳 방어를 강화하여야 한다고 제의하였다. (《삼국사기》권28 백제본기 의자왕 16년 3월)

그러나 암매한 의자왕을 비롯한 백제의 통치배들은 나라의 방위에 무관심하였을뿐아니라 성충을 의심하면서 그의 애국적발기마저 억누르고 그를 옥에 가두어 굶겨죽이였다. 결과 백제의 해상무력은 심히 약화되고 나라의 관문은 개방상태에 처하게 되였다.

660년 3월 당나라봉건통치배들은 신라봉건통치배들의 《청병》구걸을 구실삼아 백제침공을 위한 원정군을 편성하였다.

당나라는 좌우위대장군 소정방을 신구도행군대총관으로 삼고 그로 하여금 13만명의 군사를 1 900여척의 함선에 태워 백제에 처들어가도록 하였다. (《삼국사기》 권5 신라본기 태종무렬왕 7년 3월, 《삼국유사》 권1 태종춘추공)

당나라함대는 산둥반도의 래주를 떠나 서해를 건너 덕물도(덕적도)에 도착하였으며 여기까지 마중나간 신라함선 100여척과 함께 금강하구로 밀려들어왔다. 한편 5만명의 신라군은 륙상으로 백제수도의 동쪽으로부터 쳐들어왔다.

그러나 약화된 백제의 군대는 계백을 비롯한 군인들의 애국적투쟁에도 불구하고 륙상에서 적들의 침공을 막아낼수 없었다.

당나라와 신라의 련합함대가 기벌포(금강어귀)로 들어왔을 때 백제의 수군은 각지에 분산되여있었고 기벌포부근에 있던 함대는 력량상차이가 너무도 심하여 변변히 대항할수가 없었다.

이리하여 660년 7월에 백제국가는 라당련합군의 공격을 막아내지 못하고 자기의 존재를 끝마쳤다.

백제의 수군은 애국적인민들과 함께 나라가 망한 후에도 반침략항전에 떨쳐나섰다. 적들이 아직 강점하지 않았던 지역들에 있던 백제의 수군함대는 왜국(일본)에 가있던 수군함선들과 합세하여 반침략투쟁을 힘있게 벌렸으며 백제유민의 항전력량이 한때 백제의 대부분 지역을 되찾는 투쟁에서 큰 역할을 하였다. 백제왕자 부여풍은 왜땅에 가있다가 백제유민들의 요청에 의하여 왕으로 되였으며 663년에 백제와 왜의 련합함대 400여척을 이끌고 백강(백촌강)에 진출하여 결전을 벌렸다. 그러나 백제-왜련합함대는 전술상착오로 하여 전투에서 실패하고말았으며 얼마후에는 백제국가수복을 위한 인민들의 투쟁도 실패로 끝나고말았다.

×　　×　　×

    백제의 수군은 3세기 중엽경에 조직되여 령토의 수호와 대외진출을 담보하는 해상무력으로 장성강화되였다.
    백제의 수군은 4세기 중엽에는 강력한 력량으로 자라나 료서원정에 참가하였으며 그후 100여년간 자기의 거점을 유지하였다.
    특히 백제의 배무이수공업자들, 배군들 그리고 백제의 수군함대들은 일본렬도에 적극 진출하여 그곳의 수상교통운수와 수군의 조직 및 강화에서 커다란 역할을 수행하였다.
    례를 들면 일본에서는 653년에 120여명씩 탄 배 2척을 당나라에 보냈는데 그것은 곧 650년에 만들기 시작한 백제식선박이였다. (《일본서기》권25 효덕기 백치 원년 시세, 4년 5월 임술)
    백제수군이 이룩한 경험은 후기신라를 거쳐 고려에 계승되였다.

제3장. 전기신라의 수군

    신라는 고조선이주민들이 위주가 되여있던 진한 12국의 하나인 사로소국이 장성발전하여 1세기 초중엽에 성립된 봉건국가였다. 우리 나라 력사에서 7세기 중엽에 신라통치배들이 당나라침략세력과 결탁하여 백제와 고구려를 멸망시킨 시기까지(삼국시기)의 신라를 전기신라라고 부른다.
    전기신라는 처음에는 경상남북도 동해안일대의 그리 크지 않은 령역을 가지고있었으나 6세기에 이르러서는 가야의 거의 전지역과 한강하류일대를 차지하고 한때 함경남도의 일부 지역까지 차지하게 되였다. 신라는 북으로는 고구려와 접하였고 서쪽으로 충청북도 일대에서 백제와 린접하였으며 남해와 동해를 건너 일본과 상거하였다.
    이리하여 전기신라는 조선동해와 조선남해의 긴 해안선을 가진

해양국으로 되였다. 전기신라사람들은 또한 일본렬도에도 적극 진출하면서 활발한 해상활동을 벌렸으며 역시 일찍부터 수군을 건설하고 점차 강화하여나갔다.

신라봉건국가는 고구려와 백제의 앞선 수군건설경험을 받아들여 강력한 수군을 가질수 있었다.

전기신라의 수군은 진(기지)의 창설, 해안방비의 강화, 독자적인 수군통솔기구로서의 선부서의 조직 등으로써 특히는 기벌포바다싸움에서 해상기동전술의 시초를 열어놓음으로써 우리 나라 수군군사예술발전에 적지 않은 기여를 하였다.

제1절. 전기신라사람들의 해상활동과 수군건설

삼국가운데서 뒤늦게 형성된 신라는 생산력발전수준이 상대적으로 뒤떨어지고 고구려와 백제에 비하여 령토도 작고 경제력과 군사력도 미약하였다.

그러나 신라는 점차 큰 봉건국가로 발전하면서 자기들이 차지한 조선동해 남부와 조선남해 동부의 풍부한 바다자원과 온화한 자연기후조건을 리용하여 바다에 적극 진출하여 해상활동을 벌리는 과정에 배무이기술과 항해술을 발전시켜나갔다.

또한 신라사람들은 일본렬도 혼슈섬의 북쪽해안지방을 비롯하여 규슈섬의 북동부, 하리마지방 등 각지에 건너가서 소국을 형성하기도 하였으며 본국에도 자주 왕래하였다. 신라이주민들이 그후에도 일본렬도에 많이 건너가서 정착하여 살았던것은 오늘까지도 일본각지에 남아있는 《시라》, 《시라기》라는 이름이 붙은 수많은 신사라든가 고장이름들을 보아서도 짐작할수 있다.

당시 일본렬도에는 가야, 백제, 고구려계통 이주민들도 많았던 조건에서 신라사람들의 초기해상활동은 순전히 평화로운 환경에서만 진행된것은 아니였다.

신라봉건국가가 성립될무렵에 일본의 서부지역에는 《왜》라고 불리우는 소국들이 있었는데 그가운데는 진한-신라계통의 소국뿐 아니라 마한-백제계통의 소국, 변한-가야계통의 소국들도 있었고 그밖에 원주민계통의 소국들도 있었다.

백제 및 가야계통의 왜소국들은 신라와 리해관계를 달리하는 세력들이였다. 특히 가야계통이주민들이 세운 소국들은 신라가 자기 고국을 무력적방법으로 통합하게 되자 신라를 적대시하였으며 신라를 반대하는 군사행동을 계속 벌리였다.

《삼국사기》신라본기에는 사로소국시기에 해당되는 B. C. 1세기부터 시작하여 왜인이 공격해온 기사들이 많이 실려있다. 실례로 남해차차웅 11년(《삼국사기》기년으로 A. D. 14년)에 왜인이 100여척의 함선을 동원하여 신라해변을 침습하였다는것이 기록되여있다.

이러한 사정은 신라로 하여금 수군무력을 창설하고 키워나가지 않을수 없게 하였다.

289년에 신라국가는 왜병이 온다는 소식을 받고 배들과 갑옷, 병장기들을 수리정비하였다. * 이것은 그보다 앞선 시기에 독자적인 군종으로서의 수군이 조직되고 강화되여나가고있었다는것을 증시하고 있다.

* 《삼국사기》권2 신라본기 유례니사금 6년 5월

제2절. 3세기-5세기 왜의 침입을 반대한 신라수군의 활동

2세기 중엽이후 거의 100년동안 신라는 북규슈의 가야계통이주민들이 위주가 되여 세운 소국 또는 소국련합으로 되여있던 왜국과 평화적인 관계를 맺고있었다. 그러나 3세기 중엽에 이르러 평화적관계는 끝장나고 왜인들이 자주 침범해오는 사건들이 계속되였다. 232년에는 왜인들이 갑자기 달려들어 수도 금성을 포위하였는데 이때 신라측의 전과는 살상, 포로 1 000여명이나 되였다.

이듬해에 왜인은 다시 신라의 동쪽해변에 침입하였는데 신라측은 사도성부근에서 화공전술을 써서 왜선들을 불태워버리였다. (《삼국사기》 권2 신라본기 조분니사금 3년 4월, 4년 7월)

유례니사금 4년에는 왜인들이 신라의 일례부를 습격하여 1 000여명의 주민들을 붙들어갔다.

유례니사금 9년과 11년에도 왜병이 사도성과 장봉성을 공격하였는데 일승일패가 있었다.

이러한 전투들에서 신라의 수군은 일정한 역할을 놀았을것이다. 특히 적의 함선을 태우는 전투는 신라수군의 적극적인 참가를 의미한다.

295년 봄에 이르러 신라는 바다를 건너가 왜의 소굴을 치려고 계획하였다가 수군이 아직 바다싸움에 익숙하지 못하여 중지하였다. (《삼국사기》 권2 신라본기 유례니사금 12년 봄)

유례니사금이 일본땅에로 원정을 계획하였다는 사실은 이 시기에 이르러 신라의 수군이 일정하게 강화되여 원정함대를 무을 가능성을 가지게 되여있었다는것을 보여주며 바다를 횡단할수 있는 견고하고 큰 함선들을 가지게 되였다는것을 의미한다.

그러나 당시의 신라는 고구려나 백제에 비하면 작은 나라였으며 수군무력도 상대적으로 미약하였다.

4세기초에 신라는 한동안 왜국과의 관계를 개선하였으나 345년이후 다시 악화되였다. 346년, 364년, 393년에 왜병들은 각각 신라의 수도에까지 쳐들어왔다가 격퇴당하였다. 이런 형편에서 신라에서는 392년에 고구려의 보호를 받기로 하고 왕위계승후보자 실성이, 412년에는 나물왕의 아들 복호가 볼모로서 고구려에 갔다.

한편 402년에는 왜국과의 관계를 개선하기 위하여 왕자 미사흔을 보내였다. *

　　* 《삼국사기》 권3 신라본기 실성니사금 원년 3월
　　　미사흔을 왜국에 보낸것은 402년이 아니라 392년이전의 일이였다고 생각된다. 그것은 392년이후 강대한 고구려의 보호를 받게 되였으며 400년에 고구려의 대규모 구원원정으로 백제-가야-왜의 련합세력이 격파되였고 그후 고구려군이 신라령토안에 주둔해있으면서 신라를 도와주고있었는데 왜국과의 사이에 이러한 외교정책을 쓸리가 없었겠다고 보이기때문이다. 또《삼국유사》에 의하더라도 미사흔이 왜국에 간것은 391년이고 왜땅에 있었던 기간은 30년이나 되는것으로 되여있다.

그후에도 왜국은 405년, 407년에 여전히 백제, 가야편에 서서 신라를 침공하였다.

해상으로부터 왜의 침공이 거듭되는 조건에서 408년에 신라왕은 왜인들이 쯔시마에 병영을 설치하고 병기와 군량을 저축하여 신라에 침범하기 위한 준비를 서두른다는 소식을 듣고 정병을 뽑아 원정함대를 무어 쯔시마(대마도)를 칠것을 다시 계획하였다. (《삼국사기》 권3 신라본기 실성니사금 7년 2월)

그러나 이번에도 신라는 력량이 충분히 준비되지 못하여 쯔시마 원정을 실현하지 못하였다. 그것은 당시까지도 신라수군이 고구려수군의 지원을 받아 동해의 경비를 보장하였다는것을 통하여서도 잘 알수 있다.

418년에 박제상의 헌신적노력으로 미사흔이 왜국에서 돌아왔으나 왜의 수군은 그후에도 신라에 대한 침공을 그치지 않았다. (《삼국사기》권3 눌지마립간 24년, 28년 4월, 자비마립간 2년 4월, 5년 5월, 6년 2월, 19년 6월, 20년 5월)

430년대이후 신라는 백제와 좋은 관계를 맺게 되였으며 그에 따라 가야도 신라에 대한 적대행동을 중지하였다. 이렇게 되자 북규슈의 왜국통치자들은 조선에서 손을 떼고 일본렬도안에서 패권을 쥐려고 하면서 동쪽으로의 원정을 개시하였다. 그러나 북규슈에 남아있던 반신라적경향이 농후한 왜인들은 신라에 대한 침공을 계속하였다.

이 시기부터 신라의 륙군과 수군은 현저히 강화되여 많은 경우 왜의 침입자들을 격파하였다.

전투과정에 신라수군은 해상전법들을 발전시켜나가게 되였으며 이 시기 신라의 수군무력은 본격적으로 강화되였다.

467년에 신라는 전함들을 수리하였으며 493년에는 림해진과 장령진을 설치하고 수군기지를 한층 강화하였다. (《삼국사기》권3 신라본기 자비마립간 10년 봄, 소지마립간 15년)

　이 시기 신라에서 무어낸 함선들은 바다에서 풍파를 만나도 안전하게 항행할수 있도록 배머리(이물)와 꼬리(고물)를 비교적 높게 만든 구조선이였다.

　　※ 경주부근 고분에서 발견된 배모양의 그릇은 대체로 5~6세기경의 유물이라고 추측된다. 그것은 배의 형태로 보면 완성된 구조선이였다. 그 배모양을 보면 풍파가 심한 동해의 구체적실정을 고려하면서 배의 안정성을 보장하기 위하여 비교적 예리하게 그리고 배머리와 꼬리를 높게 만들었다. 이것은 선박의 조종 및 속도보장에도 유리하고 항행성도 좋은 배모양이다.
　　이와 같은 우수한 성능을 가진 선박의 형태는 해당 시기의 세계력사상 찾아보기 힘들다. 유럽선박들의 발달과정을 살펴본다면 이와 류사한 선형을 가지는 배들이 14~15세기에 이르러서야 비로소 나타나고있다.
　　또한 오른쪽끝에 있는 돌출부는 전투할 때에 적선에 기여올라가기 위한 사다리라고 인정되므로 이는 분명히 전투함선이였다고 생각된다. 배머리부분의 룡골선이 점차 우로 올라가게 된것 역시 전투시에 병사들이 적선에 올라가기 쉽게 하기 위한것이였다.

　이와 같이 예리한 선형의 배를 건조할수 있었다는 사실은 신라의 선박건조기술이 높은 수준에 있었다는것을 보여준다.
　또한《일본서기》에는 A.D. 300년(실지는 5세기) 신라의 배무이기술자들이 일본에 파견되였다는것과 이 시기 신라의 배 500척이 무고수문(오늘의 오사까만)을 왕래하였다는 기록들이 있다. 이로 미루어 보아 신라는 당시로서는 앞선 배무이기술과 능력, 항해술을 소유하고있었다는것을 알수 있다.
　림해진과 장령진의 설치는 신라수군발전에서 획기적인 사변이였다.
　신라에서는 그전부터 왜인들의 계속적인 침입에 대처하여 해안선방비를 강화하였다.
　그러나 아직 까지는 전문적인 수군기지를 설정하지 못하고있었던것을 493년에 와서야 비로소 설치하게 된것이다. 림해진이라는 이름자체가 수군의 거점임을 보여준다. 수군기지로서의 진이 설정됨으로써 신라의 수군은 튼튼한 후방기지를 가질수 있게 되였으며 평상시의 수상전투훈련과 휴식조건을 더 잘 보장받게 되였다. 또한 진성들을 쌓고 경비와 방어를 강화함으로써 일단 유사시에도 수군의 지휘부와 가족들의 안전을 더 잘 도모할수 있게 되였다.

수군기지를 설치하고 강화함으로써 수군은 급속히 강화되고 그의 활동이 적극화되였다. 그에 따라 해상방위는 더 째이게 되였으며 왜적의 침입에 결정적타격을 가할수 있었다. 왜적들은 거듭되는 타격에도 불구하고 침입을 그치지 않았으나 500년 3월 장령진에 침입하였다가 섬멸적인 타격을 받고 쫓겨간 후에는 다시 나타나지 못하였다.

이것은 신라수군의 위력이 강화된 결과에 이룩된 빛나는 승리였다.

※ 고구려와 백제에서도 바다가의 중요한 지점들에 수군기지를 꾸리고 그에 의거하여 수군의 활동을 보장하였다. 력사기록들에는 해안요소들에 군사를 배치하였다는것을 전하기도 한다. 그러나 해안방위와 수군활동의 기지로서의 진을 설치하였다는 기록을 전하는 신라관계 자료에 기초하여 신라수군의 서술에서 진(수군기지)에 대하여 취급하려고 한다.

수군기지로서의 진의 창설은 수군무력발전과 수군군사예술발전에서 획기적인 의의를 가진다.

수군은 바다에서 자기의 사명을 수행한다. 그렇다고 하더라도 의지할곳 없는 바다우에서가 아니라 일정한 곳, 다시말하여 바다가의 포구나 자체의 기지에 의거하는것이 필요하다. 즉 부과된 사명을 수행하려면 군사들이 생활하며 전투준비를 갖추고 인원과 기재를 보충받으며 전투지휘에 필요한 시설들을 가진 근거지가 필수적으로 요구된다.

수군기지는 그 특성으로 하여 포구와 바다가의 일정한 지점에 조직된다.

수군기지(진)는 수군의 조직과 함께 발생하는것은 아니며 일정한 발전단계에 들어서서야 완성된다. 그것은 초기 군사조직의 특성으로부터 설명된다.

초기(고대나 중세 초기)에는 진이 갖추어야 할 조직과 편제, 설비 등이 다는 갖추어지지 못하였다. 처음에는 어로활동을 통하여 바다에 익숙된 어민들과 바다가주민들이 수군병사로 되고 물고기잡이배들이 싸움배로 리용되며 도창무기(칼과 창, 활 등)를 가지고 싸우게 된다.

초기 바다싸움은 규모도 작고 유치하였다. 그러므로 수군의 유지와 바다싸움에 필요한 인원과 기재에 대한 수요도 적었다. 따라서 초기의 수군기지로는 특별한 시설이 없는 포구라도 될수 있었다.

그러나 수군이 장성하고 그 활동범위가 넓어짐에 따라 수군병사들을 훈련시키며 전투준비를 완성하고 상시적인 대기함선을 갖출수 있고 해상작전을 강화하기 위한 지휘부도 있는 곳, 해상순찰과 해상경비에서 돌아온 군사들을 휴식시키고 배도 수리하며 군량을 보충하는 등 수군의 유지와 활동을 보장하기 위한 복잡한 과업들을 해결할수 있는 기지가 있어야 한다.

그러므로 수군이 확대되고 그 역할이 증대되어 해상활동이 강화된 시기에 이르러서는 기지가 없이는 수군이 자기 사명을 원만히 수행할수 없고 자기자체를 유지할수도 없게 된다.

수군기지(진)의 창설은 수군의 조직과 지휘체계의 완비를 의미할뿐아니라 독자적인 군종으로서의 면모를 완전히 갖추는 중요한 징표로 되는것으로서 수군발전의 새로운 단계를 열어놓는 계기로 된다.

신라에서 수군기지로서의 림해진과 장령진이 설치된것은 신라수군이 독자적인 군종으로서의 면모를 완비하게 되였다는것을 의미하였다.

또한 수군기지로서의 진의 설치는 수군의 조직과 작전, 전투임무의 여러 면에서 새로운 체계와 조법을 낳게 함으로써 수군군사예술발전에서도 중요한 의의가 있었다.

신라의 수군은 급속히 강화되여 5세기 후반기부터는 왜의 침입을 종식시키고 서해에로 진출하여 백제와 고구려의 수군과 맞서게 되였다.

제3절. 해상진출의 적극화, 선부서의 설치

1. 우산국의 통합, 남해 및 서해수군의 창설

6세기에 이르러 국력이 강화된 신라의 봉건통치배들은 령토팽창에 열을 올렸다.

이 시기에 신라는 고구려가 주로 백제에 대한 공격을 집중하는 기회를 타서 군사경제적힘을 더욱 강화하는 한편 가야나라들을 병합하여 령토를 넓혔다. 이에 앞서 신라는 512년에 우산국(울릉도)에 대한 해상원정을 수행하고 그를 병합하였다. (《삼국사기》 권4 신라본기 지증마립간 13년 6월)

해상원정으로 우산국을 정복한것은 신라수군의 발전을 보여주었다.

※ 우산국(울릉도)은 륙지(울진군 죽변면 죽변리 룡추갑)에서 78mile(141km)이상이며 영일만일대에서는 111mile(213km), 부산에서는 166mile(300km)의 거리에 놓여있다. 신라원정함대가 영일만일대에 있었다고 보면 신라의 원정함대는 111mile의 원양항행을 하고 상륙전을 벌린것으로 된다.

6세기 전반기에 신라는 가야나라들가운데서 비교적 큰 나라였던 아라가야(함안지방)를 병합한데* 이어 532년에는 금관가야를, 562년에는 대가야를 병합함으로써 가야에 대한 통합전쟁을 기본적으로 끝마쳤다. 그 결과 신라는 조선남해의 동부연안지역에 새로 수군기지들을 꾸리고 해상활동을 강화하게 되였다.

* 《삼국사기》 권34 지리지 함안군

6세기 중엽에 이르러 군사, 경제적으로 더욱 강화된 신라의 통치배들은 계속 령토팽창을 추구하면서 백제와 련합하여 고구려를 공격함으로써 551년에는 죽령이북 고현(철령)이남의 고구려 10개 군 지역을 빼앗았다. (《삼국사기》 권44 거칠부전)
　　신라통치배들은 그러면서도 고구려를 건드릴 의사가 없는것처럼 가장하면서 그 경각성을 늦추도록 책동하였으며 553년에는 배신적인 불의의 공격으로 백제가 차지하고있던 한강 하류류역까지 점령해버렸다. 이렇게 함으로써 남해를 에돌지 않고 직접 조선서해에서 해상활동을 벌릴수 있는 가능성을 가지게 되였다. 지금까지 신라는 고구려나 백제의 사신을 따라가서 중국에 있던 나라들과 교역을 하였으나 이제 와서는 고구려와 백제의 신세를 지지 않고 직접 서해연선에 자기의 항구와 수군기지를 마련하여 해상활동을 벌리게 되였으며 중국의 나라들과 외교무역활동을 활발히 진행할수 있게 되였다.*

> * 《자치통감》(권104 태원 2년 봄조)과 《태평어람》(권781 신라조)에 의하면 377년과 382년에 신라사신이 부견의 진나라(전진)에 갔던 일이 있다. 이것은 신라가 중국의 나라들과 외교관계를 가진데 대한 기사이다. 그러나 이때 신라사신은 《국사》의 자격으로 가기는 했으나 실지로는 고구려사신일행에 붙어갔다고 인정되고있다.

　　신라의 서해진출은 고구려와 백제에 새로운 위험을 조성하였으며 따라서 그후 륙지에서나 해상에서 고구려, 백제와 맞서 싸우게 되였다. 신라통치배들은 정치, 군사, 경제적중요성에 비추어 한강하구와 그 부근일대를 계속 틀어쥐기 위하여 백방으로 노력하였다. 그들은 이 지역에 신주(북한산주, 남천주)를 두고 산하 통치기구들을 두었으며 항만을 꾸리고 군사시설을 늘이면서 이 지대를 해상진출과 대외활동을 위한 전초기지로 만들었다.
　　이렇게 됨으로써 신라의 수군은 서해에까지 진출하여 고구려, 백제의 수군과 싸우게 되였으며 대외활동을 무력으로 담보하는 역할을 수행하게 되였다.
　　6세기 중엽이후 신라봉건국가의 사절단들은 당항포(경기도 화성시 남양만)를 출발지점으로 하여 수군의 호위를 받으면서 직접 중국의 남조나라들과 자주 왕래하게 되였으며 그것은 신라의 대외적지위를 높여주는것으로 되였다.

그러나 고구려가 그후 중부조선일대로 여러차례 진출한것과 관련하여 신라수도로부터 한강하구일대로 가는 길은 안전치 못한 때가 적지 않았다. 신라는 수나라, 당나라와의 교류를 보장하기 위하여 해상무력을 더욱 강화하였으며 때로는 남해안으로부터 직접 서해를 건너가기도 하였다.

2. 선부서의 설치

6세기말～7세기초에 와서 현저히 활발해진 대외관계를 원만히 보장하기 위하여 신라봉건국가는 외교담당관청까지 따로 내왔으며 대외활동을 군사적으로 뒤받침해주는 수군무력을 더욱 강화하는데 힘을 넣었다. 또한 수군에 대한 지휘체계를 완비하는데 커다란 주의를 돌리게 되였다. 그리하여 583년에 병부의 하급기관으로서 선부서를 내오는 조치를 취하였다.

선부서는 군사기관인 병부에 소속된 기관으로서 수군과 함선들을 맡아보는 전문적인 중앙통치기구의 하나였다. *

> * 《삼국사기》의 기록에 의하면 선부서에는 대감, 제감 등의 관리를 두어 배무이, 배관리까지 맡아보게 하였다. 선부서는 병부에 소속된 기관이였던것만큼 군사행정기관으로서 그가 관할한 선박들은 기본이 전투용함선이였다는것은 의심할바 없다.
> 선부서는 당시의 형편에서 군용선박－전투용함선과 민용선박의 건조 및 관리를 모두 관할하였다. 그것은 당시의 생산력수준과 수군무장장비가 주로 도창무기였던것으로 하여 전투용함선과 민용선박의 구조상차이가 별로 없고 일단 유사시에는 민용선박도 그대로 싸움배로 리용하였던것과 관련된다.

선부서가 나온 때로부터 신라의 수군은 그에 소속되여 활동하였다. 선부서의 설치는 수군발전에서 새로운 계기를 열어놓은 사변이 였다.

아직 선부서가 병부에 소속되여있기는 하였으나 수군을 지휘통솔하는 전문기관으로서의 선부서의 설치는 하나의 군종으로서 수군의 독자성을 더욱 뚜렷이 가지게 하였을뿐아니라 그 지휘능력과 역할을 높일수 있게 하였다.

선부서가 조직됨으로써 중앙에서 수군무력을 통일적으로 지휘할수 있는 조직체계가 서게 되였으며 지휘의 기동성과 통일성이 보장되게 되였다.

이것은 수군의 전투력을 가일층 강화할수 있게 하였으며 따라서 수군이 자기의 사명을 더 잘 수행할수 있게 되였다.

선부서가 조직된 6세기말이후 신라의 수군은 강성기를 맞이하게 되였다.

제4절. 당나라침략군을 몰아내기 위한 전쟁시기의 신라수군, 676년 기벌포바다싸움의 승리

삼국시기에 고구려, 신라, 백제 세 나라가 단합하여 외래침략자들을 반대하는 싸움을 벌렸더라면 우리 나라는 민족적위기를 겪지 않고 막대한 피해와 손실을 당하지 않았을것이며 더욱 빨리 발전하였을것이다.

6세기 중엽이후 령토팽창에 눈이 어두웠던 신라봉건통치배들은 당나라세력에 빌붙어오다가 저들이 저지른 배신행위로 하여 7세기에 와서는 더욱더 고립되여 어려운 처지에 빠지게 되였다. 이렇게 되자 동족의 의리마저 저버리고 당나라통치배들에게 출병요청을 하여 외래침략세력을 끌어들이는 배족행위를 서슴지 않고 감행하였다.

당나라봉건통치배들은 신라통치배들의 출병요청을 구실로 660년 3월에 1 900여척의 함선에 13만의 침략군대를 싣고 백제의 앞바다로 침입하였다. (《삼국유사》권1 기이 태종춘추공)

당나라군대의 도착을 기다리던 신라의 무렬왕(김춘추)은 자신이 수많은 군사를 이끌고 백제땅에로 진격하는 한편 태자 법민에게 병선(싸움배) 100척으로 편대를 무어가지고 당나라의 수군과 합세하여 바다로부터 백제를 공격하도록 하였다. 법민이 지휘하는 신라함대는 덕물도에서 당나라침략군과 합세하고 그 선봉에 서서 기벌포(금강하구)에로 진격하여 백제의 수군을 격파하였으며 상륙전을 진행하여 백제의 방어지대를 돌파하고 저항하는 백제군대를 물리치면서 종심깊이로 들어왔다.

신라-당련합군은 백제의 수도 사비성(부여)으로 진격하였으며 쇠약해진 백제군은 크게 싸워보지도 못한채 왕의 투항으로 항복하고 말았다.

신라는 외래침략세력을 끌어들여 동족의 나라인 백제를 멸망시킨데 이어 668년에는 고구려를 멸망시켰다.

그러나 당나라통치배들은 신라까지도 마저 병합하려고 하면서 648년에 맺은 비밀협약까지도 저버리고 신라에 대한 침공기도를 로골적으로 드러내놓았다.

당나라통치배들의 침략행위는 신라의 군대와 인민들의 증오와 분노를 불러일으켰으며 그들로 하여금 외래침략자들을 몰아내기 위한 애국적인 항전에 떨쳐나서게 하였다.

669년이후 신라의 수군은 당나라수군에 섬멸적타격을 가함으로써 당나라군의 수륙량면공격계획을 짓부셔버렸다.

《삼국유사》권2 기이 문무왕 법민조에는 670~671년에 당나라의 수군이 정주(개성시 개풍) 앞바다를 돌아치면서 침공의 기회를 노리였으며 두차례나 수만명의 군사를 싣고 침입하였다가 풍랑을 만나 전멸당한 일이 있었다는것을 기록하고있다.

이 기록은 그대로 믿기는 어렵다. 그것은 무엇보다도 같은 장소에서 련이어 두차례나 풍랑에 의하여 전멸되였다는 사실자체를 믿기 어려운데다가 정주앞바다는 크고작은 섬들로 둘러싸인 만을 이루어 대피에 유리한 해구조건을 가지고있으므로 풍랑을 만나도 안전하게 대피할수 있는 곳이기때문이다. 정주부근은 백주 등 고구려때부터 개척된 수군기지가 있는 곳이며 그 남쪽 강화도, 교동도 등지에는 신라의 수군함대들이 배치되여있었을것이다.

그러므로 당나라수군함대가 전멸된것은 풍랑에 의한 피해도 없지 않았겠으나 주로는 신라수군의 공격에 의한것으로 보아야 할것이다.

신라의 수군은 670~676년에 연해를 굳건히 지켜내면서 외래침략자들에 대한 적극적인 공세를 벌려 련속 타격을 주었다.

신라수군함대는 671년 10월 6일에 당나라의 운반선 70여척을 쳐부시고 랑장(선단지휘관) 겸이대후를 비롯한 적군 100여명을 사로잡았다. 이 싸움에서 물에 빠져 죽은 적군이 또한 헤아릴수없이 많았다. (《삼국사기》 권7 신라본기 문무왕 11년 10월 6일)

이 시기에 와서 해상으로 침입한 적군의 우두머리인 설인귀는 진퇴량난의 곤경에 빠져있었다. 그는 옛 백제땅에서 당나라군대가 련이어 패배하며 녹아나는것을 빤히 알면서도 감히 그쪽을 지원하지 못하였다.

고간, 리근행 등이 지휘하는 당나라륙상부대들은 수만, 수십만명의 병력으로 계속 침입해왔고 673년에는 림진강계선까지 밀고 내려왔다.

이러한 조건에서 신라군과 고구려유민들의 부대들은 적군의 남하를 막기 위하여 힘에 겨운 싸움을 계속하고있었다. 이때 적의 수륙군이 합세하는것을 허용한다면 정황은 더욱 불리해질수 있었다. 그러므로 신라에서는 바다에서 침공기회를 노리고있던 적의 수군을 견제, 소탕하기 위한 새 작전을 벌리게 하였다. 673년 9월 대아찬 철천 등이 이끄는 싸움배 100척으로 편성된 함대는 서해에 진출하여 적수군의 활동을 제압함으로써 수륙 두 방면에서 침범하려던 적의 기도를 좌절시켜버렸다.

675년에 당나라통치배들은 말갈군과 거란군까지 동원하여 력량을 증강한 다음 9월에 또다시 호로하(림진강)를 건너왔으나 신라의 군대와 고구려유민항전부대들은 당나라의 20만대군에 섬멸적인 타격을 안기였다. 이 전투에서 신라군은 적의 군마 3만 380마리와 3만여명분의 무기, 장비를 로획하였으며 수만명의 적을 살상하는 커다란 승리를 쟁취하였다.

한편 신라의 수군은 지상부대와의 협동하에 675년 9월 바다길로 쳐들어오는 당나라군을 소멸하는 전투에서 커다란 역할을 수행하였다.

이때에 당나라군의 우두머리 설인귀는 바다로부터 군대를 상륙시켜 백수성(白水城)을 포위하고 공격하였다. 그러나 지상에서는 신라장군 문호의 지휘밑에 적들에게 강력한 반격을 가하였으며 바다에서는 신라함대가 적의 함대를 공격하여 수륙 량면에서 타격하였다. 이 싸움에서 신라의 수군은 적들의 싸움배 40여척을 로획하고 적병 1 400여명을 소멸하는 커다란 승리를 거두었다. 급해맞은 적들은 지상에 군마 1 000마리를 내버려둔채 겨우 포위망을 빠져 도망치고말았다. (《삼국사기》 권7 신라본기 문무왕 15년 9월)

당나라통치배들은 참패를 거듭하면서도 어떻게 하나 소기의 목적을 실현해보려고 또다시 원정함대를 무어 676년 11월에 침입하였다.

적들의 침공소식을 받은 신라함대는 사찬 시득의 지휘하에 출동하였다. 신라함대는 소부리주 기벌포에서 설인귀가 지휘하는 당나라의 수군함대와 조우하여 격전을 벌렸다.

신라수군함대는 첫 싸움에서 실패하였으나 인차 전투서렬을 수습하고 적을 기동에 유리한 바다에로 끌어낸 다음 무려 22차례의 치렬한 공격전을 벌림으로써 적 함대에 치명적타격을 주었으며 적병 4 000여명을 소멸하는 큰 승리를 거두었다. (《삼국사기》 권7 신라본기 문무왕 16년 11월)

신라함대는 당나라군대를 몰아내기 위한 마지막판가리싸움이였던 기벌포바다싸움을 빛나는 승리로 결속지었다.

그리하여 신라군은 당나라침략자들을 지상과 해상에서 종국적으로 구축해버렸다.

신라함대는 기벌포바다싸움에서 함선과 무장장비의 우월성, 해구 및 수문기상조건 등을 옳게 리용하여 능숙한 해상기동전술로 적을 기술적으로 타승하였다.
　　기벌포바다싸움의 빛나는 승리는 커다란 력사적의의를 가진다.
　　그 의의는 우선 당나라군을 압록강이남에서 종국적으로 격퇴하는데 커다란 기여를 한 전투였다는데 있다. 기벌포바다싸움에서 패배한 당나라군대는 더는 압록강남쪽으로 쳐들어올 생각을 하지 못하게 되였다.
　　의의는 다음으로 그 규모와 전투의 치렬성에 있어서 지금까지 보기 드문 바다싸움으로서 신라수군의 전투력과 전술기술적우세를 시위하였다는데 있다.
　　의의는 또한 수군군사예술의 새로운 경지를 개척한것으로서 우리 나라의 수군사에서 빛나는 자리를 차지한다는데 있다. 초기의 바다싸움은 접현전을 위주로 진행하였다. 접현전은 도창무기를 기본으로 하여 싸우던 시기(이때는 함선들의 기동도 제한되였다.)의 기본 전투형식이였다. 접현전의 특징은 기껏 한두차례의 싸움으로써 전투의 결말이 지어진다는데 있다. 그런데 기벌포바다싸움은 종전의 단순한 접현전의 테두리를 벗어나 해상기동전술을 적용함으로써 기동전에로의 시초를 열어놓았다.
　　일반적으로 전쟁경험의 축적과 생산력발전에 따르는 새로운 투쟁수단의 출현은 군대의 조직과 장비에 변화를 가져오게 하며 새로운 전투조법을 낳게 한다.
　　신라의 수군함대는 지난 시기의 수많은 전투과정에서 풍부한 경험을 축적하였으며 앞선 배무이기술을 적용한 견고하고 빠른 함선들로 장비되였고 포노(석포), 천보노 등 새로운 공격용무기무장들로 장비를 강화하였다. 이것은 순전한 접현전이 아니라 일정한 거리를 두고 적함대와 싸울수 있는 조건을 마련하여주었다.
　　그리하여 신라함대는 기벌포바다싸움에서 기동전, 다시말하여 적함과의 싸움에서 유리한 해상진지를 차지하고 유리한 전투서렬을 지은 다음 빠른 기동으로 적함대에 공격을 들이대였으며 전투과정에 변화되는 정황에 따라 신속한 기동으로 유리한 대형을 짓고 련속적인 공격을 들이대면서 당나라함대를 피동에 몰아넣고 족쳐버렸던것이다.

  이 시기까지의 력사기록들에는 바다싸움에서 대체로 한두차례 기껏해서 네차례의 싸움을 하였다는것이 알려졌을뿐이였는데 기벌포바다싸움에서는 무려 22차의 격전을 벌렸다.

  이것은 아직 미숙한 점이 있기는 하였지만 단순한 접현전에서 기동전과 접현전을 배합하는 전투형식으로 이행하게 되였다는것을 보여준다. 바로 여기에 기벌포바다싸움이 가지는 커다란 의의의 하나가 있다.

  참으로 신라함대가 수행한 기벌포바다싸움은 고구려함대의 첫 바다원정, 백제함대의 료서진출과 함께 우리 나라 삼국시기 수군사에서 특별한 자리를 차지한 사변으로 된다.

제4장. 가야의 수군

  가야나라들은 본래의 변진(변한)지방에서 1세기 중엽에 형성된 6개의 봉건국가들이였다. 그가운데서 오늘의 경상남도 김해지방을 중심으로 하고있던 금관가야(가락국)와 고성지방을 중심으로 삼고있던 소가야(고자가야)는 령토의 많은 부분이 남해 가와 락동강하구를 끼고있었으므로 주민들의 해상활동이 매우 활발하였다. 이밖에도 아라가야(경상남도 함안지방), 대가야(경상북도 고령지방), 비화가야(경상남도 창녕지방) 등도 락동강을 통하여 바다로 적극 진출한 나라들이였다.

  ※ 가야나라들 이외에도 3세기경까지 남해안일대에 사물국(경상남도 사천지방), 칠포국(경상남도 창원지방), 골포국(마산지방) 등 여러개의 소국들이 있어서 가야 또는 신라와 싸우기도 하였는데 이 나라들도 일정한 해상무력-함선대를 가지고있었다.

  가야사람들은 기원전 수세기부터 일본렬도로 진출하였던 변진사람들의 뒤를 이어 남해를 건너 일본렬도 각지에 가서 자기의 이주민부

락들과 소국들을 형성하면서 살았고 고국과의 왕래도 긴밀히 하였다.

　　금관가야(가락국)의 창건자인 수로왕이 바다건너에 있는 아유타국왕의 딸 허황옥을 맞아들일 때 허황옥은 붉은 빛갈의 돛을 단 큰 배-구조선을 타고 가라국에 도착하였다고 한다. 또한 전설에 의하면 수로왕때에 가라국에는 벌써 500척의 배가 있어서 후에 신라(사로)왕으로 된 석탈해를 추격하였다고 한다. 이러한 설화들은 이 나라에서 수상교통운수가 일찍부터 발전되여있었다는것을 반영하고있다. 이것은 가야에도 일찍부터 독자적인 수군무력이 조직되여있었겠다고 볼수 있게 한다. (《삼국유사》권2 기이 가락국기)

　　일본의 건국신화에 나오는 《구시후루노 다께》가 가락국설화에 나오는 《구지봉》과 서로 통하는것이며 북규슈를 비롯한 일본 각지에 가라 등 가야계통 지명이 수많이 나오는것은 다 가야사람들의 적극적인 해상진출과 관련된것이였다.

　　《삼국사기》신라본기, 백제본기와《광개토왕릉비문》에 나타나는 왜국도 처음에는 북규슈 이또지마반도(후꾸오까현)를 중심지역으로 하여 가야이주민들이 세운 나라였다. 3세기 중엽이후에 백제가 가야나라들을 손아래동맹자로 만든 다음에는 이 나라가 백제의 강한 영향밑에 있었다.

　　이밖에도 휴가(동남규슈), 기비(오까야마현), 하리마(효고현), 이요(에히메현), 가와찌(오사까부), 와까사(후꾸이현)지방 등 일본 각지에 진출한 가야사람들은 해당 지방의 정치, 경제, 문화발전에서 주동적인 역할을 담당하였다. 이와 같은 해외진출과 활동은 수군무력의 뒤받침을 받는 경우가 많았을것이다.

　　가야군은 건국초기인 1세기 중엽에 황산강(량산, 김해부근의 락동강하류)을 넘나들면서 신라군과 싸웠다. 이것은 함선을 리용한 도하작전이 진행되였다는것을 실증하여준다.

　　또한《삼국사기》신라본기에 여러차례 보이는 왜인, 왜병들의 신라수도 침범사건들도 실지에 있어서는 가야나라들의 후원밑에 진행되였다고 보아야 할것이다. 왜인들은 가야나라들이 거점을 제공하고 무기무장, 식량, 선박들을 대주는 조건에서만 신라를 반대하는 대규모의 군사행동을 일으킬수 있었다.

가야나라들은 중국의 나라와 외교무역관계를 가지기도 하였다. 《남제서》에는 479년에 가야국의 하지왕이 남조나라에 사신을 보내였다는것이 기록되여있다. (《남제서》 권58 가락국렬전)
　　가야나라들은 마지막까지 중앙집권적통치체제를 세우지 못하고 매우 느슨하게 련합된 세력으로 남아있었다. 외부로부터의 침략이 있는 경우에도 대체로 공동보조를 취하지 못하고 개별적, 분산적으로 행동한 결과 하나둘씩 각개격파당하여 신라에 통합되고 말았다. 이로 말미암아 가야의 력사는 거의 남지 못하였다. 따라서 가야국들의 수군의 력량과 활동정형에 대하여 구체적으로 알길이 없다.
　　그러나 우에서 본바와 같이 우리 인민의 중세기초 해상활동, 해외진출력사와 수군사에서 가야사람들이 논 역할은 결코 작은것이 아니였다. 가야수군이 달성한 성과들은 그후 전기신라의 해상활동, 해상무력강화의 중요한 밑천의 하나로 되였다.

제5장. 발해의 수군

제1절. 발해의 수군건설

　　고구려의 유민들은 당나라침략군을 몰아내고 나라를 되찾기 위한 수십년간의 줄기찬 투쟁을 벌려 마침내 698년에 발해를 세웠다.
　　발해는 빠른 시일안에 동방의 강국으로 자라나 해동성국의 이름을 떨치게 되였으며 외래침략자들을 쳐부시고 나라와 겨레의 안전을 지키는데 크게 기여하였다.

　발해는 남쪽으로는 대동강과 금야강, 덕지강을 경계로 하여 신라와 접경하였고 동쪽으로는 조선동해연안북부와 연해변강에 이르는 지역을 차지하였으며 서쪽으로는 랴오하류역, 북쪽으로는 허이룽강류역을 포함한 광활한 령역을 차지하고있었다.

　그리하여 발해 역시 긴 해안선을 가지고 적극적인 해상활동을 벌린 해양국으로 되였다.

　발해는 반침략투쟁속에서 생겨난 나라로서 처음부터 강력한 무장력을 가지고있었다. 즉 중앙과 지방에 정연한 군사조직을 가진 륙군과 함께 해안방위를 위한 수군을 가지고있었다.

　발해의 수군은 고구려의 수군이 이룩한 성과와 경험들을 이어받아 건국초기에 건설되였으며 조선서해와 조선동해의 넓은 바다에서 해상활동을 벌리였다.

　발해에서는 중앙관청인 신부산하의 지사(부서)로서 수부를 두고 선박 건조, 관리사업을 전문적으로 맡아보게 하였다. 룡원부, 남해부, 압록부일대의 중요항구들에는 수군기지들이 있고 함선을 비롯한 선박건조도 체계성있게 진행하였다.

　발해는 이웃나라들과 대외관계를 맺고 적극적인 대외활동을 벌려나갔다. 발해는 신라와도 국가관계를 맺었으나 신라봉건통치배들의 소극적인 태도와 사대주의적인 외세의존정책으로 말미암아 두 나라사이관계는 원만하지 못하였다. 《삼국사기》는 790년 3월과 812년 9월에 신라의 사신이 발해에 간 사실을 전할뿐이다.

　발해와 당나라와의 관계는 처음에는 반침략투쟁에 뒤이은 적대적인 관계에 있었으나 712년에 당나라통치배들이 《원교근공》정책을 쓰면서 발해에 접근함으로써 개선되였다. 당시 해족, 거란인들에 의하여 료서지방의 륙로가 대체로 막혀있던 조건에서 발해와 당나라사이의 래왕은 바다길을 리용하지 않을수 없었다. 당나라 산둥반도 등주 남쪽거리에는 발해관이 개설되여 발해사신들을 영접하였다.

　발해사신들과 상인들은 주로 압록강하구나 랴오둥반도 남단, 동남쪽의 여러 항구들에서 산둥지방으로 가는 배길을 개척하여 그곳으로 왕래하였으며 이에 따라 그를 보호하기 위한 발해수군의 활동도 활발히 전개되였다.

한편 발해는 제나라(본래 고구려사람의 후손인 리정기와 그 자손이 산둥지방에서 유지하고있던 나라)와 50여년간(765년-819년)이나 바다로 왕래하면서 무역거래를 계속하였다.

발해는 이처럼 중국에 존재하였던 나라들, 지방할거세력들과의 무역 및 사신거래를 활발히 진행하였을뿐아니라 다른편으로는 일본과도 관계를 맺고 바다길로 왕래하였다.

발해가 일본과 국교를 맺은것은 727년 8월 발해에서 일본에 사신을 파견한 때부터이다. (《속일본기》권10 성무기 신구 5년 정월 갑인)이듬해 발해의 사신이 귀국할 때에 일본에서 답례사신을 보내왔다. 그후부터 두 나라사이에는 사신들의 왕래가 비교적 자주 계속되였다.

발해에서 일본으로 건너가는 바다길은 풍랑이 자주 일어나 위험하였다. 발해에서의 출발지는 주로 룡원부지방(두만강 하류류역을 중심으로 한 함경북도, 연해변강 남부일대)의 포구였으나 남해부(함경남도 북청군 하호리 청해토성)관하의 토호포를 비롯한 조선동해의 일부 항구들을 리용하는 경우도 있었다.

발해사람들은 물길이 험한 조선동해에서 안전한 항로를 개척하기 위하여 노력하였으며 그 결과 겨울철에는 북쪽에서 내려미는 해류를 타고 동해안을 따라 내려가다가 동쪽으로 방향을 바꾸어 일본 서쪽해안을 따라 동북으로 흐르는 해류를 타고 노도반도를 비롯한 가가, 에찌젠 등지의 항구로 가닿고 일본에서 돌아올 때에는 여름철의 계절풍을 리용하여 동해의 북동부를 에돌아 연해변강해안을 따라 두만강하구부근에 와닿는 항로를 개척하였다. 이밖에도 조선동해를 횡단해서 가기도 하였다. 이것은 고구려때의 경험을 살리고 더 발전시킨것이라고 할수 있다.

발해사람들이 해상활동을 강화하고 특히 수군을 강화하기에 노력한 중요한 리유는 남쪽으로는 신라와의 관계가 그리 좋지 못하였고 서쪽으로는 거란과의 관계가 좋지 못하였던 조건에서 당나라, 일본과의 외교무역을 주로 바다길을 통해서 진행할수밖에 없었던 사정과 관련된다. 멀고 험한 바다길을 다니자면 견고하고 크고 우수한 선박이 있어야 하고 또 적대세력의 수상무력과의 충돌에서 자기 나라 선박들을 안전하게 보호할수 있는 강한 수군무력이 있어야 하였다.

발해에 먼바다항행에 적응한 큰 배들이 있었다는것은 732년에 발해가 등주에로의 해상원정을 조직한데서도 알수 있고 또 일본으로 다니던 배가 배군들외에 평균 50명이상의 인원과 수많은 물자들을 적재하였던 사실을 통하여 알수 있다. 례컨대 871~872년에 일본에 갔던 발해 사신일행은 당시의 관례에 따라 배 두척에 105명정도의 사절단으로 구성되였으며 수많은 무역품들을 싣고있었다. 일본측에서는 국가무역을 한 다음에도 수도의 귀족관료들, 장사군들과의 무역을 위하여 발해 사신일행에게 일본돈 40만문을 교역대가지불용으로 주었다. * 이것은 발해무역선들이 싣고간 물품들이 매우 많았다는것을 말해준다. 이렇게 되자면 수십t~100여t을 적재할수 있는 큰 배가 있어야 한다.

    * 《일본삼대실록》권20 청화 정관 13년 12월 11일, 14년 5월 21일, 22일

발해의 수군함선들가운데도 100t좌우의 큰 배들이 있었다.

쑹화강이나 랴오하 등 강하천에도 수군무력이 배치되여있었는지는 알수 없다. 그러나 긴 해안선을 가진 발해의 각지에 수군기지들이 여러개 설정되여있었다. 당나라 정원년간의 재상이였던 가람은 등주에서 고려, 발해로 가는 길을 쓰면서 랴오둥반도 남단의 도리진에 대하여 지적한것이 있는데 도리진은 오늘의 달롄시에 있었던 발해의 진으로서 수군기지의 하나였다고 볼수 있다. 거기서 다시 여러개의 섬들과 포구, 만들을 따라오다가 800리 되는 지점에 오골강(다양하)이 있는데 이곳(다구산)은 예로부터 번창하는 항구로 알려진 곳이며 강어귀의 동서에는 옛성들도 있다. 따라서 이 부근도 수군기지의 하나였다고 볼수 있을것이다. 그밖에 랴오둥반도 서쪽 뻐해에 면한 해안이나 압록강구 오늘의 철산 가도, 신미도, 대령강구, 문덕군 서호리(후세의 통해진), 평원군 화진리(후세의 순안진)의 포구들은 수군의 기지 또는 대기지점으로 되였을수 있다.

동해안일대의 수군기지들은 우에서 언급한바와 같이 룡원부와

남해부의 요긴한 포구들에 설정되였을것이지만 서해안보다는 외적침습의 우려가 적었던것만큼 그 수는 몇개 안되였을것이다. 발해에서의 수군건설과 활동에 관한 자료가 극히 적어 구체적인 사실들을 알수 없으나 이미 732년에 등주원정을 수행한 사실로 미루어보아 발해는 8세기초부터 고구려의 수군건설경험을 이어받아서 자기의 국력에 알맞는 수군을 조직하고 발전시켜왔으며 나라의 해상활동을 담보하면서 연해를 굳건히 지켰다는것을 알수 있다.

제2절. 발해-당전쟁에서 수군의 투쟁

발해는 그 창건초기에 적대세력이였던 당나라에 대하여 강경한 태도를 취하였다. 당나라통치배들은 고구려땅을 점령하려던 기도를 버리지 않았으며 고구려를 계승한 발해에 대해서도 침략의 기회가 오기를 기다렸다. 그들은 우선 거란족, 돌궐족의 강화로 곤경을 겪고있던 시기에는 발해와 좋은 관계를 가짐으로써 거란, 돌궐의 후방을 견제하려고 하였다. 그러나 거란, 돌궐세력이 약화되자 본래의 침략기도를 다시 실현해보려고 시도하였다. 725년에 이르러 발해 북쪽에 있던 흑수말갈을 유인하여 흑수주를 설치하였다. 이것은 발해에 소속된 흑수말갈을 자기편으로 끌어붙여 발해를 그 북방으로부터 위협하며 앞으로 발해에 대한 침략을 손쉽게 이루어보려는것이였으며 발해내정에 대한 엄중한 간섭이기도 하였다.

정세가 급변한 조건에서 726년에 발해의 무왕 대무예는 우선 배후에 있는 흑수말갈을 완전히 복종시킬 목적으로 당나라에 갔다 돌아온 자기 아우 대문예를 총지휘관으로 삼아 흑수말갈을 치게 하였다. 그런데 당나라에 대한 사대주의에 물젖었던 대문예는 앞으로 있을수 있는 당나라의 침공을 두려워하면서 흑수말갈에 대한 공격을 중지할것을 제의하였다. 무왕은 그의 제의를 듣지 않고 명령을 무조건 집행할것을 요구하였다. 그러나 패배주의에 물젖었던 문예는 원정을 태공하였으며 결국 나라를 배반하고 당나라로 도망쳤다.

무예는 즉시 자기의 사촌형 대일하를 총지휘관으로 임명하여 파견하였으며 당나라 현종에게 반역자 문예를 돌려보낼것을 요구하였다. 그러나 당나라 현종은 부당한 구실을 붙여가면서 문예를 딴데로 빼돌렸으며 계속 발해내정에 대한 간섭을 일삼았다. (《구당서》권 199 발해전)

732년 봄에 당나라는 거란족을 멀리 북쪽으로 쫓아보내고 료서지방을 차지하게 되였다. 이것은 당나라의 침공위협을 급속히 중대시킨것으로 되였다.

당나라와의 전쟁을 준비해오던 발해는 그해 9월에 륙해 두 방면으로 당나라에 대한 타격전을 벌리였다.

발해의 무왕은 직접 륙군을 이끌고 료서로 진출하여 당나라군대를 격파함으로써 만리장성부근의 마도산까지 진격하였다.

한편 발해는 원정함대를 무어 당나라에 대한 해상공격을 단행하였다. 대장 장문휴가 이끄는 발해의 원정함대는 압록강하구에서 출항하여 바다길로 서해를 건너 당나라의 등주를 불의에 공격하였다. 등주는 오래전부터 중국의 나라들에서 꾸려놓은 동쪽해안의 관문이고 요충지였을뿐아니라 큰 수군기지였다. 등주관내에는 항상 많은 군대(수군과 륙군)가 주둔하여 지키고있었으며 군사시설도 튼튼히 꾸려놓고있었다.

발해의 원정함대는 불의에 등주를 들이쳐서 당나라함선들을 파괴하였으며 상륙전을 벌려 등주자사 위준을 처단하고 반항하는 적을 제압한 다음 기지로 돌아왔다.

발해수군함대에 의한 등주원정의 빛나는 승리는 당나라침략자들에게 심대한 타격을 주고 발해수군의 전투력을 과시하였다.

당나라통치배들은 등주기습에 대한 소식을 듣고 갈복순을 지휘관으로 하는 대부대를 내보내여 발해군의 공격을 막도록 하였으나 그들이 등주에 도착하였을 때에는 발해군이 이미 철수한 다음이였다.

발해수군함대의 등주원정은 압록강하구-랴오둥반도에서 조선서해를 횡단한 원정으로서 우리 나라의 수군사에서 빛나는 한페지를 차지한다.

이 전쟁은 당나라의 침략기도에 대한 징벌타격이였으므로 륙상으로 료서를 진격하였던 발해군도 자기의 목적이 달성되자 733년초에 철수하였다.

이 전쟁에서 발해의 수군은 등주공격이외에도 륙군의 진출에 합세하여 랴오하와 다링하의 도하, 진격하는 지상부대의 군수물자수송도 보장하면서 당나라의 수군을 견제하였다.

당나라침략자들은 733년 1월에 발해에 대한 대규모공격을 시도하였으나 발해군의 공격으로 실패하고말았다. 이번에도 신라봉건통치배들은 발해를 적대시하면서 당나라와 련합하는 반민족적행동을 감행하였다. 그들은 당나라통치배들의 요구에 따라 발해를 남쪽으로부터 침공하였으나 때마침 많은 눈이 와서 숱한 동상자만 내고 중도에서 물러가고말았다. 이 전쟁이 있은 후 당나라통치배들은 발해국가가 존재하는 전기간에 다시는 처들어오지 못하였다.

발해군의 료서진격은 수륙협동으로 수행된 작전으로서 그것은 수군군사예술발전에 기여하였다.

동방강국의 하나로 되였던 발해는 그후 오래동안 평화가 계속됨에 따라 통치배들의 안일해이와 부패타락으로 점차 방위력이 약화되여 10세기초에 와서는 거란침략자들의 침공을 막아내지 못하고 926년에 자기의 존재를 끝마쳤다.

×　　　×　　　×

발해의 수군은 발해가 존재한 200여년간 나라의 연해를 굳게 지키고 대외진출을 비롯한 해상활동을 믿음직하게 보장함으로써 자기의 사명을 다하였다.

제6장. 후기신라의 수군

김춘추, 김유신 등을 우두머리로 하는 새 귀족세력이 대두하고 국왕의 전제권력이 강화된 때인 7세기 말엽부터 고려에 의하여 통합될 때인 10세기 초엽까지의 신라를 후기신라라고 한다.

당나라강점자들을 압록강이남지역에서 몰아낸 다음에도 신라통치배들은 국토를 통일할 궁리는 하지 않고 다만 648년 비밀협약에 따라 대동강이남의 고구려남부지역과 백제지역을 차지하고 공고화하는데 정신을 팔았다.

후기신라는 이전보다 3배나 되는 넓은 령토를 장악하게 되였고 세면에 긴 해안선을 가진 해양국으로 되였다.

신라의 수군은 주변나라 해적들의 침습을 짓부시고 나라의 연해를 굳건히 지켜냈으며 신라사람들의 해외진출을 적극 뒤받침해주었다.

후기신라의 수군은 삼국시기의 앞선 경험과 기술을 받아들여 대외적으로 그 위력을 널리 시위하였다.

제1절. 수군무력강화를 위한 제반 대책의 수립

1. 함선건조술과 항해술의 발전

7세기말이후 신라의 봉건통치배들은 령토가 늘어나고 세면이 바다로 된 새로운 환경에 맞게 해상활동과 대외관계를 발전시키며 수군력을 가일층 발전시키기 위하여 일련의 대책을 세웠다.

우선 함대들을 보다 견고하게, 보다 크게 만들며 해상기동을 더욱 원활하게 하기 위하여 배무이기술과 항해술을 발전시키는데 커다란 주의를 돌리였다.

이 시기에 신라는 고구려, 백제의 앞선 배무이기술을 받아들여 크고 튼튼한 함선들을 많이 무어냈다. 후기신라의 배무이기술이 매우 높은 수준에 도달하고있었던 사실은 다음과 같은 사실들에 의하여 확증된다.

752년에 신라사신일행 700여명이 7척의 배를 타고 일본에 갔는데 이것은 이 배들이 많은 무역품을 싣고 갔다는것을 고려할 때 대단히 큰 배였다는것을 말해준다.*¹ 839년에 일본통치배들은 신라에서 큰 풍랑도 견디여낼수 있는 배를 만들고있다는것을 알고 규슈의 태재부에 명령하여 신라배를 건조하도록 한 일이 있으며*² 840년에는 일본의 쯔시마도사가 한해에 네번씩이나 조공물을 바다에 빠뜨렸으므로 일본국가가 가지고있는 신라배 6척 가운데서 한척을 나누어줄것을 요청한 일이 있었다.*³ 태재부가 만들었다는 신라배 또는 일본국가가 가지고있던 신라배들은 신라의 배무이장공인기술자들을 초청해다가 만들었거나 수입한것이였다.

이밖에 828~839년에 일본의 사신들이 당나라에 갔다가 돌아오자고 하니 자기 나라의 배가 바다를 건느기에는 작고 견고치 못하였기때문에 당나라의 초주에 머물러있던 신라배 9척을 리용하여 안전하게 자기 나라로 돌아간 일도 있었다.*¹

       *¹ 《속일본기》권18 효겸기 천평승보 4년 윤3월 기사
       *², *¹ 《속일본후기》권8 인명기 승화 6년 7월 병신, 8월 기사, 갑술, 10월 정사, 《입당구법순례행기》
       *³ 《속일본후기》권8 인명기 승화 7년 9월 정해

이러한 사실들을 통하여 신라에서 선박공학이 매우 높은 수준에 이르러 바다를 자유로이 왕래할수 있는 크고 견고한 배들을 많이 만들어냈다는것을 알수 있다.

이 시기 당나라와 일본사이의 해상교통은 주로 신라의 배들이 담당하였으며 특히 일본사신들과 승려들은 당나라를 왕래함에 있어서 많은 경우 신라배에 의거하였던것이다.

신라에서는 배무이기술이 앞섰을뿐아니라 천문, 기상, 수문, 항해술이 또한 발전하여 조선서해, 동해, 남해에서 고정항로를 설정하고 왕래하였다.

후기신라에서는 조선서해의 중부 또는 남부에 있는 당항포(당성진), 기벌포, 목포, 림피군의 군산포, 회진포, 덕안포, 회안포 등 항구들에서 출항하여 창강하구와 남중국해안으로 가는 배길을 열어 왕래하고있었다.* 당시의 신라선박들은 창강하구까지 이틀 또는 사흘이면 항행하였다고 한다.

> * 10세기초에 후기신라, 태봉, 후백제의 이름난 중들이 당나라, 5대나라들에 갔다가 돌아올 때 전주의 림피군, 회안현의 포구들, 무주 승평현의 포구, 라주의 회진포, 강주의 덕안포 등 포구에 배를 타고 도착하였다는것이 밝혀져있다. [《조선금석총람》(상), 126, 130, 164, 199, 209페지]

이것은 신라의 배들이 범선이였으나 시속 10～14km의 속도로 항행하였다는것을 보여준다.

당시 중국으로 가는 배길은 서해안을 따라 북상하여 례성강 하구의 벽란도, 례성강과 림진강사이의 정주를 거쳐 서해안을 따라 다시 북상한 다음 옹진반도를 지나 대동강어귀 초도에 이르러 서남으로 직행하여 등주(산둥반도)로 향하는 고정항로와 또다시 북상하여 해안에서 멀지 않은 곳을 지나 등주로 건너가는 고정항로가 있었다.

또 하나의 배길은 고군산도를 거치거나 목포에서 떠나 흑산도에 이르러 서남으로 항행하여 조선서해를 건너 중국남해안의 명주에 이르는 고정항로였다.

후기신라와 일본사이에도 남해안의 여러 항구들에서 떠나 쯔시마를 거쳐 태재부(후꾸오까현)로 가거나 세또내해를 거쳐 오늘의 오사까로 가는 항로가 있었고 여러차례의 사신래왕이 있었다. 이것은 신라-일본고정항로도 개설되여있었다는것을 말해준다.

이러한 사실들은 신라의 배들의 견고성뿐아니라 그의 높은 항해술을 보여주고있다.

신라의 수군은 자기 나라의 연해에서와 다른 나라로 가는 항로상에서 신라선박들이 안전한 항행과 해상활동을 보장하는데서 중요한 역할을 담당하였다.

2. 선부의 설치

당나라군을 압록강이남지대에서 몰아낸 후에도 정세는 의연히 긴장하고 복잡하였다.

서해에서는 당나라해적들의 준동이 점차 심해지고있었으며 동남방에서는 일본이 신라에 대한 적대시정책을 계속 실시하고있었다. *

> * 681년에 죽은 신라의 문무왕이 왜인들이 쳐들어올것을 우려하면서 자신이 동해의 룡이 되여 바다를 지키겠다고 하였으며 바다속의 바위(대왕암)에 자신을 장례지내라고 유언하였다는 이야기는 당시 일본과의 관계가 매우 첨예하였던 사실을 반영하고있다.

이러한 정세는 신라로 하여금 나라의 수군력을 강화하는데 심중한 주의를 돌리지 않을수 없게 하였다.

신라봉건국가는 나라의 전반적인 통치체제를 재편성하는 한편 일본의 침공을 막기 위하여 동남해지대를 강화하는데 깊은 주의를 돌리게 되였다.

신라봉건국가는 수군력을 강화하는데서 중요한 문제로 되는 지휘통솔체계의 확립에 중요한 의의를 부여하였다. 678년에 선부서를 선부로 개편하여 수군을 통솔하는 독자적인 중앙기구로 만든것은 그 가장 중요한 표현이였다.

종전의 선부서는 병부에 소속되였던 한개의 관청이였으나 신설된 선부는 병부에서 떨어져나와서 그와 동등한 권한을 행사하는 독자적인 중앙통치기구의 하나였다. 선부는 수군무력과 선박에 대한 문제를 일체 관할하는 지휘통솔기구였다.

선부서는 종래 병부에 소속된 부속관청으로서 그 관청의 등급이 한급 낮았으나 선부가 나오고 독립적인 행정기구로 되면서 병부와 같은 등급의 기관으로 되였고 그 책임자(선부령)의 자리에는 병부령과 같은 급의 고관들이 임명되게 되였다.

이것은 신라봉건통치배들이 수군력강화와 해상활동에 얼마나 큰 관심을 돌렸는가를 보여주고있다.

후기신라에서 수군을 지휘통솔하는 독자적인 중앙기구로서

선부를 내온것은 수군발전의 산물이였을뿐아니라 조성된 정세의 요구에 맞게 수군을 가일층 강화하기 위한 조치였다. 그것은 또한 해안선이 길어지고 외래침략 특히 일본으로부터의 침략의 위험성이 중대된 조건에서 취해진 정당한 조치였으며 국방에서 수군이 차지하는 비중과 그 역할이 비상히 높아진 현실을 반영한 조치였다.

신라에서는 수군력강화에 커다란 힘을 넣으면서 일본침략자들의 침입을 방비하기 위한 일련의 대책들을 취하였다.

679년에 제주도를 병합한 다음* 신라는 남해가의 섬들과 동서해안의 중요한 해역들을 정상적으로 순찰하게 하여 해안방비를 더욱 튼튼히 하였다.

* 《삼국사기》권7 신라본기 문무왕 19년 2월

신라는 722년에 모벌군(울산지방)에 길이 6 792보 5자(약 13.3km)의 성을 쌓아 일본해적들의 침입에 대비하였다. 731년에는 일본침략자들이 300여척의 큰 함대를 무어가지고 신라의 동쪽변경의 해안에 침입한것을 크게 격파하고 쫓아버렸다. (《삼국유사》권2 기이 효성왕, 《삼국사기》권8 신라본기 성덕왕 30년 4월)

300척의 함선과 싸워 크게 격파하고 쫓아버렸다면 그것은 매우 큰 바다싸움이였을것이다.

일본침략자들은 그후에도 신라를 침범하려는 기도를 버리지 않았다.

선부조직후 신라의 수군은 가일층 장성강화되여 외래침략자들로부터 연해를 굳건히 지키고 나라의 안전을 수호하였다.

3. 새로운 수군기지-진들의 설치

후기신라는 지방들에도 전문적인 수군기지로서의 진들을 더 설치하였다. 지금 기록에서 남은것들만을 들어보더라도 8세기 말경에 신라서북의 관문인 대동강하구부근에는 장구진(長口鎭)이 설치되여 있었다.*

* 《신당서》권42 지리지

829년에는 당은군을 당성진(唐城鎭)으로 개편하고 사찬 극정을 그곳에 보내여 지키게 하였다.* 이곳은 오늘의 경기도 화성시(옛 남양)의 포구로서 그전부터 중국의 나라들과의 수상교통의 요충지였다. 백제의 석두성도 바로 그 건너편인 오늘의 충청남도 당진군 송악면 한진리에 있었다. 당성진은 신라의 서해 수군함대가 거점으로 삼은 중요기지였다.

* 《삼국사기》권10 신라본기 홍덕왕 4년 2월

844년에는 혈구진(穴口鎭-강화도)을 설치하고 아찬 계흥을 진두로 임명하였다.(《삼국사기》권11 신라본기 문성왕 6년 8월) 혈구진은 곧 백제의 혈성이며 고구려의 갑비고차고을이다. 이곳 역시 교동도와 함께 력대로 한강, 림진강 하구를 지키는 수군의 주요거점이였다.

828~854년에 존재하였던 청해진(전라남도 완도)도 신라의 서남해역을 지키는데서 가장 중요한 역할을 하였던 수군의 큰 기지였다. (《삼국사기》권10 신라본기 홍덕왕 3년 4월, 권11 문성왕 13년 2월) 이곳은 리조시기에도 가리포첨사가 있던 수군진영의 하나로 되여있었다. 림해진이나 장령진도 전기신라를 이어 계속 수군기지로 되여있었을것이다.

이밖에도 여러곳에 수군기지인 진들이 있었을것이며 그것은 수군활동의 거점으로서, 후방공급기지로서, 해상으로부터 오는 침략자들을 막는 성새로서 중요한 역할을 담당하였다.

후기신라에서의 독자적인 수군기지로서의 진들의 설치와 정비, 그 기능의 강화 등은 후세의 수군건설과 활동에서 중요한 전례로 되였다.

제2절. 신라수군의 강성, 청해진의 역할

신라는 7세기말부터 100여년간 외래침략자들과의 전쟁이 없는 평화적시기에 처하게 되였다. 이 기간에 인민대중의 창조적로동에 의거하여 생산은 비교적 빨리 늘어났으며 그에 기초하여 대내외상업도 활기를 띠고 발전하였다.

9세기에 들어와서는 상선대를 무어 중국과는 물론 동남아시아나라들과의 대외무역도 활발히 벌리게 되였다. 그러나 서해에 나타난 당나라해적단의 습격을 자주 받았다. 그리하여 상선대는 항상 위협을 당하였고 바다가마을사람들은 불안에 휩싸이게 되였다.

당나라해적떼들의 침해로부터 상선대와 해변지방을 지켜내는것은 매우 긴절한 문제로 제기되였다.

그런데 선부조직후 한때 강화되였던 신라수군은 통치배들의 안일과 해이, 권력쟁탈전으로 인한 질서의 문란, 국방에 대한 극도의 무관심성으로 인하여 심히 약화되여 8세기말~9세기초에 이르러서는 자기의 사명을 제대로 감당할수 없게 되였다. 당나라해적떼들의 침입을 막아내지 못하게 된 기본원인은 여기에 있었다.

신라통치배들이 속수무책으로 있을 때에 장보고(궁복)는 해적소탕을 자진해서 맡아나섰다. 그의 애국적인 제의에 따라 828년에 신라는 조음도(전라남도 완도)에 청해진을 두었으며 그를 청해진대사로 임명하고 1만명의 군사를 주어 해적들의 침입을 막도록 하였다. (《삼국사기》 권10 신라본기 흥덕왕 3년 4월)

장보고는 9세기 전반기 신라의 유능한 수군지휘관이였다. (《삼국사기》 권44 장보고전)

장보고는 말을 달리면서 창을 쓰는데는 그 누구도 당해낼자가 없었다는 용맹한 무관이였다.

그는 당나라에 가서 서주지방의 군대에 복무하면서 당나라해적떼들에 의하여 랍치당하여간 신라사람들이 억울하게 노비로 팔려가 고통을 당하고있는 참상을 보고 분격하여 고국에 돌아와 수군기지로서의 청해진을 설치할것을 제기하였던것이다.

조음도는 조선서해와 조선남해의 경계선에 있는 섬으로서 두 바다를 련결하는 기본통로에 위치하고있었다. 그러므로 이곳을 기지로 하여 수군활동을 벌리는것이 당시로서는 가장 적당한 조치로 되였다.

장보고는 청해진대사가 된 후 수완을 발휘하여 짧은 시일안에 그곳을 든든한 수군기지로, 해상활동의 요충지로 만들었다.

그는 우선 크고 튼튼한 싸움배를 많이 무어내고 수군병정들을 키워내여 강력한 함대를 편성함으로써 서해와 남해의 해상에서 맹렬한 활동을 벌려 당나라해적떼들을 징벌하고 그들의 준동을 막아버리였다.

청해진설치후 해적떼들의 준동이 종식됨으로써 신라의 대외적권위는 더욱 높아지고 대외무역도 활발히 전개되였다.

장보고는 청해진대사가 된 후 큰 배들을 많이 무어내여 해상방위를 강화하는 한편 자기의 상선대를 무어가지고 당나라, 일본과의 무역도 활발히 진행하였다.

청해진이 수군기지로 튼튼히 꾸려지고 신라함대에 의한 해상순찰과 경비가 강화됨으로써 해적떼들의 준동이 종식되게 되였으며 신라선박뿐아니라 당나라, 일본선박들의 안전이 보장되였다.

회역사의 명목으로 청해진상인들이 일본에 처음으로 건너간것은 840년말이였으며 그 다음해부터는 자유교역허가까지 받고 일본에 자유로이 왕래하였다. 청해진상인들이 가지고 간 물건들은 값지고 진귀한것들이여서 일본상인들은 값을 가리지 않고 앞을 다투어가면서 사들였다. 그리하여 한때 일본정부에서는 자기 나라 사람들이 신라상품을 사느라고 가산을 탕진하는 일이 없도록 하라는 경제지시문까지 내게 되였다. 이것은 청해진상인들이 당시 일본의 경제에 커다란 영향을 미치고있었다는것을 보여준다. (《속일본후기》권9 승화 7년 12월 기사, 권10 8년 2월 무진)

장보고는 청해진을 꾸리고 그에 의거하여 활동을 벌려나가는 과정에 방대한 군사력을 키우고 막대한 재물을 모으게 됨으로써 강대한 군사력과 경제력을 가진 하나의 정치세력을 형성하게 되였다.

청해진의 힘이 커지자 장보고는 신라통치배들내부의 왕위쟁탈전에까지 말려들게 되였으며 감의군사, 진해장군의 칭호까지 받았다.

장보고는 자기 딸을 왕비로 들여보내려고 하다가 완고한 신라귀족들의 맹렬한 반대에 부닥치게 되자 드디여 왕정을 반대하여 일어났다. (《삼국사기》권11 신라본기 문성왕 8년)

신라봉건통치배들은 청해진의 세력이 너무 강대하여 결단을 내리지 못하고 토의를 거듭하던 끝에 염장을 청해진에 침투시켜 장보고를 암살하도록 하였으며 당분간 청해진을 남겨두었다가 중앙정권을 반대하는 정변이 일어날것을 우려한 나머지 851년 2월 청해진을 종국적으로 해산하고 그곳에 있던 사람들을 김제군(전라북도 김제)에로 이주시키고말았다.

신라봉건통치배들의 권력다툼과 배타적인 골품제도의 후과로 청해진이 해산됨으로써 신라의 수군은 또다시 급속히 쇠퇴되여 나라의 해상방어는 약화되였다. 청해진은 비록 20여년정도 존재한데 지나지 않았으나 그것은 신라수군력의 강화와 발전, 나라의 대외적권위를 높이는데 커다란 역할을 놀았다.

청해진은 신라수군의 강성을 이룩한것으로 하여 나라의 수군사에서 빛나는 자리를 차지할뿐아니라 수군기지건설과 그에 의거한 해상전투행동과 조법들을 발전시킨것으로 하여 수군군사예술발전에도 커다란 기여를 하였다.

9세기 후반기에 이르러 신라봉건국가안에서는 사회계급적모순이 더욱 격화되였으며 대규모의 국내전쟁이 일어났다. 그 과정에 후기신라는 후삼국으로 갈라져 수십년간의 국내전쟁이 벌어지게 되였으며 드디여 고려에 통합되였다.

× × ×

　후기신라수군은 삼국시기 기술발전의 성과와 경험을 살려 풍파에 잘 견딜수 있는 크고 든든한 함선들을 건조하고 포노를 비롯한 위력있는 무기들을 싣고다니면서 접현전뿐아니라 기동전도 수행하면서 세 바다를 지켜냈으며 신라사람들의 해외진출을 적극 뒤받침해주었다. 신라에서 청해진을 두기 전 신라수군의 역할이 미약하였던 819년에도 신라는 당나라의 요청으로 운주(鄆州)절도사의 반란진압차로 3만명의 군대를 바다건너로 보냈다. 3만명을 수송하려면 수백척의 선박이 요구되였으나 신라는 전투함선과 민용선박을 동원하여 이를 보장하였다.

　청해진을 비롯한 수군기지-진들을 각지에 설치하고 세 바다의 제해권을 장악하였으며 해적떼들과 침략자들을 진압, 소탕한것은 후기신라수군의 중요한 업적이였다.

　10세기 초엽까지 이룩한 수군건설과 그 활동경험은 귀중한 군사유산으로서 고려시기와 리조시기 수군발전에서 귀중한 밑천으로 되였다.

제3편. 고려시기의 수군

제1장. 10세기-12세기의 수군

고려는 후백제를 통합하는데서 수군의 힘에 크게 의존하였던것만큼 국가성립초기부터 수군건설에 커다란 의의를 부여하고 수군의 강화발전에 깊은 주의를 돌렸다. 10세기 후반기부터 서북면에서 거란(료나라)의 침공이 있었고 또 동북면에 있던 녀진족들의 해적행위가 그치지 않았으므로 수군무력을 계속 강화할 필요가 있었다.

제1절. 10세기-12세기의 수군건설

고려의 수군군사제도는 그 전반기에 기본적으로 정비되였다.
수군관계 자료의 부족으로 그 전체 면모를 밝히기 어려우나 지금 남아 전하는 사료들을 통해서도 수군의 편성, 배치 및 지휘체계, 함선건조, 무기무장의 배속, 리용 등에 대하여 일정하게 알수 있다.

1. 수군무력 편성과 수군기지 설정

고려의 건국자인 왕건은 태봉국시기에 이미 백선(百船)장군, 해군대장군으로 되여 후백제수군과 여러차례의 해전에서 큰 승리를 거둔 경험을 가지고있었던만큼 918년에 정변을 일으켜 왕이 된 다음에도 여러명의 수군장군들로서 계속 수군무력의 강화에 힘을 넣었고 또 그에 의거하여 후백제통합과정을 실질적으로 앞당길수 있었다.

고려 봉건국가는 수군의 강화대책으로 우선 봉건적의무병역제를 점차 실시하는 방향으로 나갔다.

고려때 일반적인 군역의 담당자는 16살-60살의 량인농민장정이였으나 병역은 20살-60살의 장정이 졌다. 수군도 그들가운데서 해변가고을들에 살고있는 사람들이 위주로 되여 징발되였으나 내지에 있는 주민들가운데서도 수군군역을 지는 사람들이 있었다. 그것은 수군의 육체적 및 경제적부담이 다른 군종들보다 더 무거웠던것과 관련하여 해변가고을들만 가지고서는 수군군역대상을 보장할수 없었기때문이다.

고려의 수군은 중앙군안에도 일마간 있었다.

즉 고려의 중앙군인 2군, 6위가운데 하나인 천우위에는 해령 1령이 속해있었다. 1045년의 규정에 의하면 한개 령에는 호군(장군) 1명, 중랑장 2명, 랑장 5명, 별장 5명, 산원 5명, 오위 20명, 대정 40명의 지휘관들과 정군방정인 1 000명, 망군정인 600명이 소속되여있었다.*¹

고려에서 보통 한개 령의 군사인원수를 1 000명으로 잡지만 앞에서 든 규정대로 하면 1 678명이 소속된것으로 된다.*²

따라서 망군정인은 아직 정식으로 군역을 서지 않은 대기인원으로 볼수 있을것이다.

천우위는 주로 국왕을 따라다니면서 호위하는 의장병의 임무를 수행하는 단위이므로 그것은 진정한 수군(선군)이라고 말하기는 어렵다.

부수도인 서경과 같은 곳에는 해군 1령 또는 1대(隊)*³가 있었는데 이 부대 역시 중앙의 천우위와 비슷한 존재였으나 1 000명에 300명의 선봉대를 뽑아서 랑장으로 하여금 지휘통솔하게 하였다는 점에서는 실지 전투원으로서의 임무도 수행하였을 것이다.*⁴

*¹ 《고려사》 권81 병지 정종 11년 5월, 권77 백관지 천우위
*², *⁴ 우와 같은 책 병지 정종 11년 5월, 문종 원년 7월
*³ 우와 같은 책 권83 병지 주현군. 1대로 된것은 1135년 묘청의 정변후 서경의 지위가 낮아진것과 관련된것으로 보인다. 이때 1대에

는 행수 1명, 행군 49명이 소속되여있었다.

지방의 수군무력으로써는 조선동해쪽에 원흥진(함경남도 정평군 조양리), 진명진(강원도 원산시), 녕인진(함경남도 금야군), 롱진진(강원도 문천군) 등을 비롯하여 도림포(도련포), 백석포(간성), 압융수(상음), 녕파수(렬산), 림원수(삼척), 동진수(삼척현) 등 진영들과 초소들이 있었고 조선서해쪽에 압록강구, 룡주 사비강구, 대동강구, 통해진, 당관진(풍천), 례성강구, 림진강구, 교동도, 강화도, 화지량, 착량, 안흥량, 장암진, 고군산, 덕진포, 목포, 영산포, 남해쪽에는 각산수, 합포진 등의 수군기지들인 진 또는 수들이 있었다.

원흥진, 진명진 등지에는 선병도부서가 설치되여있었고 동경(경주)에는 동남해(도)선병도부서, 압록강어구에는 압록강도부서(또는 압록강구당사)가 설치되여 자기 산하 진, 수의 수군부대들과 함선들을 장악하였다.*1 이밖에 여러 나루들에도 구당사가 배치되여있었다. *2

*1 《고려사절요》권3 현종 10년 4월, 19년 10월, 20년 윤2월, 권4 문종 원년 정월, 4년 정월, 11월, 권5 문종 27년 7월

　도부서에는 사, 부사, 판관, 록사 등의 무관들이 배치되여있었다. 《고려사》권83 병지 주현군조에 의하면 서북면의 룡주 사비강[후의 사위포(소위포)]에는 별장 1명, 교위 2명, 대정 4명, 행군 99명이 있었고 통해현(통해진)에는 룡해강(후의 숙천 툴교천?)에 교위 1명, 대정 2명, 행군 43명이 있었으며 동해안의 원흥진에는 사공 4대(1대는 33명)가 있었다고 기록되여있다. 1대의 인원수, 군관수에서 차이나는 점도 있고 또 사공과 수군전반을 구분하지 않고있는 점도 있어서 자세한것은 알수 없으나 어쨌든 지방의 수군진영들에 전속된 구분대들이 얼마간 있었다는것을 알수 있다. 실례로 1039년에 압록강구에만 하여도 병선 70여척이 배치되여있었다. (《고려사절요》권4 정종 5년 6월)

*2 《고려사》권3 세가 성종 13년 시세, 권77 백관지 외직

중앙수군행정기관으로는 처음에 도항사(都航司)가 있었고 919년에는 선부를 두었으며 그후 상서도성아래 6부의 하나인 병부(병관, 병조라고 한 때도 있었다.)에서 수군을 관할하도록 하였다.

한편 부수도인 서경에도 군사기구로서의 도항사가 있었다.

중앙에 도병마사가, 동북로(동계), 서북로(북계)에는 병마사가 있고 그밖의 5도에는 그 지휘하에 도부서관하의 수군이 해상전투를 비롯한 군사적의무를 수행하게 되여있었다. 도호부, 주, 군, 현 등 고을의 장관들이 중앙 또는 해당 지방의 안무사, 안렴사 등의 명령에 따라 수군을 령솔하여 싸우기도 하였다. 또한 륙군의 경우와 같이 연해지방에도 담당구역-분도제도가 있어서 연해분도 판관 등의 지휘밑에 전투를 하기도 하였다. (《고려사절요》권4 정종 9년 6월) 이러한 수군무력의 조직체계는 리조시기의 관제와 류사한 점들이 있었다.

수군(선병)들은 외래침략자들, 해적들의 침습으로부터 연해를 지키며 적을 요격 또는 추격하여 격파분쇄하는 기본임무이외에 조세나 군수물자의 운반, 해상경비, 진성의 축조 및 경비, 함선건조 및 수리, 함선용장비의 마련 등에 종사하여야 하였고 이밖에도 물고기잡이, 진상, 공물용짐승사냥, 성쌓기, 수군진영의 상관들의 뒤바라지 등 고달픈 로역에 동원되여야 하였다. 그들은 무기, 장구류와 식량을 자체로 부담하여야 하였다. 이 모든 부담은 륙군보다도 훨씬 무거운 부담으로 되였다.

고려통치배들은 수군의 자장(상번근무하러 가기 위한 물품, 식량의 준비)을 위한 토지(수조지 또는 자경무세전)를 준다고 하였다. 백정(군역을 지지 않는 장정)이 군역을 지는 경우 토지 1결을 준다는 규정은 원칙적으로 수군에도 적용되는것이였다. 또한 고려말~리조초에 당령(당번)수군과 하령(하번)수군이 있었던것을 보면 수군은 대체로 2~3명의 장정가운데서 1명씩 상번하는 방법으로 교대근무를 하게 되여있었다고 인정된다. 그러나 이러한 규정이 제대로 집행되는 때는 거의 없었다. 따라서 수군복무는 군역가운데서 가장 힘든것으로 되였고 수군으로 등록된 인민들은 될수록 그것을 모면하려고 하였다. 수군의 처지가 매우 곤난하였다는것은 탐오행위를 저지른 관리나 죄수들을 처벌하는데서 《수군으로 복역》(즉 수군군역을 지우는)시키는 방식을 취한데서도 찾아볼수 있다. (《고려사》권46 공양왕 3년 5월 기유)

이것은 수군의 사회적지위, 사회계급적처지를 점차 악화시켰으며 그 결과 후기로 갈수록 수군의 신분은 낮아져서 결국 신량역천신분으로 떨어지게 되였다. 이러한 추세속에서 부곡, 향, 소의 인민들,

지어는 공노비들마저도 수군으로 편입되는 과정이 촉진되게 되였다.

각급 수군진영의 우두머리관료들은 수군에게서 많은 뢰물을 받아먹고 휴가를 주어 집으로 돌아가도록 함으로써 사복을 채웠다. 그것은 수군의 부담을 더욱더 무거운것으로 되게 하였다.

2. 함선건조와 무기무장 제작

고려인민들은 발해 및 후기신라시기의 배무이기술을 이어받고 다른 나라의 배무이기술도 참고하면서 성능이 좋고 견고한 배들을 무어내였다.

915년(태봉국때)에 100여척의 함선을 건조하였을 때 그중 큰 배 10여척은 각각 사방이 16보나 되고 다락이 있었으며 배우에서 말을 타고 돌아다닐만 하였다고 한다. *¹ 16보를 영조척으로 환산하면 96자 (28.7m정도)나 되므로 목조선박의 폭으로는 너무 크다. 그러므로 4보(약 7m)×4방으로 본다면 과거 조선에서 목조선박의 폭과 길이의 비는 2.5~5배정도 되므로 이 배의 길이는 17.5~35m로 된다. *² 이것은 중세기의 배로서는 대단히 큰것이였다.

*¹ 《고려사》 권1 세가 태조
*² 《조선기술발전사자료집》 제1집 고등교육도서출판사, 1963년, 67~68페지, 《조선중세군사기술연구》 과학백과사전종합출판사, 1988년, 349~351페지

또한 그보다 앞서 910년에 70여척의 배에 2 000여명의 군사를 싣고 후백제에 대한 해상원정을 하였다. 그중에서 큰 배가 대체로 3분의 1을 차지하였다고 보면 그리고 큰 배에는 사공과 해군이 60명정도씩 탔다고 보면 큰 배 한척에 약 120명의 인원과 무기장구류들을 실은것으로 된다.

이처럼 고려 건국초기에 이미 조선업에서는 선행시기의 성과에 토대하여 먼바다항행용 큰 배들을 대량적으로 무어내리만큼 배무이기술이 발전되여있었다.

1035~1046년에 바다길로 통하는 10개의 창고들에는 초마선 6척

씩을 두었는데 그것은 1척에 1 000석(약 100~140t)씩 실을수 있는 큰 배들이였고 덕홍창과 홍원창처럼 강하천을 리용하는 배인 평저선(20~21척씩 배속)은 200석(약 20~24t)씩 실을수 있었다. 이것은 해방전 민용범선들의 크기와 대비해볼 때 그 크기가 대단하였다고 말할수 있다. 이것은 고려 수군함선들의 크기를 짐작할수 있게 하는 중요한 참고자료로 된다.

표 1   해방전 재래식 민용목조범선의 주요치수와 적재량

구분 해역	선박의 종류	길이 L(m)	너비 B(m)	현측높이 T(m)	L/B	적재량 (단위 t)
서 해	어로, 화물수송용	15.4	6.3	2.8	2.5	약 50
	화물수송용	13.2	4.2	2.1	3.1	약 50
	어로용	15.0	4.8	2.1	3.1	—
동 해	명태어로용	15.9	3.2	1.2	5.0	약 25
	화물수송용	15.6	3.0	1.5	5.2	약 30
	어로용	6.6	2.5	—	2.6	—

[《조선기술발전사자료집》 제1집 고등교육도서출판사, 1963년, 68~69페지]

1019년에 동해에서 녀진해적선을 격파할 때 쓰인 고려의 전함에 대하여 목격한 일본사람들의 말에 의하면 《선체는 높고 크며 무기와 장비를 많이 갖추고있어 적측의 배를 엎어버린다.… 고려의 배에 오르니 그안은 넓고 컸으며… 다락집은 좌우로 각각 넷을 세웠다.… 달아매지 않는 노가 한켠에 7~8개가 있고 배의 앞면에는 쇠로 뿔을 만들어 적의 배를 들이받아 격파하게끔 되여있었다.》고 한다. (《소우기》 관인 3년 8월 10일)

이 고려함선의 앞머리에 있었다는 쇠뿔은 거북선의 앞머리에 있던 쇠를 박은 롱대가리와 같이 적선을 들이받아 까부실수 있는 장치물이였다.

13세기의 일이지만 원나라의 일본침략때에 만든 큰 전함은 한 배에 평균 170~180명의 인원과 무기장구류, 식량을 실은것으로서

3 000~4 000섬(250~280t)을 적재할수 있는것이였다.

그런데 당시 고려에서 건조된 함선들은 매우 견고하였다. 원나라 강남지방에서 만든 배 3 500척은 폭풍우를 만나 거의다 파괴침몰되였으나 고려선박은 거의나 손상이 없이 돌아왔다. 이것은 고려의 함선, 선박건조기술이 매우 우수한것이였다는것을 뚜렷이 보여준다. (《조선중세군사기술연구》 과학백과사전종합출판사, 1988년, 261페지)

고려의 선박들은 이처럼 견고하였을뿐아니라 돛을 여러개 달고 노도 여러개 장치하였으며 항해술도 발전되여있었으므로 그 속도가 빨랐다. 당시 고려의 배들은 《송나라에는 바람새가 좋으면 2~3일에 가닿고 일본에는 아침에 떠나서 저녁이면 도착하는》 정도로 빨리 기동할수 있었다. (《고려사》권102 리장용전, 《원사》권208 고려전)

고려의 함선들이 이처럼 견고하였던것은 먼바다항행에 적합하게끔 앞뒤의 갑판은 높고 중앙부는 낮은 곡선형으로 만들고 얇은 판자나 나무토막으로써가 아니라 통나무와 큰 재목, 두터운 판자로 만들고 살틀구조(곧은 막대들을 삼각형그물모양으로 무은 골조)를 안받침하여 앞뒤좌우에서 오는 충격을 잘 견디여낼수 있게 만들었기때문이다. 이러한 우수한 목조선박건조법은 후세까지도 전해져서 리조시기의 판옥선이나 거북선건조에 리용되였다.

고려의 배무이장공인들은 다른 지방, 다른 나라의 배무이기술도 참고하면서 지혜를 모아 여러가지 형태의 크고작은 함선들을 만들어냈다.

929년에는 발해사람들이 배 20여척을 타고 동족의 나라 고려에 넘어 왔으며 935년에는 후백제의 견훤이 금성(라주)에서 배를 타고 고려에 투항해 왔고 1012년에는 탐라에서 큰 배 2척을 바치였다. 이러한것은 다 함선건조기술을 발전시키는데 참고로 되였다. 1030년에도 동녀진인들이 과선(戈船) 7척을 례물로 바치였다. 당시 동녀진해적떼들은 가볍고 빠른 작은 배인 과선을 리용하여 도래굽이에 바싹 붙어다니면서 무시로 동해안 각지를 침범하군 하였다.

고려의 함선들은 크고 둔중해서 연해에서는 마음대로 기동하기가 어려웠으므로 고려측에서는 동녀진인들의 과선을 참고하고 개량하여 1009년에 과선 75척을 만들어 진명도부서 앞바다에 배치함으로써 소소한 해적들의 준동까지도 제때에 짓부시도록 하였다.
　이 시기 고려의 선박에는 앞에서 든 함선들과 조선(조세미운반선)이외에도 《고려사절요》에 의하면 순선, 관선, 송방, 막선 등 여러 가지가 있었다.
　이러한 배들은 대체로 경비정이나 민용선박에 약간의 시설을 한것이였으나 관선, 송방만은 그 사명에 맞게 따로 설계하여 만든것이였다.
　이밖에도 전투용선박으로 검선(현측에 검을 빈틈없이 세워 적이 접근하여 뛰여오르지 못하게 한 배), 경함(경쾌한 함선), 몽충(방어용방패를 둘러치고서 적함선을 맞받아 부딪치면서 공격하게 되여있는 배), 거함(큰 함선) 등이 있었다.
　큰 배에는 거기에 달린 급수선, 삼판선(전마선) 등이 매워있었다.
　함선들은 정주(개성시 개풍), 염주, 백주를 비롯하여 주로 기지들이 있는 진들에서 건조되였다. 선박건조의 주되는 자재는 수십년, 100여년씩 자란 큰 소나무였다.
　고려의 함선건조능력은 매우 큰것이였다. 그것은 좀 후의 일이지만 봉건몽골의 40년간에 걸친 침략을 받고 나라의 사정이 매우 어려웠던 시기인 1270년대말~1280년대초에 900척이라는 많은 배를 불과 4개월 반사이에 3만여명의 장공인들과 인민들을 동원하여 무어낸데서도 찾아볼수 있고[1] 삼별초항전때에 강화도에서 진도로 이동하면서 1 000여척의 배를 리용한 사실에서도 찾아볼수 있다. [2]

  [1] 《고려사절요》 권19 원종 15년 6월, 《고려사》 권28 세가 충렬왕 즉위년 10월 기사, 권29 충렬왕 5년 6월 신축, 권29 충렬왕 6년 11월 기유
  [2] 《고려사절요》 권18 원종 11년 6월, 《고려사》 권26 세가 원종 11년 6월 기사

　수군의 전투력을 강화하는데서는 함선을 견고하고 기동력있게 만드는것과 함께 수군이 쓰는 무기장구류들을 개선하여야 하였다.
　고려정부는 군기감을 두고 전문적으로 무기생산과 군사장비의 생산을 맡아보게 하였다. 그리하여 중앙관청수공업에서 무기생산이 급속히 늘어나고 그 업종도 세분화되여 수군에서도 필요한 여러가지

무기를 생산하였으며 그 수준도 상당한 정도에 이르게 되였다.

군기감에서는 안서도호부의 염주(연안), 해주, 안주(재령) 등지에서 공물로 바치는 쇠를 가공하여 여러가지 우수한 무기들을 생산하였다. (《고려사》권8 세가 문종 12년 2월 신해)

지방관청들과 진영들에서도 자체로 쓸 무기장구류들과 함께 중앙정부에 올려보낼 공물로 활, 화살, 창, 검, 갑옷 등을 생산하였다.

1040년 고려의 무기기술자인 박원작은 기묘한 무기인 수질구궁노를 창안제작하였다.[*1] 수질구궁노가 어떤 무기였는지 잘 알수 없으나 9개의 활을 동시에 쏘는것과 같은 작용 즉 9개의 화살을 동시에 쏠수 있는 무기였다고 생각해볼수 있다. 그렇게 되면 살상률이 높아서 공격에서는 물론 특히 방어전에서 효과적인 무기로 될것이다. 수질구궁노(또는 수질노)는 그 성능이 하도 좋아서 즉시로 다량 제작되여 나라의 변방과 요충지들에 배치되였으며 그후 1059년, 1076년에는 그 발사시험이 진행될만큼 중요시된 무기였다.[*2]

[*1], [*2] 《고려사》권81 병지 5군 정종 6년 10월, 문종 23년 10월, 30년 9월

그후에도 고려정부는 무기제작기술을 계속 발전시켜 여러가지 성능좋은 무기들을 많이 만들었다.

그뿐아니라 이 시기에 제작된 화전(불화살), 화구(불덩어리)와 같은 무기들의 제작은 나무로 건조된 함선을 가지고 싸우는 수군싸움에서 매우 효과있는 무기였다.

그것들은 바다싸움에서 접현전의 범위를 벗어나 기동전을 전개할수 있게 하며 화력기동전으로 넘어갈수 있는 전제조건을 지어주었다. 이 무기들은 적함대의 전투서렬에 육박하여 들어가 싸울 때에는 물론 적함선들의 공격, 접근을 좌절, 격파하는데서 매우 효과적인 무기들이였다.

그밖의 각종 무기들도 함선의 화력밀도를 높이고 함대의 전투력을 강화하는데 커다란 기여를 하였다.

이와 같이 고려에서 각종 신식무기와 장비생산이 증대된것은 고려수군의 무장을 더한층 강화할수 있게 하였다.

제2절. 후백제통합을 위한 투쟁에서 고려수군의 활동

9세기말 후기신라에서 전국적규모의 대농민전쟁이 일어났을 때 인민들의 투쟁기세에 편승하여 자기의 정권욕을 이루어보려던 궁예와 견훤은 각각 마진(태봉), 후백제를 세우고 각축전을 벌리였다. 당시 후기신라는 경상남북도의 일부 지역으로 위축된 무력한 존재였고 따라서 싸움은 주로 태봉국과 후백제사이에 진행되였다.

당시 후백제의 왕이 되였던 견훤은 본래 신라 서남해연안지방의 한 비장으로 있었던만큼 수군의 중요성을 알고 농민전쟁의 불길이 오른 때를 리용하여 오늘의 전라남북도지방을 장악하였으며 그 지방의 수군무력을 가지고 태봉국과 후기신라를 반대하는 작전을 벌리고있었다.

태봉국의 수군지휘관이였던 왕건은 903년 3월에 수군함대를 이끌고 무주(광주)지방에로 가서 금성군을 비롯한 10여개의 군, 현을 점령하고 금성을 라주로 고치였으며 라주일대를 후백제를 공격하는 거점으로 삼았다.

그후 909년에 왕건은 다시 해군대장군으로서 해상상륙전으로 무주 진도군 고이도성 등을 함락시키였으며 목포-덕진포바다에서 견훤이 인솔하는 대함대를 화공전으로 격파하였다. 914년에도 70여척의 함선을 가지고 라주지방에로 원정하였으며 그후 100여척의 함선을 건조하여 다시 라주방면으로 원정하여 후백제군을 격파하였다.

왕건은 918년에 고려를 세운 후에도 이러한 성과에 의거하여 후백제를 해상으로 공격하여 그 후방을 교란함으로써 유리한 전국을 조성하려고 하였다. 그는 여러명의 수군장군을 두고 도항사를 설치하여 배무이와 그 운영을 관할하게 하였다.

또한 염주(연안), 백주(배천), 정주를 비롯한 여러곳에 수군기지를 튼튼히 꾸리고 군사들을 훈련시켰으며 함선건조를 다그치도록 하였다. 이것은 고려가 수륙량면으로 공세를 강화하여 후삼국통합에서 가장 큰 장애물로 되고있던 후백제를 약화시키기 위한 적절한 조치로 되였다.

927년 고려의 수군장군 영창, 능식 등은 함대를 이끌고 후백제에로 원정하여 강주를 공격하여 4개의 향을 점령하였다.
후삼국통합을 촉진시키기 위한 고려의 강력한 공세앞에서 견디기 어렵게 된 후백제 역시 수군을 강화하여 고려를 공격하려고 하였으며 930년경부터 조선서해 남부에서는 후백제가 일시적우세를 차지하게 되였다.
932년 9월 후백제는 함대를 고려의 해안깊이에 침입시켜 염주, 백주, 정주를 불의에 기습하여 100여척의 고려배를 불사르고 저산도(황해남도 안악군 제도)의 목장에 침입하여 말 300필을 략탈하였으며 그해 10월에 대우도를 기습하였다. 이와 같이 후백제는 수군에 의거하여 교란작전을 벌리면서 고려에 끝까지 대항하려고 하였다. 그러나 대세는 이미 기울어지고있었으며 고려의 수군력은 륙군과 함께 후백제를 압도하고있었다.
935년 3월 후백제에서는 신검(견훤의 맏아들)의 반란이 일어났고 실권을 잃게 된 견훤은 그해 6월 고려와의 련계를 가지고 투항하여 왔다. 이무렵에 고려의 장군 유검필은 그동안에 준비한 함선들을 이끌고 6년만에 다시 라주로 나가 후백제의 수군을 제압하고 돌아왔다.
935년 11월에는 신라마저 투항하고 이듬해에 후백제와의 결전에서 승리하였다.
이상에서 본바와 같이 고려의 수군은 수많은 전투를 치르는 과정에 더욱 강화되였다.

제3절. 서북 및 동북지방에서 국토수복을 위한 투쟁에서 고려수군의 활동

고려는 본래 고구려의 옛 강토를 되찾는것을 중요한 정책으로 삼고있었다.
고려는 후백제와의 전쟁을 한창 벌리고있던 시기에 벌써 서북지방에 커다란 주의를 돌렸으며 긴장한 정세에서도 서경(평양)건설과 서북지방에 성을 쌓는 일을 추진시켰고 해안지대에 대한 방비를 강화 하는데도 적지 않은 관심을 돌렸다.

이 시기에 건설된 성들가운데서 안융진성, 박릉성, 운남성(무주성), 습홀성(가주성-운전), 송산성, 안북부성(안주) 등 여러 성들은 해안지대에 배치된 성들로서 서북방에서 침입하는 적을 방어함에 있어서뿐아니라 해안지대방어에서도 중요한 의의를 가지였다.

이처럼 고려는 대동강이북의 지역을 되찾아 통치체제를 세움과 동시에 방위체계도 갖추었다.

고려정부는 그후에도 거란침략자들이 고려에 대한 침공준비를 로골적으로 진행하고있던 긴장한 정세속에서 성쌓기를 다그치면서 국방력구성에서 수군의 비중을 높였다. 서경같은 곳에는 대도호부를 설치하고 수도 개경 통치기구의 축소판인 분사제도를 내왔는데 934년에 그안에 도항사를 두게 한것은 그 표현이다.

해안지방들에서 수륙군을 동시에 강화하도록 한것은 국경 및 해안방어에서 기동성을 보장하고 수륙군의 협동작전을 원활하게 수행할수 있게 하였다.

이 시기에 진(수군기지)도 확대되고 그의 력량도 증강되였으며 장비도 개선되여 전투력이 더한층 강화되였다.

고려봉건정부는 동북방과 동남방에서 녀진과 일본이 바다길로 침입할수 있다는것을 예견하고 조선동해와 조선남해의 해안방어에도 힘을 넣었다.

한편 고려정부는 거란을 반대하는데서 리해관계가 일치하는 나라들과 친선관계를 맺기 위한 외교활동도 벌렸다.

993년, 1010~1011년, 1018~1019년의 3차에 걸친 고려-거란(료)전쟁시기 고려의 군민은 침략자들을 반대하여 용감히 싸움으로써 적들의 침략기도를 짓부셔버렸다.

이 시기 반거란투쟁에서는 거란에 수군이 없었던 관계로 바다싸움은 진행되지 않았다. 그러나 고려의 수군은 나라의 연해를 지키기 위한 정상적인 활동을 하였으며 전쟁과정에 지상부대의 전투보장을 위한 군사인원들과 무장, 식량 등 군수물자의 수송을 담당하여 전쟁의 승리에 기여 하였다.

거란(료)과의 투쟁은 그후에도 오래동안 계속되였다. 고려가 료나라존재의 전기간 서북방면의 방비를 소홀히 하지 않았던것도 실질적인 대치상태가 지속되고있었기때문이였다.

1044년에 례성강의 병선 80척으로 군수물자를 실어다가 서북계의 고을들과 진들의 창고들을 채우도록 하였으며 1064년에는 례성강의 배 107척으로써 6차례로 나누어 룡문창의 쌀을 린주, 룡주(룡천), 철주(철산), 선주(선천), 곽주(곽산), 위원진 등지로 날라다가 군량으로 충당하게 하였다. 1067년에 서북계에 운반된 량곡은 4만 9 400석에 달하였다.

이 시기에 와서는 료나라도 강한 수군을 가지게 되였다. 적수군이 언제 나타날지도 모르는 정황에서 이러한 운수활동은 수군함대가 직접 담당해서 했거나 함선의 호위를 받으면서 진행되였을것은 물론이다.

고려가 압록강하구일대를 차지한 다음 압록강구당사를 두었고 12세기 초엽에는 압강도부서를 설치하고 병선들을 배치하였던것도 서북방에서 오는 외적의 침공을 막기 위한 조치의 하나였다.

거란침략자들을 반대하는 투쟁이 계속되고있던 11세기초에 고려는 동북방 녀진족의 해적떼들인 《도이(刀伊)》해적들의 침입을 받기 시작하였다.

고려는 한편으로는 순종하고 평화적환경속에서 무역관계를 발전시키려는 녀진인들에 대해서는 우대하였다. 그러나 적대적태도를 취하면서 고려의 동해안을 침범하는 녀진에 대해서는 철저히 격멸소탕하는 정책을 실시하였다.

당시 동녀진해적떼들은 조선동해안뿐아니라 멀리 남해, 조선해협방면까지 돌아치면서 략탈행위를 일삼고있었다.

1011년에는 동녀진해적들이 100여척의 배를 타고 멀리 경주지방까지 침범했으며 이듬해에도 청하, 영일, 장기현 등지를 침공하였다가 고려군의 반격을 받고 달아났다. 1015년에는 20척의 배를 리용한 해적떼들이 구두포(후의 도련포)를 습격하러 왔다가 진명선병도부서의 수군함대에 의하여 격파당하였다.

1019년 4월에는 진명선병도부서의 수군이 동녀진해적들의 무리들을 만나 격전을 벌린 끝에 8척을 나포하였다. 이 배들에는 일본인 259명이 붙잡혀있었으므로 고려정부는 그들을 고국에 돌려보내주었다. 이 해전은 녀진해적들에게 심대한 타격을 주었다.

이러한 성과에 기초하여 고려정부는 륙지에 피난해 와있던 우산국(울릉도)주민들을 이해 7월에 제고장에 돌려보내였다. 또 1022년에 일부 우산국주민들이 녀진족에 랍치되였다가 도망쳐나왔을 때에는 그들의 희망에 따라 례주(禮州) 등지에 보내여 일반백성들의 호적에 등록하도록 하였다.

녀진해적들의 침입은 그후에도 계속되였다. 1028년 5월에 녀진해적떼들은 평해군(경상북도 울진군 평해면)을 침공하여 만행을 일삼다가 고려군의 반격으로 도망쳐갔다. 놈들의 만행에 격분한 고려수군은 적을 추격하여 배 4척을 나포하고 거기에 탔던 놈들을 모조리 죽여버렸다. *1

같은 해 10월에 15척의 동녀진해적선단이 고성과 룡진진(문천군)에 침입하여 70여명의 고려사람들을 랍치해갔고 1029년 2월에는 적선 30여척이 동쪽변방에, 3월에는 적선 10척이 명주(강릉)를 각각 침범하였다가 고려수군에 의하여 격파당하였다. 같은 해 5월에는 400여명의 동녀진인들이 동산현(양양군)에 침입하여 로략질을 하였다. *2

1033년에는 간성현[고성군(남)] 백석포와 삼척현에 침입한 녀진해적들가운데서 90여명을 사로잡았으며 1036년 2월에는 삼척현 동진수에 침습하여 로략질하던 놈들가운데서 40여명을 죽이거나 포로하였다. *3

*1, *2, *3 《고려사절요》 권3 현종 19년 5월, 10월, 20년 2월, 3월, 5월, 권4 덕종 2년 3월, 4월, 정종 2년 2월

고려는 동녀진의 침입에 대처하여 각지에 성들을 쌓고 경비초소(수)들을 늘이였다. 그가운데에는 수군기지, 수군초소들도 들어있었다. *

> * 이 시기 새로 쌓거나 보수한 연해지방의 성으로서는 현덕진(금야군 1027년), 간성현성(1033년), 명주성(강릉 1034년), 환가현성(고성군 1041년), 영흥진성(1046년)을 비롯한 수많은 성들이 있었고 설치된 경비초소로는 압융수, 향정수, 철원수 등이 있었다.

당시 고려의 애국적군인들과 인민들은 비록 성쌓기와 경비근무와 륙상 및 수상전투가 힘들기는 하였으나 곤난을 이겨내면서 나라를 믿음직하게 보위하였다. 1043년 6월 동북로에서 보고한데 의하면

연해분도판관 황보경은 스스로 일부 함선들을 이끌고 먼바다까지 출전하여 연해지방에 무시로 침입하여 소란을 피우던 해적떼들과 싸워 수많은 적을 살상포로하였다.

그러나 녀진해적들은 1049년에 림도현(강원도 통천군), 금양현(통천군)에 침범하여 략탈, 살인행위를 감행하였고 이듬해에는 렬산현(간성), 녕파수, 파천현(안변) 등을 습격하였다.

이러한 해적들의 준동에 대처하여 고려군은 언제나 피동적으로 방어만 할수 없었다.

선병도부서에 배치되였던 선병들은 해적들이 침입해올 때마다 맞받아나가서 적들을 쳐부셨을뿐아니라 멀리까지 추격하여 바다우에서 격멸하기도 하고 쫓아가 소탕하기도 하였다. 1049년 10월 해적들이 진명포구의 고려병선 2척을 빼앗아가지고 달아나는 사건이 발생하였을 때 원흥진도부서(정평군)의 애국적수군들은 병마록사 문양렬과 도부서 판관 송제한 등의 지휘하에 해적떼들의 소굴을 기습하여 집들을 불태워버리고 20명을 베여죽이였다. 또 1050년 9월에는 렬산현을 습격한 녀진해적들을 징벌하기 위하여 문양렬 등이 전함 23척을 이끌고 초자도로 가서 해적선들을 크게 격파하였고 녀진부락 30여개소를 불태우고 싸움배 8척을 깨뜨려버렸다. 같은 해 11월에는 진명도부서 부사 김경응이 거느리는 수군함대가 렬도에서 해적선 3척을 격침시켰고 수십명의 목을 베였다.

동녀진해적들과의 투쟁은 그후에도 오래동안 계속되였다. 1064년에는 해적들이 평해군 남포를 침범하였고 1068년 6월에는 또다시 동해에 나타난 적들을 마주 쳐서 7척을 나포하였다.(《고려사절요》 권5 문종 18년 윤5월, 22년 6월) 1068년 7월에는 동계 병마판관, 진명도부서 부사, 원흥진 부사 등이 거느리는 고려수군이 초도앞을 순찰하다가 적선 8척을 발견하고 그중 3척을 격파하였으며 30여명의 적을 처단하였다.(《고려사》 권8 문종 22년 7월 정유)

1073년에는 녀진해적무리들이 멀리 경주 파잠부곡에까지 침습하여 로략질을 하고 돌아가는것을 원흥진도부서의 장군 렴한 등이 수십척의 군함을 이끌고 초도앞바다에서 요격하여 12명을 죽이고 붙잡혀가던 우리 사람 16명을 탈환하였다.

1084년에 동녀진해적들은 흥해군 모산진나루에 있던 수군경비병들이 경작하던 농장을 습격하였다가 고려수군장병들의 반격으로 쫓겨갔다. 1096년에도 진명도부서사가 해적들과 싸워 17명을 처단하였고 1097년에는 동녀진해적선 10척이 진명현에 침공한것을 동북면 병마사가 반격하여 쳐부시고 3척을 나포하고 48명을 처단하였다.

11세기말에 이르러 동북계의 정세에서는 커다란 변화가 발생하였다. 오늘의 북청, 단천부근에 살던 녀진족들가운데 동녀진해적들을 제외하고 그밖의 녀진족들은 두만강이북지역에 이르기까지 고려의 주, 군으로 편입시켜줄것을 요구하던자들로서 고려에 대하여 순종하고 평화적인 무역을 하기를 바라고있었다. 그러므로 오늘의 함경남도와 함경북도의 대부분지역은 고려의 령토로서 고려의 주권이 미치고있는 지역이였다. 그런데 11세기 말엽에 녀진족가운데서 북쪽에 있던 완안부녀진이 급속히 강화되면서 그 세력이 두만강부근까지 미치게 되였으며 1102년에는 정주(정평군) 천리장성관문밖에까지 침루해들어왔다. 이것은 금나라형성직전 완안부녀진세력의 고려에 대한 대규모의 침략을 의미하였다.

고려정부앞에는 완안부녀진의 침략을 물리치고 나라의 자주권과 안전을 지켜내야 할 중대한 과제가 제기되였다.

고려봉건정부는 동북부지방에 대한 방비를 강화하는 한편 침입한 적을 몰아내며 나아가서는 고구려와 발해의 옛 강토였던 동북지방을 되찾을것을 계획하였다.

1104년 고려는 동북면 병마사 림간으로 하여금 공격전을 벌리게 하였으나 실패하였다. 이 실패에서 교훈을 찾은 고려는 수륙협동으로 새로운 대공세를 취할 준비를 다그쳤으며 1107년 12월에 17만의 병력을 5군으로 편성하여 출격하였다. (《고려사절요》권7 예종 2년 12월, 《금사》권135 고려전) 원정군에 배속된 선군은 선군별감 량유송과 원흥진도부서 부사 등이 지휘한 2 600명의 선군함대였다.

고려의 수군함대는 도련포를 떠나 동해연안을 따라 북쪽으로 진출하였다. 그의 임무는 녀진의 수군을 견제하면서 지상부대의 익측을 보장하는것이였다.

고려원정군은 석성전투, 이위동전투 등에서 적들의 집요한 반항을 짓부시고 멀리 북으로 진격하였다.

고려의 선봉부대는 멀리 두만강북쪽의 공험진, 선춘령까지 진출하였다. *¹ 원정군은 그 지역에 영주, 웅주, 길주, 복주 등 9개의 성을 쌓았다. 1108년이후 다시 침입해오는 완안부녀진 침략군과 고려군 사이에는 격렬한 공방전이 계속되었다.

고려군은 길주부근일대까지 일단 철수하였으나 적의 대군의 공세를 좌절시켰다.

완안부녀진도 수군을 동원하여 고려의 후방을 교란하려고 책동하였다. 그러나 1108년 7월 행영병마판관 신현이 지휘한 고려의 수군함대는 녕인진에서 적의 함선들을 격파하였다. *² 또한 1109년 5월에 적들은 선덕진(도련포 남쪽)에 침입하여 고려의 후방을 교란하려고 하였으나 고려의 수군에 의하여 격파되었다. *³

고려의 수군은 전쟁과정에 지상부대의 익측을 믿음직하게 보장하였으며 웅주성이 적의 공격으로 위험에 처했을 때 군사들과 군량을 비롯한 군수물자의 운반을 보장함으로써 적을 물리칠수 있게 하였다. *⁴

*¹, *², *³ 《고려사절요》권7 예종 3년 2월, 3년 7월, 4년 5월
*⁴ 《조선금석총람》(상) 리탄지묘지명, 《고려사》권96 윤관전

1109년초에 완안부녀진이 다시는 고려를 침범하지 않겠다고 하면서 9성지역을 돌려줄것을 간청해나서자 7월에 고려군은 철수하였다. 1107~1109년 동녀진과의 전쟁은 고려의 군사적위력을 시위하였다.

고려의 수군은 전쟁기간 적함대와 큰 바다싸움을 벌리지는 않았으나 부과된 작전임무를 수행하여 전쟁승리에 기여하였으며 연해를 지켜 적들이 바다로부터 기여들지 못하도록 하였다. 이것은 나라의 동북부 령토수복을 위한 투쟁에서 고려수군이 적지 않은 기여를 하였다는것을 보여준다.

그후 북방정세는 급격히 변하였다. 완안부녀진(1115년에 금나라를 세움)은 료나라가 약해진 틈을 타서 그에 대한 군사적공세를 감행하였다.

그리하여 고려봉건정부는 금나라로부터 있을수 있는 침략에 대처하면서 거란침략자들이 100여년동안 강점하고있던 보주, 래원 두개 성을 되찾고 수륙국경경비의 요새로 삼았다. 압록강에 구당사를 두었던것을 압강도부서로 승격시킨것도 이무렵의 일이였다고 생각된다. 이곳은 고구려때부터 중요한 수군기지였다. 고려가 압록강하

구일대를 완전히 되찾고 수륙 두 방면으로 방위체계를 튼튼히 세운 것은 외래침략을 막고 령토수복을 실현하는데서 중요한 전진을 이룩한것으로 되였다.

그후 금나라는 륙상에서뿐아니라 동해 및 서해해상에서도 감히 고려를 침범하지 못하였다. 1123년에 동남해도부서사는 녀진병선 30척이 나타난 사실을 보고하였으나 고려수군이 출동하여 경계하여서인지 종시 접근해오는 일은 없었다. *

> * 《고려사》권15 세가 인종 원년 6월 을유, 《고려사절요》권12 명종 6년 정월에 의하면 1176년에 금나라사람들이 병선 10여척을 가지고 상음현(오늘의 안변군 동북부)을 습격한 사실이 발생하였다. 그러나 이것은 금나라의 해적 또는 일부 지방무력의 지휘관이 중앙정부의 명령없이 자의로 일으킨 사건에 불과하였다고 인정된다.

이와 같이 금나라가 고려를 감히 다치려고 하지 않은것은 고려의 수륙군의 위력을 잘 알고있는 조건에서 의식적으로 충돌을 피하고 평화적관계를 유지하려고 노력하였다는것을 보여주고있다.

제4절. 묘청의 정변때 고려 수군의 반동적역할

고려의 수군 역시 계급사회의 무력의 한 구성부분으로서 대외적으로는 외래침략을 반대하고 나라를 수호하는 긍정적인 역할을 놀았지만 대내적으로는 봉건통치계급의 리익을 지키며 인민대중의 계급투쟁을 진압하기 위한 반인민적인 폭력으로서의 구실을 하였다. 그것은 12세기 30년대 묘청의 정변당시 서경을 비롯한 서북지방인민들의 투쟁을 진압하는데서 고려수군이 논 반동적역할에서 집중적으로 찾아볼수 있다.

12세기 초엽 고려수도 개경에서 정권을 독차지하고있던 김부식 등을 비롯한 량반관료들은 녀진족이 세운 금나라도 큰 나라이니 그에 사대하는것이 마땅하다고 하면서 비굴한 대외정책을 실시하였다.

묘청을 위주로 하는 서경출신 량반관료들은 고려가 마땅히 고구려의 옛 강토를 되찾고 큰 나라로 되여야 한다고 주장하면서 그러기 위하여서는 수도를 개경에서 서경에로 옮겨야 한다고 하였다. 이것은 개경량반들의 세력지반을 약화시키고 자기들이 정권을 쥐려는 욕망에서 나온것이기는 하였으나 당시 광범한 서북지방인민들의 희망과 념원에 부합되는 측면도 가지고있었다. 서경량반관료배들의 천도계획은 개경량반관료들의 완강한 반대에 부딪쳐 실현될수 없게 되었다. 이렇게 되자 묘청일파는 드디여 1135년 1월 서경에서 정변을 일으켰다.

서경정변세력은 서경과 서북지방에 와있던 반대파관리들을 잡아가두고 절령(황해북도 자비령)을 무력으로 차단하였으며 서북면의 여러 성의 군사들을 서경부근에 집결시켜 력량을 증강하였다.

또한 서경정변파들은 나라이름을 《대위》라고 선포하고 지방고을의 원들도 서북지방사람들로 임명하였다. 그리고 서경부근의 군인들과 인민들로 《천견충의군》이라는 군대까지 조직하였다. (《고려사》 권127 묘청전)

국왕과 개경집권자들은 서경폭동소식을 듣고 곧 김부식을 총지휘관으로 하는 《토벌군》을 조직하여 서경을 치도록 하였다. 《토벌군》에는 수군(선군)도 망라되였다. 개경정부는 리록천의 지휘밑에 전함(싸움배) 50척으로 된 함대를 출동시켰다.

개경정부군의 수군함대는 기지를 떠나 서해로 북상하여 순화현(평양 서남 60리지점) 남강에 진출하였다. 이곳에서 정습명이 통솔하는 함대와 합세하여 대동강을 따라 올라와 물길을 봉쇄하였다. 그리하여 서경은 이해 2월부터 개경군에게 수륙량면으로 완전히 포위되였다.

정습명은 이미 왕의 명령을 받고 서경서남방면에 있는 모든 섬들에서 활쏘는 군사와 수군(선군) 4 600명을 모아 140여척의 배에 나누어 태우고 남강에서 대기하고있었다. (《고려사》 권98 김부식전)

이때 정변을 지휘한 서경량반관료들은 투쟁을 포기하고 우유부단한 태도를 취하였으나 군대와 인민은 개경통치배들을 반대하여 견결히 싸웠다. 결국 서경폭동은 지배계급안에서의 정권싸움으로부터 지배계급을 반대하는 반봉건투쟁으로 발전하게 되었다.

서경군대와 인민의 투쟁기세에서 힘을 얻은 정변지휘자들은 정부군을 반대하여 싸움에 나섰다.

개경군의 함대가 계속 강을 거슬러올라와서 상륙작전을 하게 되면 폭동군에게는 매우 불리한 형세가 조성될수 있었다. 그러므로 폭동군의 군사들과 인민들은 지혜를 모아 개경함대가 대동강상류로 거슬러올라오다가 썰물로 하여 190척의 함선집단이 두루섬에서 오도가도 못하고있을 때 작은 배 10여척에 장작을 가득 싣고 배들을 련결시킨 다음 기름을 치고 불을 달아 떠내려보내는 화공전술로 개경군의 함대를 순식간에 불태웠다. 한편 강변에 매복하고있던 수백명의 활 잘 쏘는 서경군대와 인민들은 일제사격을 퍼부었다. 그리하여 개경군의 수군함대는 대부분이 녹아났고 수많은 병쟁기와 군사를 잃고 말았다.

개경수군함대에 섬멸적타격을 안긴 두루섬전투의 승리는 서경군민의 사기를 북돋아주었다.

서경군대와 인민은 두루섬전투승리후 개경군의 재차침공을 막기 위하여 군사를 늘이고 방어시설을 보강하면서 군사훈련을 강화하는 등 전투준비를 더욱 튼튼히 갖추었다. (《고려사》 권98 김부식전)

묘청의 정변과 서북지방 인민들의 투쟁은 서경량반들내부의 분렬과 정부군의 장기포위전에 대한 적절한 대응책을 세우지 못한것으로 하여 결국 실패하였다.

묘청의 정변때 고려의 수군은 봉건국가의 무력으로서 비록 변변한 전투도 해보지 못한채 소멸되였지만 어쨌든 자신의 리익을 위해서가 아니라 봉건통치계급의 리익을 위하여 복무하는 반동적역할을 수행하였다. 정부수군의 이러한 반동적역할은 그후 국내봉건세력과 몽골침략세력이 결탁하여 인민들의 투쟁을 억눌렀을 때에 더 명백히 표현되였다.

제2장. 13세기-14세기 고려의 수군

고려 후기에 수군은 외래침략세력을 반대한 투쟁에서 중요한 역할을 담당하였다. 1230년대 초-1260년대 초 고려통치배들이 몽골침략자들과 결탁하기 전 몽골침략군을 반대한 투쟁, 14세기 중엽이후 몽골침략세력을 몰아내기 위한 투쟁, 홍두적의 침입을 물리치는 투쟁 그리고 왜구를 격멸하기 위한 투쟁들에서 고려봉건국가의 수군은 반침략조국보위투쟁을 진행하면서 중요한 역할을 담당수행하였다.

고려 후반기 수군의 활동에서는 한때 반침략투쟁이 위주가 된것이 아니라 반인민적인 진압의 기능이 전면에 나선 때도 있었다. 그러나 그런 시기에도 일부 수군군사들은 삼별초항전군이나 농민폭동군에 참가하여 견결히 투쟁하였다.

제 1 절. 몽골과의 전쟁시기 고려수군의 활동

1231년-1270년 봉건몽골의 침략군은 여러차례에 걸쳐 고려를 침범하였다. 이 전쟁은 그 장기성과 규모에서 류례를 보기 드문 큰 전쟁이였으며 고려인민의 정의의 반침략조국방위전쟁이였다.

1218년에 몽골은 동진(동하)과 함께 거란족을 소탕한다는 구실밑에 고려에 침입하였고 고려와 공동으로 강동성에 들어박혔던 거란족잔여세력을 소멸하였다. 이때 고려와 몽골은 《형제》로서의 친선관계를 맺었다. 몽골통치배들은 고려가 《투항》한것으로 오인하고 《방물》을 바칠것을 요구해나서는 오만한 행동을 감행하였다. 고려가 이에 응하지 않자 몽골통치배들은 1231년 8월 살례탑을 우두머리로 하는 침략군을 들이밀었다. 이로써 몽골의 침략을 반대하는 고려인민의 정의의 전쟁이 시작되였다.

몽골의 제1차침입 당시 1231년 9월 황주, 봉주(봉산)의 인민들은 철도(황해북도 황주군)에 들어가 바다에 의지하여 그곳을 지키면서 침략자들을 반대하여 싸웠으며 그해 10월 함신진(평안북도 룡천군일대)인민들은 몽골강점군을 모조리 처단하고 신도에 들어가 섬에 의거하여 바다를 왕래하면서 싸웠다.(《고려사절요》권16 고종 18년 10월) 그러나 배를 타보지 못한 몽골침략자들은 그에 대하여 속수무책으로 방관할수밖에 없었다.

고려의 실제적집권자였던 최이(최우)는 1232년 6월에 자기 일신의 안전과 권력유지를 위하여 수도를 강화도로 옮기고 항전을 계속하기로 하였다. 강화도천도는 수상전투경험이 없는 몽골군을 막는데는 일정한 의의가 있었다.

강화도의 수도(강도)의 건설은 각지 인민들과 군인들을 동원하여 급속히 진행되였다. 이때 고려의 수군은 강도의 궁궐, 관청, 성곽건설에 동원되여 필요한 목재, 돌, 식량 기타 각종 기자재를 운반하였고 강화도일대는 물론 서해 및 동해각지의 경비순찰을 강화하는 임무도 수행하였다.

당시 강화도에는 1 000여척의 각종 선박과 함선(싸움배)이 집결되여있었다.

그러나 몽골군의 공격으로부터 수도의 안전을 보장받게 된 무신집권자들은 호화사치한 생활을 계속하는데만 정신을 팔고 인민들을 조직동원하는 일을 하지 않았다. 그들이 한 일이란 침략자들이 쳐들어올 때마다 산성과 섬으로 피난가라는 포고문을 낸것밖에 없었다.

그러나 애국적인민들과 군인들은 나라의 자주권과 안전을 지켜 침략자들을 몰아내기 위한 힘겨운 항전을 줄기차게 벌려나갔다.

인민들의 항전에 발맞추어 고려의 수군군사들도 용감히 싸웠다. 1236년 8월 석도(황해남도 은률군)인민들은 방호별감의 지휘밑에 몽골침략군을 기습, 소탕하고 포로한 적병들을 강화도에 압송하였다.(《고려사절요》권16 고종 23년 8월)

봉건통치배들의 비굴하고 소극적인 태도로 하여 고려의 수군은 제때에 강력한 전투행동을 벌리지 못하였다. 그리하여 동해쪽에서는 1235년 몽골군과 동진군의 련합공격으로 고려의 수군기지인 룡진진과 진명성이 함락되였다. 고려수군은 그 남쪽에 있던 포구들과 진, 수들을 지켰으나 크게 싸워보지 못하였다. 1254년에 몽골침략군은 7척의 배를 얻어타고 서북면의 갈도에 침입하였고 1258년에는 동진의 침략함대가 고성현(고성군) 솔섬에 침입하여 고려의 전함을 불태웠으나 그 부근에 있던 고려수군은 제때에 반격하지 못하였다. 이것은 전적으로 봉건통치배들의 부패무능과 국방에 대한 무관심성으로부터 초래된 사태였다.

수군의 필요성을 절감한 몽골침략자들은 고려사람들을 시켜 배를 만들어가지고 강화도와 남부해안지대 그리고 섬에 의거하여 싸우는 항전부대와 륙지인민들과의 련계를 끊어버리려는 목적을 추구하였다. 그들은 또한 강점지역의 해안요충지들에 침략군을 주둔시켜 방비를 강화하였다.

강화도와 지방들과의 수상교통운수가 단절되면 통치배들에게도 큰 타격으로 될것이였다. 그러므로 통치배들은 그것을 미연에 막기 위하여 일정한 대책을 세우지 않을수 없었다. 1253년에 고려통치배들은 수군으로 하여금 갑곶강(甲串江)에서 수전(수상전투)훈련을 하도록 하였다.

1255년에 몽골군은 함선을 만들어 조도(槽島)를 공격하였으나 격파당하였다. 1256년 1월에 몽골침략군이 서해남쪽의 여러 섬들을 공격하려 한다는 정보를 받은 고려의 수군은 장군들인 리광과 송군비등의 지휘밑에 300여명의 선병으로 무어진 수군편대로 립암산성(전라북도 정읍 남쪽 30리 지점)을 기습하여 침략군을 소멸해버렸다. 한편 4월에 대부도(인천시 앞바다의 섬)인민들과 별초부대들은 밤에 수군군사들의 도움으로 바다를 우회하여 인주(인천시)경내인 소래산밑에 상륙하여 몽골강점군을 기습하여 100여명을 소탕해버렸으며 6월에는 리천이 지휘하는 200명의 수군편대가 온수천(충청남도 아산시)에 상륙하여 강점군 수십명을 소멸하고 놈들에게 붙잡혔던 100여명의 인민들을 구원하였다. (《고려사》권24 세가 고종 43년 정월 정사, 4월 경진, 6월 경신, 임오)

통치배들은 이밖에 수군으로 하여금 전라도, 경상도지방으로부터 군량운반 기타 군수물자의 수송과 조세운반, 호위, 해상순찰 등 군사적임무를 수행하도록 하였다.

1256년 몽골침략군의 지휘관인 차라대는 라주에서 70척의 함선을 마련하여 압해도(전라남도 무안군)를 공격하려고 달려들었다. 압해도의 수군들과 인민들은 2개의 포를 설치한 큰 싸움배를 갖추고 맞받아 싸울 태세를 취하였다. 이것을 본 차라대는 《우리 배가 포격을 당하면 산산이 부서질것이니 감당할수 없다.》고 하면서 도망치고 말았다. (《고려사절요》 권17 고종 43년 6월, 《고려사》 권130 한홍보전) 이것은 원래 고려의 함선들이 매우 크고 견고하였으며 무장장비도 잘 되여있었다는것을 보여준다.

같은 해 9월 침략자들은 심대한 타격을 받고 일단 쫓겨나게 되였다. 10월에 몽골군은 애도를 침공하였으나 고려 별초군의 반격으로 전멸되였으며 이듬해 9월에 6척의 배로 창린도를 공격하였으나 그곳을 지키던 옹진현령과 인민들, 별초군에 의하여 격파당하였다. (《고려사》 권24 세가 고종 43년 10월 기사, 44년 9월 기사)

이와 같이 고려의 수군은 몽골침략자를 반대하여 40년간의 항전에서 인민들과 더불어 용감히 싸웠다. 부패무능한 통치배들의 비겁성과 소극적인 태도로 하여 조직적이며 적극적인 싸움을 크게 벌리지는 못하였으나 이 과정에 고려의 수군은 섬과 해변에 설치한 해상기지를 근거지로 하여 해안상륙전, 기습전, 독자적인 반상륙방어전을 수행하는 등 여러가지 형태의 전투조법들을 적용하여 수군군사예술을 더한층 발전시켰다.

1270년대에 이르러 무신집권자들의 정권이 무너지고 국왕일파가 실권을 차지하면서 몽골침략자들과 결탁하는 반역행위를 감행함으로써 나라의 정세는 더욱 악화되였다.

그러나 애국적인민들과 군인들은 안팎의 억압자들을 반대하는 투쟁을 힘있게 벌려나갔다.

제2절. 삼별초의 항전과 해상유격전의 전개

예로부터 외래침략자들이 쳐들어올 때마다 조국을 영웅적으로 방위하면서 안팎의 억압자들을 반대하여 싸워온 우리 인민은 고려시기에 와서도 거란 및 몽골침략자들과 그와 결탁한 봉건통치배들을 반대하여 용감히 싸워 우리 민족의 반침략투쟁사를 빛내였다. 삼별초의 항전도 그러한 애국적인 투쟁의 하나였다.

삼별초는 고려 봉건국가의 상비무력으로서 각 지방에서 뽑아올린 군인들로 이루어졌으며 고려봉건국가의 기본무력이였다.

※ 삼별초는 3개의 별초부대인 좌별초, 우별초, 신의군을 통털어 가리킨 말로서 별초란 특별히 선발된 군대라는 뜻이였다. (《고려사》 권81 병지 원종 11년 5월)

삼별초는 약 40년간의 몽골침략자들을 반대하는 전쟁에서 단련된 정예부대로서 전투력이 강하였다.

고려왕인 원종과 그 측근자들은 몽골과의 강화담판을 거듭하던 끝에 1259년에 화의를 맺었으나 그후 무신정권의 실권자인 김인준, 림연 등의 반대에 부딪쳐 개경으로 되돌아가려는 저들의 뜻을 실현할수 없게 되자 몽골군을 다시 불러들여서라도 저들의 정권을 회복하려고 하였다. 외세를 등에 업으려는 국왕일파의 책동은 인민들의 반대에 부딪쳤다.

그럼에도 불구하고 국왕일파는 1270년 5월에 무신정권을 제거한 후 수도를 강화도로부터 개경으로 옮길것을 결정하고 이를 세상에 공포하였다.

삼별초는 이를 견결히 반대하였다. 그러자 국왕은 5월 29일에 삼별초의 해산을 명령하여 나라의 상비무력을 해체시키는 반역행위를 감행하였다. 이에 격분한 삼별초는 폭동과 항전으로 대답하였다.

6월 1일에 삼별초는 장군 배중손, 야별초 지유 로영희 등의 지휘밑에 폭동을 일으키고 인민들을 무장시켜 대오를 확대하였다.

항전군은 배중손의 지휘밑에 강화도를 장악하고 그의 수비를 강화하는 한편 량반관료들의 반항을 진압하였으며 몽골침략자와 결탁한 개경정부를 인정하지 않는다는 견결한 립장을 취하였다.

항전군은 또한 왕과 봉건정부가 차지하였던 모든 재물과 군량과 무기 그리고 강화도에 집결된 각종 함선들을 장악하고 수군도 받아들여 항전력량을 크게 증강하였다.

　삼별초와 함께 궐기한 인민들은 항전을 개시한지 3일만인 6월 3일에 안팎의 억압자들을 반대하여 장기적으로 효과있게 싸우기 위하여 보다 유리한 조건이 갖추어져있는 진도로 항쟁근거지를 이동하였다.

　항전군은 당시 강화도와 그 부근에 있던 수군과 병선들, 민용선박들을 망라하여 1 000여척의 함선으로 큰 함대를 무었다. 그들은 로획한 무기와 군량, 사람들을 싣고 1270년 6월 3일 강화도를 출발하여 서해연안인민들에게 그 위력을 시위하면서 새로운 투쟁기지를 향하여 남쪽으로 내려갔다.

　항전군의 대함대가 남쪽으로 기동하게 되자 개경정부와 몽골침략자들은 부랴부랴 1 000여명(개경정부군 600명, 몽골침략군 400명)의 혼성추격부대를 편성하여 지상으로 추격하게 하였다. 6월 13일 적들은 항전군이 경기도 남양앞바다의 령흥도에 머물러있는것을 발견하였으나 그 위세에 눌리여 싸울 엄두도 못내고 달아나버리고말았다. 항전군은 강화도를 떠난지 두달 반만인 8월 19일에 진도에 무사히 도착하여 아무런 저항도 받음이 없이 섬을 장악하고 근거지를 꾸리였다. (《고려사절요》 권18 원종 11년 6월, 《고려사》 권26 세가 원종 11년 8월 병술)

　항전군의 진도에로의 이동은 우리 나라의 수군사에서 류례없는 큰 규모의 해상기동작전이였다. 이것은 그때까지의 력사에서 세계적으로도 보기 드문 큰 규모의 해상기동이였다.

　1 000척으로 무어진 큰 함대가 250mile(480km이상-1 200리)의 먼거리를 두달 반이나 항행한다는것은 그리 쉬운 일이 아니다.

　크고작은 목조선박 1 000척이 복잡한 해구 및 기상조건을 이겨내면서 무사히 집단기동을 수행하였다는것은 놀라운 일이다. 더우기 함대가 항행한 시기는 장마철과 계절태풍이 부는 시기로서 이 모든 불리한 정황을 타개하면서 함대의 기동을 성과적으로 수행하였던것이다.

　이것은 우선 항전군에 서해수군의 기본력량이 참가하고있었다는것을 실증하여주며 고려수군이 고도의 조직성과 기술적준비, 높은 항해술을 소유하고있었다는것을 뚜렷이 보여준다.

삼별초의 항전군은 륙군이 기본으로 이루어졌다. 그러나 1 000여척의 함선들(그가운데는 민용선박도 적지 않게 들어있을것이지만 당시의 군사조직의 특성으로 보아 민용선박과 그를 다루던 배사람들도 수군에 편입시킬수 있었다. 또 당시 부병제가 무너지고 고려 봉건국가의 군사제도가 헝클어진 조건에서 수군은 고정불변한 수군군역담당자로써 편성될수도 없었다.)과 수군군사들을 인입하게 됨으로써 항전군의 력량에서 수군은 적지 않은 비중을 차지하게 되였다.

또한 항전군은 서해와 남해의 넓은 해상을 활동무대로 하고 섬에 의지하여 안팎의 억압자들을 반대하는 싸움을 벌리게 된것만큼 그들의 활동은 주로 바다가와 해상에서 벌어지게 되였다. 그러므로 삼별초의 항전은 륙군에 의해서 수행된 지상전투보다 주로 수군에 의거하여 수행된 해상작전으로 보아야 할것이다.

이처럼 항전시작부터 수군에 의거하여 작전이 이루어진것으로 하여 삼별초의 항전은 수군사에서 당당한 자리를 차지하게 된다.

항전군은 진도에 도착하자 그곳을 튼튼한 항전기지로 꾸리는 사업부터 시작하였다.

조선서해와 남해를 련결하는 진도는 일본과 중국 및 동남아시아의 여러 나라들과의 해상교통의 요충지였다. 또한 내륙과 가까운 위치에 있을뿐아니라 그 주변에 크고작은 섬들이 수백개나 있어 근거지를 확대하거나 방위하는데서는 물론 륙지 인민들과의 련계를 가짐에 있어서 매우 유리한 조건을 가지고있었다. 또한 적들로부터의 불의의 습격과 포위에 들 위험도 덜한 곳이였다. 물결이 빠르고 급한 울돌목(명량해협)은 기지의 방어에서 천연의 방선을 이루고있었다.

삼별초항전군이 국가상비무력의 주력이였던 삼별초와 고려수군의 기본력량이였던 서해지구의 1 000여척의 함선들을 가지고있은것은 서, 남해의 제해권을 틀어쥐고 적극적인 활동을 벌릴수 있는 중요한 조건으로 되였다.

이처럼 강력한 힘을 가지고있던 항전군은 짧은 시일안에 진도를 난공불락의 요새로, 믿음직한 해상항전(해상유격전)의 기지로 꾸릴수 있었다.

삼별초항전군은 항만건설, 요새구축 등 기지를 튼튼히 꾸리는 사업을 밀고나가면서 주변의 섬들을 장악하여 근거지를 확대하여 나갔다.

항전군은 먼저 전라도일대를 제압하기 위하여 적극적인 투쟁을 벌렸다. 1270년 9월에 전라도 장흥부(전라남도 장흥군)에 상륙하여 개경정부에서 파견한 관군을 격멸하고 그 지휘관을 포로하였으며 수많은 무기와 군수물자, 군량을 로획하였다. 련이어 항전군은 전라도의 여러 고을들을 장악하였다. 이러한 전투들에서 항전군의 수군이 병력수송과 군량수송 등을 담당하여 중요한 역할을 수행하였던것은 짐작하기 어렵지 않다.

항전군은 11월초에 남해의 중요한 군사기지이며 우리 나라에서 가장 큰 섬인 제주도를 공격하여 그곳에 주둔하고있던 정부군을 소멸하고 관리들을 처단해버렸다. 《고려사》 권26 세가 원종 11년 11월 기해)

제2의 항전기지로 제주도를 확보한 항전군은 조선서해와 남해의 제해권을 완전히 장악하고 활동범위를 더욱 넓혀나갔으며 광범한 인민들을 투쟁에 불러일으켰다.

항전군은 분함대와 편대의 력량으로 여러개의 전투조들을 무어 진도주변의 섬들을 장악하였으며 더 나아가서는 전라도, 경상도의 넓은 해안지대를 활동무대로 하여 주동적인 기습전을 벌려 적들을 수세에 몰아넣었다.

당황한 개경통치배들과 몽골침략자들은 《토벌》력량을 늘이여 진도에 출동시켰으나 항전군은 그해 11월에 선제타격을 가하여 커다란 손실을 주었다.

그후 개경정부군과 몽골침략군의 련합부대들은 배들을 모조리 징집하여 12월에 진도에 대한 공격을 감행하였다.

이리하여 진도앞바다에서는 큰 바다싸움이 벌어지게 되었다.

항전군의 함대는 능숙한 기동과 타격을 배합하면서 맹렬한 공격을 들이댔다. 드센 공격앞에 기겁한 몽골군의 장수 아해는 배에서 내려 륙지로 도망가려고까지 하였다.

항전군의 함대는 적의 함대를 완전히 포위하여 정면과 익측에서 공격하면서 포위진을 좁히였으며 적의 기함(지휘관이 타고 싸움을 지휘하는 함선)을 전투서렬에서 떼내여 진도로 몰고가면서 달려드는 적함들을 모조리 격파하였다. 적들은 겨우 살아남은 정부《토벌》군의 총지휘관이였던 김방경을 끌고 도망쳤다.

이 바다싸움에서 항전군은 륙지인민들과의 협동으로 적들에게 큰 참패를 안기였다.

몽골침략군과 개경정부군의 수군과 처음으로 벌린 진도앞바다싸움은 항전군의 단결력을 과시하고 항전군함대의 전술적 및 기술적 우월성을 뚜렷이 보여준 큰 바다싸움이였다.

또한 이 바다싸움은 륙지인민들과 굳게 단결하여 싸워 이긴것으로 하여 인민들에게 승리의 신심을 안겨주고 그들의 투쟁을 힘있게 고무한 반면에 안팎의 억압자들에게는 심대한 타격을 주었다.

진도앞바다싸움에서 큰 타격을 받은 적들은 이듬해 5월까지 감히 진도공격을 서두르지 못하였다. 이 바다싸움이 있은 후 적내부에서는 더욱 큰 동요와 혼란이 일어났고 몽골침략군의 장수 아해는 파면당하였으며 그밖에도 많은 장수들이 철직당하였고 병사들의 사기는 극도로 저락되였다. (《고려사절요》권19 원종 12년 정월)

진도앞바다싸움에서 항전군은 빠른 기동과 포위를 배합한 령활한 전투조법과 적극적인 반상륙방어전의 모범을 보여주었으며 특히 지상의 력량과 협동하여 해상포위전을 수행함으로써 수군군사예술발전에 또 하나의 기여를 하였다.

이 바다싸움이 있은 후 항전군과 인민들의 투쟁기세는 더욱 고조되고 그의 활동범위는 더욱 확대강화되였다.

적들은 진도에 대한 새로운 공격을 준비하면서 항전군을 회유하여 기만적방법으로 굴복시켜보려고 음흉하게 책동하였다. 1271년 1월 적들은 아무러한 추궁도 하지 않겠으니 빨리 륙지에 나와 항복할것을 요구하는 사신을 보내왔다. 이때 항전군은 적측사신을 벽파정에서 맞이하여 연회를 베푸는척 하면서 싸움배 20여척으로 《토벌》군을 기습하여 싸움배 1척을 로획하고 90여명의 적을 소멸하였다.

그후에도 몽골침략자들과 개경정부는 회유공작을 하였으나 도리여 항전군측의 비난과 야유를 받았을뿐이였다. (《원사》권7 본기 세조 지원 8년 3월 기묘, 《고려사》권27 세가 원종 12년 4월 정미)

1271년 1월 밀성군(경상남도 밀양군)에서 일으킨 투쟁을 첫 봉화로 하여 개경관노들의 폭동계획, 3월 양주[강원도(남) 양양] 지방 인민들의 폭동계획 등 나라의 여러곳에서 삼별초항전에 고무된 인민들의 투쟁이 끊임없이 전개되였다.

· 1271년 2월 항전군의 한 부대는 장흥부의 조양현에 진출하여 개경정부군의 싸움배 여러척을 불사르고 많은 물자들을 로획하였으며 3월에는 함포(경상남도 마산시)를 기습하였고 련이어 적들에게 심대한 타격을 주었다.

투쟁속에서 더욱 장성강화된 항전군은 서해와 남해의 넓은 지역에서 군사활동을 벌려 남해도, 창선도, 거제도, 제주도 등 30여개의 큰 섬들을 완전히 장악하였으며 전라도, 경상도의 해안지역을 통제하였다. 그리하여 이 지역에서의 통치체제는 완전히 마비상태에 빠지게 되였으며 특히 해상교통이 봉쇄, 차단됨으로써 수탈한 조세를 운반할수 없게 된 개경정부는 심각한 재정적위기를 겪게 되였다.

한편 몽골침략자들의 일본침략을 위한 준비사업도 파탄에 직면하게 되였다.

이 시기 몽골침략자들은 일본까지도 정복하려는 욕망을 실현해보려고 광분하면서 먼저 삼별초항전군을 진압하려고 책동하였으며 고려 통치배들도 그에 추종하면서 련합된 세력으로 《토벌》작전을 서둘렀다.

공격준비를 완성한 적들은 1271년 5월에 100여척의 함선에 잘 훈련되고 무장한 4 000여명의 정예병력을 진도공격에 들이밀었다.

적들은 항전군대오에 기여들었던 일부 량반관료들과 내통하여* 항전군의 기본력량이 남해연안의 여러곳에 나가 싸우고있던 기회를 리용하여 불의의 공격을 감행하였다.

    * 《고려사》권108 김지숙전에 의하면 이자는 진도에 있으면서 항전군의 비밀을 정부측에 두차례나 넘겨주었다.

항전군은 불리한 정황하에서 수적으로 비할바없이 우세한 적들과 싸우지 않으면 안되였다.

항전군의 수군은 세 방면으로 쳐들어오는 적들을 맞받아나가 선봉에 섰던 적함 두척을 격침하고 거기에 탔던 놈들을 모조리 소멸하였다. 그러나 수적으로 우세하고 잘 무장한 적들의 공격을 막아낼수 없었다.

항전군은 어려운 정황속에서도 대오를 수습하고 재물을 함선들에 싣고 제주도에로 이동하였다.

남해안일대에 나가서 활동하던 80여척의 함선들이 진도전투소식을 듣고 제주도에 집결하게 되였으며 진도에서 전사한 배중손대신

에 김통정의 지휘밑에 새로운 투쟁을 벌려나갔다. (《고려사》권130 배중손전)

제주도에 도착한 후 항전군은 2중, 3중으로 성을 쌓고 해안들에 방어시설을 구축하였으며 인민들을 불러일으켜 대오를 정비보강한 후 또다시 반침략, 반봉건투쟁의 불길을 높여 남해의 여러 지방들에서 적들에게 보복타격을 안겼다.

1272년 3월부터 6월에 이르는 석달동안에 삼별초항전군은 회령현(전라남도 장흥군), 탐진(전라남도 강진군)을 습격하여 적들을 소탕하고 20척의 조세운반선을 로획하였으며 멀리 서해안까지 진출하여 개경통치배들을 공포에 떨게 하였다.

적들은 조급히 1 500명의 병력을 전라도일대에 더 파견하여 항전군의 활동을 저지시켜보려고 시도하였다.

그러나 섬들에 기지를 두고 민활하게 유동하면서 기동적인 해상습격전을 벌리는 항전군은 그해 11월에 안남도호부(경기도 부천시)를 기습하여 부사를 생포하는 전과를 올렸다. 항전군의 다른 한개의 구분대는 몽골침략군의 일본침공준비를 위한 중요한 기지였던 합포(마산시)를 다시 들이쳐 적의 함선들과 군사시설들을 파괴소각하고 많은 군수물자들과 적함 20여척(몽골이 일본침략을 위하여 싸움배를 무어내고있었다.)을 로획하였다. 련이어 거제현을 공격하여 적함 3척을 불살랐으며 령흥도(경기도)까지 진출하여 심대한 타격을 주었다.

적극적인 공세는 그 이듬해에도 계속되였다.

1273년 1월 항전군의 한 분견대는 또다시 합포를 기습하여 몽골침략자들이 일본침공을 위하여 준비하여놓은 선박과 군수물자들을 파괴소각해버렸다. 이 전투에서 싸움배 32척을 불태워버리고 막대한 군수물자를 소각하고 로획하였다. (《고려사》권27 원종 14년 정월 임오)

그리하여 일본에 대한 몽골침략자들의 침공준비를 지연시키는데 기여를 하였다.

이처럼 항전군은 제주도에 투쟁기지를 옮긴 후 만 1년동안에 인천앞바다로부터 남해안에 이르는 넓은 지역 이르는 곳마다에서 적들을 통쾌하게 처부셨다. 항전군은 륙지인민들과 련계를 가지고 그들의 적극적인 지원과 협동밑에서 침략자들과 악질관료들을 체포처단하고 조세운반선을 기습하여 자체의 군량을 해결하였으며 나아가서 몽골침략자들이 일본침공을 위하여 준비하던 싸움배와 무기 및 군량 등을 파괴소각함으로써 적들에게 심대한 타격을 주었다.

적들은 이에 당황하여 1273년 봄부터 제주도공격준비를 서두르면서 또다시 항전군을 회유하여 항복시켜보려고 교활한 술책을 꾸미였다.

그러나 그때마다 항전군은 어떠한 타협도 하지 않는다는 견결한 립장을 고수하였다.

일본에 대한 침공을 하루빨리 실현해보려고 미쳐날뛰던 몽골침략자들과 그와 한짝이 된 고려 봉건통치배들은 드디여 1273년 4월에 160척의 싸움배와 1만여명의 병력을 동원하여 제주도에 대한 공격을 개시하였다.

※ 고려정부의 강요로 제주도공격전에 동원된 일부 수군군사들은 본의아니게 계급적 및 민족적원쑤들을 도와주는 군사행동에 참가하였다. 이것은 인민탄압을 위한 무력으로서의 봉건국가군대의 사명과 성격으로 하여 초래된것이였다.

항전군은 수십배가 넘는 우세한 적들과 판가리싸움을 하게 되였다.

항전군은 해안에 구축한 방어시설에 의지하여 용감하게 싸웠으며 적들이 상륙하자 라성(외성)과 내성에 의거하여 치렬한 싸움을 벌렸다.

항전군용사들은 마지막 한사람까지 용감하게 싸우다가 장렬한 최후를 마치였다.

그리하여 몽골침략자들과 봉건통치배들을 반대하여 3년간이나 줄기차게 싸운 애국적인 항전은 드디여 종말을 고하였다.

삼별초의 항전은 몽골침략자들과 그와 결탁한 고려 봉건통치배들을 반대하여 전개한 반침략반봉건투쟁이였다.

항전군은 3년간이라는 오랜 기간에 걸쳐 줄기차게 싸워 몽골침략자들과 그와 결탁한 국왕을 비롯한 고려통치배들에게 군사, 정치, 경제적으로 심대한 타격을 주었다. 특히 마지막 한사람까지 싸운 불굴의 투쟁은 우리 인민의 전통적인 반침략반봉건투쟁정신을 유감없이 시위하였다.

삼별초의 항전은 수군활동을 주되는 전투형식으로 한 항전으로서 바다에서 섬에 의지하여 해상유격전의 형식으로 전개된 투쟁이였다. 그들은 항쟁근거지의 건설과 유지, 바다싸움, 상륙전, 반상륙방어전, 기습전, 륙지인민들과의 협동포위전 등 여러가지 전투조법들을 적용한것으로 하여 조선수군사와 수군군사예술발전에 커다란 기여를 하였다.

이 항전은 또한 고려함대를 동원하여 남송을 정복하려던 몽골침략자들의 기도를 파탄시킴으로써 남송인민들의 반침략투쟁을 고무하였을뿐아니라 몽골침략자들의 일본침략을 지연, 파탄시키는데 기여한것으로 하여 커다란 국제적의의를 가지는 투쟁으로 되었다.

제3절. 고려함대의 제주도원정, 원나라침략세력의 구축

원나라(몽골)침략자들을 반대하는 수십년간의 전쟁에 의하여 혹심하게 파괴되였던 고려의 경제는 13세기말~14세기초에 이르러 굼뜨게나마 복구되고 발전하기 시작하였다. 그것은 13세기 후반기에 인민들이 전쟁의 상처를 가시기 위한 창조적로동을 힘있게 벌린 결과에 이루어졌다.

그러나 이 시기에도 봉건통치배들의 착취와 략탈에 의하여 령락된 인민생활은 개선되지 못하였다. 량반관료들사이에 토지와 권력을 위한 추악한 싸움이 격화되였으며 봉건적억압과 착취를 반대하는 농민들의 투쟁이 끊임없이 벌어졌다.

고려통치배들은 인민들의 반항투쟁을 억누르는데서나 합단 등 반대파세력을 진압하는데서는 리해관계가 일치하였으므로 친원정책을 실시하였으나 고려의 통치권에 대한 침해에 대하여서는 여러가지 형식과 방법으로 그것을 가로막기 위한 활동을 벌렸다.

14세기 중엽에 명나라가 일어나고 원나라가 북쪽으로 쫓겨나는 형세가 조성되자 인민들의 반원진출을 리용한 고려의 공민왕은 반원정책에로 이행하였다.

고려정부는 1374년에 원나라침략세력을 종국적으로 구축하기 위하여 제주도에 대한 대규모적인 해상원정을 진행하였다.

원나라침략자들은 제주도의 군사경제적의의를 타산하고 1273년 삼별초의 항전을 진압하자 곧 제주도를 강점하고 수많은 무력을 주둔시켰으며 다로가치(감독관)를 배치하였다. 이리하여 제주도는 원침략자들의 일본침략을 위한 군사기지로, 군마를 길러내는 목장으로 되였다. (《원사》권11 본기 지원 18년 2월 을해, 9월 갑자) 이곳에 기여든 원나라목부는 사실상 몽골의 기병이였다.

  1294년 고려정부의 강력한 요구에 따라 원나라정부는 마지못해 제주도를 고려에 반환하였으나 군대와 목부는 철수하지 않고 눌러두었으며 목장을 관리하는 관리들을 파견하였다. (《고려사》 권31 충렬왕 20년 5월 갑인, 22년 2월 을축)

  제주도에 남아있던 원나라강점자들은 1356년에 친원파인 기철일당이 숙청되였을 때와 1362년에 덕흥군이 고려를 침공하였을 때 고려의 관리를 살해하는 만행을 저질렀다. 이렇게 되자 고려는 1366년에 전라도 도순문사 김유로 하여금 100여척의 함선을 동원하여 제주도를 공격하게 하였으나 전과를 거두지 못하고 돌아왔다. (《고려사절요》 권28 공민왕 15년 10월)

  1366년의 제주도공격은 지방적규모의 동원으로써는 필사적으로 발악하는 원침략세력을 몰아낼수 없다는 심각한 교훈을 주었다.

  1367년에 멸망을 감촉한 원나라봉건통치배들은 유사시에 제주도를 저들의 피난처로 삼으려고 적지 않은 병력과 물자를 이곳에 집중하였다. (《고려사절요》 권28 공민왕 16년 2월)

  제주도의 군사적의의를 간파한 명나라는 원침략세력을 만리장성너머에로 쫓아버리고 제주도를 리용하려고 꿈꾸었으며 몽골목부들이 기르던 제주도의 말들을 보내달라고 고려정부에 요구하였다. (《고려사》 권42 세가 공민왕 19년 7월 갑진, 권44 세가 공민왕 23년 4월 무신)

  이러한 사정은 제주도를 시급히 되찾지 않는다면 사태가 더욱 엄중해지리라는것을 보여주었다.

  긴박한 정세하에서 고려정부는 1374년 7월 제주도원정을 결정하고 수륙병력과 군기 및 군량준비를 다그쳤으며 싸움배들도 수리정비하고 새로 만들었다.

  그리하여 최영을 도통사로 하여 2만 5 600명의 군사(수륙군)와 314척의 함선으로 무어진 제주도원정군이 편성되였다.

  원정군은 라주에 집결하여 전투임무를 수립하고 행동방향을 결정한 다음 기세드높이 출항하여 제주도에로 진격하여 4면으로 포위진을 쳤다. (《고려사》 권44 세가 공민왕 23년 8월 신유, 권113 최영전)

  원정군은 포고문을 내여 제주도인민들과 토착세력들을 안심시키는 한편 적들에게 가담한자라도 항복하면 용서를 받을수 있다는것을 선포하였다.

원정군은 먼저 해안선에 박혀있던 원나라침략자들의 함선들을 짓부시고 해안방어시설들을 파괴하면서 상륙전을 벌렸다. 상륙한 륙전대들은 종심깊이에로 전투성과를 확대하면서 진격하였다.

원나라침략자들은 력량을 총동원하여 원정군의 공격을 좌절시켜보려고 3 000명의 기병을 끌고 명월포로 달려와 최후발악적인 반돌격을 가해 왔다.

원정군은 전투서렬을 전개하여 포위진을 치면서 맹렬한 공격으로 된벼락을 안기면서 숨돌릴 틈을 주지 않고 30리나 추적하여 그들을 소멸하였다.

고려원정군은 함선 40여척으로 호도에 도망치는 적들을 신속히 추격하여 섬을 포위하였다. 뒤미처 정예부대를 이끌고 도착한 최영은 일대 소탕전을 벌렸다. 더는 배겨날수 없게 된 적장들은 자살하거나 항복하였으며 수많은 병졸들이 죽고 포로되였다.

호도에서 적들을 소탕한 원정군은 제주도에서 항거하는 침략군 수백명을 완전히 소멸하고 빛나는 승리를 이룩하였다.

고려원정군은 이 싸움에서 100여년동안이나 섬에 기여들어 주인행세를 하던 원나라침략군을 완전히 소탕하고 원나라침략세력을 종국적으로 구축하였다.

고려군의 제주도원정은 원나라침략세력을 몰아내기 위한 력사적인 마지막전투였다.

이 원정은 고려수군의 전투력을 과시하였다. 이 싸움에서 고려의 수군은 상륙전, 추격전, 륙군과의 긴밀한 협동하에 포위전 등 여러가지의 전투조법들을 능숙히 적용하였으며 큰 규모의 해상원정을 원만히 수행함으로써 수군군사예술발전에 크게 기여하였다. 또한 이 원정의 승리는 고려의 국제적위신을 높이게 하였다.

제4절. 14세기 후반기 왜구의 침입을 물리치기 위한 투쟁 고려수군의 강성

14세기 후반기에 이르러 고려인민은 근 반세기에 걸쳐 집요하게 감행된 왜구의 침입을 반대하는 투쟁을 벌리게 되였다.

오래동안 북방에서 형형색색의 외래침략자들과 싸워온 고려인민은 미처 숨돌릴 사이도 없이 남쪽으로 쳐들어오는 왜구의 침입을 물리쳐야 하였다.

왜구의 무리들은 방비가 소홀한 지점에 불의에 상륙하여서는 적은 경우 수십, 수백명씩, 많은 경우에는 천, 만으로 떼를 지어 략탈과 만행을 하다가도 방어군이 출동하면 배에 올라 도망쳤다가 철수하면 다시 기여들군 하였다.

이미 부병제가 문란하여 군사를 징집하기 어려운데다가 북방의 적을 막기 위하여 수만의 대군을 서북면과 동북면에 배치하지 않으면 안되였던 당시의 형편에서 왜구의 침입을 막기 위하여 긴 해안선의 방어에 군사를 동원한다는것은 거의 불가능한 일이였다.

그러나 고려인민들은 2중3중의 곤난이 겹쳐드는 어려운 환경속에서도 창조적지혜와 불굴의 투지로 한편으로는 놈들의 침입을 물리치면서 다른 한편으로는 강력한 수군을 재건함으로써 왜구의 침입을 결정적으로 분쇄하였다.

1. 왜구의 침입을 반대한 투쟁초기 고려수군의 활동

고려와 중국뿐아니라 동남아시아의 여러 나라 인민들을 수백년동안이나 괴롭히던 일본해적의 무리—왜구는 일본봉건사회발전의 일정한 단계에서 출현하였다.

왜구는 12세기말 일본봉건사회에서 봉건령주들사이의 싸움과 상품화폐관계의 발전에 따라 몰락한 봉건무사(사무라이)하층과 농민들이 해적으로 된 무리들로서 일본의 봉건령주들과 대상인들의 비호하에 해외략탈을 위하여 조직된 큰 규모의 해적단이였다.

왜구는 가장 가까운 거리에 있던 고려에 먼저 침입하여 략탈을 감행하였다. 왜구들은 벌써 1223년 5월 김주(경상남도 김해시)에 침입하여 략탈해간 일이 있었으며 1225년, 1226년, 1227년 등 여러 차례에 걸쳐 경상도연해의 여러 고을에 침입하여 략탈행위를 하였다.(《고려사》권22 세가 고종 10년 5월 갑자, 12년 4월 무술, 13년

정월 계미, 6월 갑신)

그러나 애국적인민들은 왜구들이 침입할 때마다 놈들을 처물리쳤다.

14세기에 들어와 왜구의 침입은 더욱 빈번해지고 략탈만행도 심해졌으며 그 규모도 점차 커졌다.

1323년 6월 왜구는 군산도(전라북도 옥구군)에 침입하여 개경으로 오는 조운선을 습격하여 조세미를 략탈해갔으며 다음날에는 추자도에 침입하여 주민들을 랍치해가는 만행을 감행하였다.

이해 7월 고려군은 전라도에 기여들어 략탈하던 왜구들을 격파하고 100여명을 살상하는 전과를 거두었다.(《고려사》권35 세가 충숙왕 10년 6월 정해, 7월 경자)

왜구의 침입은 1350년대에 들어와 본격화되게 되였다.

1350년 2월 왜구들은 경상도 남해안의 거제, 고성, 죽림(김해시)지방에 침입하여 로략질을 하다가 합포 천호가 지휘하는 고려군의 공격에 의하여 300여명의 손실을 당하고 쫓겨났다. *

> * 《고려사절요》권26 충정왕 2년 2월, 4월, 《고려사》권37 세가 충정왕 2년 2월

4월에 왜구들은 또다시 100여척의 함선을 몰고 큰 집단으로 침입하여 순천, 남원, 구례, 령광, 장흥 등 전라도 연해일대의 고을들에서 보내는 조운선들을 습격하여 조세미를 략탈해갔으며 5월말에는 66척의 왜적선이 다시 순천부에 침입하였고 련이어 합포, 장흥, 동래, 진도 등 남해안의 여러곳에 침입하여 략탈하였다.

1351년 8월 왜구들은 130여척으로 된 큰 해적함선들로 개경 가까운 섬들인 자연도, 삼목도에 쳐들어와*¹ 민가들을 불살랐으며 남양부 쌍부현에도 침입하였고 11월에는 남해현을 습격하였다. *² 1352년 3월에 왜구들은 강화도근처의 파음도, 교동도에까지 침입하였으며 그후 남해안의 여러 고을들에도 침입하였다. 이해 6월에는 동해연안의 강릉도에 침입하여 략탈을 감행하였다. *³ 1353년에는 50여척의 해적선들이 합포에 침입하였다. *⁴

> *¹, *² 《고려사》권37 세가 충정왕 3년 8월 병술, 기축, 공민왕 즉위년 11월 임자
>
> *³ 《고려사절요》권26 공민왕 원년 3월. 6월. 3월에 고려수군은 적

선 2척을 나포하였다.

*¹《고려사》권38 세가 공민왕 원년 9월 임신

1354년에는 전라도조운선 40여척이 략탈당했으며 이듬해에도 200여척이 습격당하였다. (《고려사》권38 세가 공민왕 3년 3월 기유, 공민왕 4년 4월 신사)

1358년에는 왜구가 경상도 사주(사천) 각산수를 침공하여 고려선박 300여척을 불태웠다. (《고려사》권39 세가 공민왕 7년 3월 기유)

1360년 윤5월에는 왜구의 대선단이 강화도에 침입하여 300여명의 주민들을 야수적으로 학살하고 4만여섬에 달하는 쌀을 략탈해 갔다.*¹ 1363년에는 213척의 왜적들이 교동도에 침입하여 개경을 위협*²하였으며 1364년 3월에는 왜구의 200여척의 큰 선단이 경상남도 거제부근의 갈도에 침입하여 략탈을 감행하였다.*³

*¹《고려사절요》권27 공민왕 9년 윤5월
*², *³《고려사》권40 세가 공민왕 12년 4월 기미, 13년 3월 기사

이와 같이 왜구들의 침입은 점차 그 규모와 범위가 확대되여 수백척의 함선집단으로 중부조선이남의 연해고을들에 침입해오게 되였으며 나중에는 수도 개경까지 위협하게 되였다.

왜구의 침입으로 인한 피해는 인민들에게 더 큰 고통과 참화를 들씌웠고 해상을 통한 조세운반이 마비상태에 빠짐으로써 봉건정부 앞에 재정경제적난관을 조성하였다.

왜구의 침입을 물리치기 위하여서는 결정적인 대책이 필요하였다. 그러나 이 시기 고려는 북방에서 침입해오는 침략자들과의 싸움에 모든 력량을 동원하고있었다. 이러한 형편에서 고려정부는 1350년에 경상, 전라도에 도지휘사, 전라, 양광도에 도순문사를 파견하였고 또 포왜사를 임명하였으나 왜구를 물리치기 위한 싸움에 소수의 수군함대와 얼마 안되는 지방군밖에 동원할수 없었으며 따라서 그 전과도 보잘것이 없었다.

당시 병력부족으로 고통을 겪던 고려정부는 각이한 신분의 주민들을 방리군, 연호군이라는 명목으로 징발하여 싸움터에 나서게 하였으나 그들은 전투훈련도 받지 못한 림시적집단으로서 제대로 싸울수 없었다.*

* 《고려사》 권81 병지 공민왕 9년 5월, 21년 10월, 우왕 3년 5월. 이 시기 왜구를 반대하는 방어군을 따로 조직할수 없는 조건에서 개경에는 5부방리군, 지방들에는 연호군을 조직하였다.

1350년 2월부터 1369년까지 20년동안에 왜구침입지역은 거의 100여곳에 달하였다. [《조선인민의 반침략투쟁사》(고려편) 사회과학출판사, 주체99(2010)년, 547~552페지]

고려정부는 압록강을 건너 쳐들어온 침략자들을 성과적으로 물리치고 긴장되였던 북방정세를 수습한 다음에야 왜구격멸을 위한 큰 규모의 작전을 벌렸다.

※ 1362년 1월 안우, 최영, 리방실 등이 지휘하는 고려의 20만대군은 개경을 일시 차지하였던 홍두적을 포위섬멸하였고 7월에는 동북면일대에 쳐들어온 남합출의 군대를 홍원일대에서 격파분쇄하였으며 1364년 1월에는 의주일대에서 원나라침략세력을 격파함으로써 북방정세를 수습하였다.

1364년 5월 경상도 도순문사 김속명이 지휘하는 고려군은 진해현에 침입하여온 3 000여명의 왜구들을 섬멸하고 많은 무기와 장비들을 로획하였다. (《고려사》권111 김속명전)

진해현전투는 지금까지의 반왜구전투에서 가장 큰 싸움이였을 뿐아니라 반왜구투쟁에서 하나의 전환점으로 되였다.

초기 왜구의 침입을 격퇴하기 위한 투쟁에서 고려의 수군은 큰 역할을 수행하지 못하였다. 이 시기 고려의 수군은 수적으로 얼마 되지 않았고 훈련도 안되고 함선도 부족하여 연해를 독자적으로 지켜낼만 한 힘을 가지지 못하였다. 그리하여 해전 같은 싸움은 해보지도 못하고 이따금 인민들의 투쟁에 합세하는 정도였으며 적극적으로 활동하지 못하였다.

바다로부터 쳐들어오는 적은 바다에서 쳐부시는것이 가장 적극적이며 효과적인 방도인것은 더 말할것도 없다. 그러기 위하여서는 수군을 재건하고 강화하여야 했다. 수군의 역할이 없이는 왜구의 침입을 종식시킬수 없었다. 이것은 왜구의 침입을 반대하는 초기 수십년간의 투쟁에서 얻은 귀중한 교훈의 총화였다.

2. 왜구격멸의 결정적대책 수립, 화약무기로 무장한 강력한 함대의 건설

1370년대에 들어서면서 한때 잠잠한것 같았던 왜구의 침입은 또 다시 큰 규모로 감행되였다.

1372년 한해동안에만 하여도 왜구들은 서해와 남해, 동해의 넓은 지역에 걸쳐 무려 10여차나 침입하였으며 그 이듬해 6월에는 양천(경기도 김포시)에 기여들어 수도를 위협하였고 1374년 4월에는 무려 350여척의 큰 선단으로 합포에 침입하여 로략질을 감행하였다. (《고려사절요》권29 공민왕 22년 6월, 23년 4월)

왜구의 침입은 멀리 동해안의 청주(함경남도 북청군)일대에까지 뻗치였으며 또 규모가 컸고 회수도 잦았기때문에 고려가 입은 피해도 막심하였다.

왜구의 침입은 1370년대 후반기에 들어와 더욱 빈번해졌다.

1370～1379년 10년간에 왜구침입기사는 무려 175개, 침입장소는 약 290개소에 달하였고 1375～1379년간에만 하여도 왜구들은 실로 133회이상에 걸쳐 200여개 지점에 침입하여 략탈을 감행하였다. [《조선인민의 반침략투쟁사》(고려편) 사회과학출판사, 주체 99(2010)년, 563～575페지]

이 시기 왜구들은 떼를 지어 내륙깊이 침입하여 략탈하였고 그전처럼 인차 돌아가는것이 아니라 오래동안 여기저기 싸다니면서 만행을 감행하였다. 그러므로 왜구를 물리치기 위한 우리 인민의 투쟁은 더욱 간고하게 되였다.

이 시기 고려정부는 왜구를 쳐물리치는데서 중앙군과 지방군을 통솔하기 위한 지휘관-고위급무관들과 장수들 그리고 일반병력을 증가하기도 하였다. 례컨대 1373년에는 최영을 6도 도순찰사로 임명하였고 경상, 전라, 양광도 등지에 지휘사 또는 2～4도도지휘사(1370～1380년대)를 파견하거나 순문사 또는 도순문사(1350～1380년대)를 도별로 또는 2～3도를 합해서 파견하였으며 순문사아래에는 도원수, 상원수, 원수, 부원수, 조전원수, 병마사 등을 두고 왜적을 치게 하였다. 이밖에도 6도 도순찰사, 포왜사, 왜인추포만호 등이 있었다.

이러한 관직들은 필요할 때마다 림시로 제정되기도 하였다.

원수제도나 병마사제도와 같이 전국적범위에서 비교적 오래동안 적용된것도 있었다.

한개 도에 3~5명의 원수가 파견되고 거기에 다시 조전원수, 병마사 등이 있고 그우에 안무사, 안렴사(도관찰출척사) 등 각양각색의 명목을 띤 지휘자들이 파견된것은 고려의 군제가 크게 문란되여있었고 통치배들이 당황망조하여 그때그때의 바쁜 모퉁이를 메우기에 급급하였던 실정을 보여준다. *

* 1365~1366년에는 왜구가 교동부근에 나타난것과 관련하여 수도 개경에 계엄령을 실시하고 동서강도지휘사, 33병마사를 한꺼번에 임명하였다. (《고려사》 권41 세가 공민왕 14년 3월 경신, 15년 5월 을사)

본래부터 있던 지방군의 만호, 진무, 도진무, 진변사, 병마사, 방어사 등 이외에 수많은 높은 무관들이 와서 인민들을 못살게 굴었다. 그리하여 인민들은 차라리 원수(元帥)를 보내지 말것을 요구하는데까지 이르렀다. (《고려사》 권115 리숭인전)

수군을 전문으로 지휘하기 위한 병제도 확립되지 못하였다. 1370년대까지는 이미 1300년에 합포등지에 설치된 진변만호부를 비롯한 몇몇 만호부들이 있을뿐 해당 지방 고을원이나 원수, 병마사, 방어사들의 지휘밑에서 소수의 군대가 움직이고있었다.

그러나 고려군대와 인민들은 왜구들이 침입할 때마다 떨쳐나서 격퇴하기에 힘썼다. 1372년 6월 함주(함흥), 북청일대에 침입하였던 왜구들을 불의에 습격하여 소멸한 사실을 비롯하여 싸움마다에서 놈들에게 심대한 타격을 주고 막대한 손실을 입혔다. (《고려사절요》 권29 공민왕 21년 6월)

왜구들과의 싸움에서 경험을 쌓은 고려군의 반격도 더욱 강화되였다. 최영이 지휘한 고려군이 홍산(충청남도 부여군)전투에서 왜구에게 섬멸적타격을 준것을 비롯하여 여러차례의 전투들에서 왜구들을 무자비하게 소멸하였다. (《고려사절요》 권30 우왕 2년 7월)

1370년대에 들어와 왜구를 격멸하기 위한 투쟁에서 상당한 전과도 있었으나 륙지에 기여올라 략탈만행을 감행하던 왜구들과의 싸움에서 고려측이 입은 피해도 적지 않았다.

왜구의 무리들을 바다에서 막지 않고서는 어느때이고 놈들의 침입을 끝장낼수 없었다.

수군건설의 요구가 높아지게 되자 고려정부는 드디여 1373년 10월 최영을 6도 도순찰사로, 1377년에 6도 도통사로 임명하고 수군건설을 본격적으로 추진시키였다.

왜구의 침입을 막는데서 수군의 필요성을 통절히 느끼고있던 최영의 제의에 따라 고려정부는 군호를 등록하고 싸움배를 건조하는데 착수하여 1년도 안되는 기간에 130여척의 큰 군함을 무어내는데 성공하였다.＊

> ＊ 《고려사절요》권29 공민왕 22년 10월. 이때 최영은 800척 또는 2 000척을 만들려고 하였다고 한다. (《고려사》권113 최영전, 정지전)

1377년 3월 각 도에서 2 800명의 중들을 동원하고 100명의 배무이기술자를 뽑아 싸움배들을 대대적으로 무어내도록 하였으며 4월에는 군기감 판사 리광보를 룡진(강화도)에 보내여 전함건조사업을 지휘감독하게 하였다. (《고려사》권81 병지 우왕 3년 3월, 《고려사》권133 렬전 신우 3년 3월, 4월)

1380년에 최영은 해도도통사를 겸임하게 되면서 함선들을 더많이 건조하여 조선서해와 남해의 요해처들에 배치하도록 하였다.＊1 그리고 이듬해에는 문하부 지사 정지의 제의에 따라 관료들을 양광, 서해, 전라, 경상도들에 파견하여 또다시 전함을 건조하도록 하였다.＊2

> ＊1 《고려사》권113 최영전, 《고려사절요》권31 우왕 6년 4월
> ＊2 《고려사》권135 렬전 신우 9년 11월

이 시기에 고려에서는 배무이기술이 발전하여 싸움배들을 크고 든든하게 만들어냈다. 이 시기에 무은 고려의 싸움배 가운데는 3 000～4 000섬 (240～280t급)의 짐을 실을만큼 큰것들이 많았으며 그것들은 견고하여 태풍을 만나도 피해를 받지 않을 정도였다. 고려배의 속도도 돛배로서는 매우 빠른것이였다.

고려정부는 수군건설을 다그치기 위하여 함선건조를 적극 추진시키면서 이미 있는 수군력량을 수습정비하는 한편 왜구의 침입을 물리치는 싸움을 벌렸다.

고려정부는 1380년대에 와서 수군무력을 더 전문화된 군종으로 되게 하기 위한 일련의 대책도 세웠다. 즉 종전에 있던 수군만호부제도를 전국각지에 확대실시하는 한편 해도(海道)도원수, 원수, 부원수제도를 내왔으며 총지휘자로서 최영을 해도도통사로 삼았다. 1389년에는 경기 연해절제사, 1390년에는 3도 수군도체찰사도 내왔는데 이것은 1380년대 말엽에 각 도에 륙군절제사, 도절제사를 배치하는 제도를 실시한것과 함께 수군무력에 대한 통솔을 더욱 강화할것을 노린것이였다.

또한 수군군정이 부족한것과 관련하여 1377년에는 수도의 시전상인들속에서, 이듬해에는 5부방리군속에서 수군을 뽑아내게 하였으며* 1379년에는 서해도와 양광도에 관리를 보내여 수군을 선발하도록 하였다.

*《고려사》권83 병지 선군 우왕 3년, 4년

또한 이 시기에 죄수들로서 배를 타고 전투공로를 세운자들은 죄를 면해주기도 하였다. 그뿐아니라 전라도, 경상도등지의 바다가주민들로서 수군에 자원하여 복무하는 장정들에 대해서는 국가적요역을 덜어주고 일정한 경작지를 떼주는 등 우대정책도 실시하였다.

이리하여 1370년대 후반기에 들어와 일정하게 증강된 고려수군은 왜구의 침입을 물리치는 투쟁에서 은을 나타내기 시작하였다.

수군의 활동이 활발해지게 되자 수륙협동이 이루어지고 왜구들의 침입을 성과적으로 물리치게 되였다.

그 대표적인 전투가 1377년 5월에 있은 황산강(락동강하류)전투였다.

김해부사 박위는 왜적선 50척이 기여들어 밀성(경상남도 밀양)을 향하여 락동강을 거슬러올라가고 뒤이어 후속부대들이 들이닥친다는 적정을 탐지하고 왜적선들을 포위섬멸하기 위한 작전을 지휘하였다. 그는 황산강 좌우의 강안에 부대들을 매복시키고 자신은 싸움배 30척을 거느리고 은페하여 대기하였다. 때마침 왜구의 후속부대가 강어귀에 기여들자 박위는 함대를 이끌고 맞받아나가 왜구의 함선들에 불벼락을 안기였으며 매복권내에 몰아넣고 수륙량면의 포위를 압축하면서 일제히 공격을 들이댔다. 3면포위공격을 받은 왜구의 함선들은 별로 싸워보지도 못하고 소멸되였다. 앞서 올라갔던 왜구의 선두부대도 포위를 벗어나지 못하고 모조리 섬멸당하였다.

고려의 수군과 륙군의 긴밀한 협동하에 수행된 황산강전투는 해상매복과 포위로써 적들을 해안에 올려놓지 않고 전연에서 격파소멸한 전투로서 적들에게 큰 타격을 주었으며 고려수군의 위력을 시위하였다.

고려수군의 활동이 강화됨으로써 반왜구투쟁은 점차 바다를 중심으로 진행되는 새로운 국면에 들어서게 되였다.

같은 시기 배극렴이 지휘한 고려의 다른 수군함대는 하까다지방의 해적피수 패가대만호를 비롯한 수많은 적을 살상하는 전과를 거두었다. (《고려사절요》권30 우왕 3년 5월)

경상도 원수 배극렴이 지휘하는 고려의 함대는 1378년 8월에 왜구의 한 무리가 욕지도(경상남도 통영시)에 기여들어 략탈을 감행하고있다는 통보를 받고 곧 출항하여 50여명의 적을 소멸하였으며 또 고려수군은 남해에 있는 여러 섬들을 수색하여 략탈을 감행하던 왜구들을 모조리 소탕하였다. (《고려사절요》권30 우왕 4년 8월)

이 시기에 고려정부는 왜구의 침입을 반대하는 싸움에서 얻은 경험과 교훈에 기초하여 군사지휘의 통일성을 보장하도록 하는 일련의 조치들을 취하였으며 각 도에 미리 장수들을 배치하였다가 왜구들이 나타나면 즉시에 반격을 가할수 있도록 작전의 기동성을 높이였다. (《고려사》권81 병지 5군 우왕 5년 정월)

이와 같이 1370년대에 고려군은 왜구의 침입을 물리치기 위한 투쟁에서 전환을 가져오고 점차 주도권을 장악하게 되였다. 이것은 수군건설을 추진시켜 왜구의 침입을 바다에서 처부시기 위한 수군함대의 활동이 강화된 결과에 이룩된것이였다.

× × ×

14세기말 고려의 수군은 자기의 강성기를 맞이하였다. 여기서 가장 중요한 요인으로 된것은 각종 화약무기의 창안발명과 함선우에 그것을 장비하고 실지 해전에 받아들인것이였다.

화약무기를 처음으로 실용적인것으로 만들어낸것은 하급관료출

신인 최무선(?-1395년)이였다.

　바다와 강하천에서 불뭉치 또는 불화살을 리용하여 상대방의 함선이나 구조물을 불태우는 전법은 이미 오래전부터 적용되여온 방법이였다. 그러나 불을 끄는데 필요한 물원천이 풍부하고 또 함선자체가 늘 물속에 있으면서 젖은 부분이 많은 조건에서 특수한 경우 실례로 선단이 집중되여 정박하고있는 경우를 내놓고 기름을 먹인 불뭉치나 불화살로써는 성공하기가 매우 어려웠다. 그것은 오직 강력한 폭발력과 높은 열을 내는 화약을 리용함으로써만 해결될수 있었다.

　바다로 들어오는 적은 마땅히 상륙하기 전에 바다우에서 소멸하여야 하며 그러자면 화약무기를 써야 한다는것을 생각한 최무선은 일찍부터 화약제조법과 화약무기제조법에 대하여 깊은 관심을 가지고 자기 집 종들과 함께 실험연구를 거듭해오던 끝에 마침내 성능높은 화약을 만들게 되였고 또 그것을 실천에 받아들일수 있게 하는 각종 화약무기를 만들어내는데 성공하였다.

　최무선이 처음 화약과 화약무기를 만든 구체적년대는 잘 알수 없다. 1356년 9월에 여러 재상들이 숭문관앞에 모여 서북면에 보낼 무기의 발사시험을 할 때 총통으로 쏜 화살이 남쪽 언덕우에 있는 순천사 남쪽에 박혔는데 화살깃까지도 땅속에 묻히였다고 한다.*1 화약의 강한 폭발력을 리용하지 않고서는 이렇게 강한 투과력이 생길수 없는것만큼 분명히 이 총통은 화약무기였다. 1377년에 최무선이 창안한 화약무기가 정부에 의하여 채택도입되기까지에는 당국자들의 동요와 불신으로 오랜 시일이 걸렸다고 하는것만큼 *2 1356년의 이 총통실험도 다름아닌 최무선의 시제품의 실험이였다고 볼수 있다. 1373년에는 새로 만든 전함을 보면서 화통, 화전도 시험하였다. *3

　　*1 《고려사》 권81 병지 5군 공민왕 5년 9월
　　*2 《태조실록》 권4 4년 4월 임오
　　*3 《고려사》 권44 병기 공민왕 22년 10월 을해. 이 화통, 화전은 전
　　　함에 설치된것일수 있다.

　고려정부는 1377년 화통도감을 설치하고 화포와 화통 등 최무선이 발명한 화약무기들을 생산하여 군대에 장비하도록 하였으며 1378년 4월부터는 화통방사군을 조직하여 화포사격훈련과 화약무

기를 설치한 함선들의 바다싸움조법을 익히는 전투훈련을 진행하였다. (《고려사》 권81 병지 우왕 3년 10월, 4년 4월)

화통도감이 설치된 후 화포를 만드는 수공업은 급속히 확대발전하여 대장군포를 비롯한 여러가지 포와 화전들을 많이 만들어 함선들에 설치하였다. 화포는 장약포(포신에 화약을 장입하여 화약의 힘으로 포탄을 날리는 포)였다.

최무선의 지휘하에 화통도감에서는 대장군포, 2장군포, 3장군포, 륙화석포, 화포, 신포, 질려포 등 여러가지 포들과 철령전, 피령전, 철탄자, 천산오령전, 류화, 주화, 촉천화 등 불화살 또는 포탄을 발명하고 발전시켰으며 그것들을 많이 만들어냈다.

※ 함선에 설치한 화포-화통은 적의 함선을 파괴하며 불을 질러 태워버리며 천지를 진동하는 펑장한 폭음을 내기때문에 적의 간담을 서늘케 하며 사기를 떨어뜨리는데 크게 작용하였다. 그것은 또한 한번에 많은 유생력량을 소멸하는데도 효과적이였다.

함선에 설치한 화전-총통은 불을 내뿜는 무기로서 적의 함선에 육박하여 불을 토함으로써 삽시에 적함을 불태워버리며 또 불화살을 쏘아 함선에 불을 지르며 유생력량을 소멸하는데서 효과적이였다.

화포의 출현은 배무이에서 새로운 변화를 가져오게 하였으며 배우에서 화약무기를 효과적으로 사용할수 있도록 종래의 함선구조를 변경시켰다. 고려에서는 함상포(함포)를 설치하기 위하여 갑판을 든든히 하고 포가를 설치(초기에는 통나무에 홈을 파서 고착시켰다가 점차 따로 포가를 만들었다.)하였고 포사격때의 강한 진동으로 배가 파괴되지 않도록 선체와 갑판을 보다 견고하게 만들었다. 또한 사격때의 진동으로 배가 뒤집히지 않게 하는 동시에 적게 흔들리도록 배전의 높이를 낮추었다. 그리고 습기를 막을수 있는 밀페된 화약고도 만들었다. 이리하여 세계최초의 포함이 건조되었다.

이처럼 고려의 수군은 화포와 화전을 함선의 기본무장으로 하는 포함들을 많이 가지게 되였고 함대의 전투력과 화력밀도를 종전의 몇배로 높일수 있게 되였다.

강력한 수군함대의 건설에서 중요한 의의를 가지는 문제의 하나는 정기적으로 복무하는 전문수*를 키워내도록 하는것이였다.

* 전문수병(전문수)이란 함선의 운영과 바다싸움을 위하여 항해, 통신(신호련락), 포사격 등 전투부문별로 전문적으로 훈련을 받아 그를 능숙히 다룰줄 아는 군사인 조타수(사공), 신호병, 포수, 사수를 말한다.

수군무력을 강화하고 그의 전투력을 높이기 위하여서는 전문적으로 훈련된 선병(수군병사)들을 키워내는것이 중요하다. 화포와 화전 등 화약무기가 함선에 도입된 조건에서 그것은 더욱 절실한 요구로 나섰다.

고려정부는 수군재건을 다그치면서 전라도지방의 바다가에서 살면서 바다생활과 해상활동에 익숙된 사람들을 선발하여 강화, 교동일대에서 살게 하였으며 그들에게 일정한 면적의 경작지를 나누어주어 농사를 짓고 물고기잡이를 하면서 한쪽으로는 전문훈련을 받아 수군에 복무하도록 하는 조치를 취하였다.(《세종실록》권1 즉위년 9월 을해)

1380년대 초에 이르러 고려의 수군은 화약무기(화포와 화전)로 장비한 새로운 싸움배 130척과 3 000여명의 전문수를 가지고있었다.(《고려사절요》권31 우왕 6년 4월)

이것이 대단히 많다고는 할수 없으나 고려의 수군을 급속히 강화하여 반왜구투쟁에서 적극적인 공세에로 이행할수 있게 하였다.

화약과 화약무기의 발견 특히 함포(함상포)의 출현과 전문수의 육성은 정규수군건설과 해상전투조법에서 새로운 전환을 가져오게 하는 력사적계기로 되였다.

무엇보다먼저 화포가 출현하고 그것이 함선에 도입됨으로써 수군조직에서 변화를 가져오게 되였다. 새로운 전쟁수단인 화포의 출현은 해상전투에서 새로운 포전투부문이 발생하게 하였으며 수군대렬에 해상포병이 들어서게 하였다. 더 나아가서는 수군안에 해안포병들이 생겨났다.

또한 함포의 출현은 해상전투조법에서 새로운 변화를 가져왔다. 바다싸움에서 접현전의 형태는 기본적으로 자취를 감추게 되였고 화력타격(포화력의 타격)을 배합한 해상기동전술이 점차 바다싸움의 기본전투형식으로 되게 되였다. 이것은 수군군사예술에서 또 하나의 새로운 경지를 개척한것으로 된다.

다음으로 싸움배에 포를 설치하게 되는것과 관련하여 함선의 구조도 변경되고 포함이 수군함선대렬에서 기본적이며 주되는 함선(싸움배)형식으로 되였다.

근면하고 재능있는 고려인민들은 창조적지혜와 재능을 발휘하여 제기된 과학기술적과제들을 훌륭히 해결함으로써 새롭고 강력한 함대를 건설하여 고려수군의 강성기를 열어놓았다.

고려의 수군은 세계에서 처음으로 화약무기로 장비한 위력한 포함들로 대렬을 꾸리고 점차 그것이 수군대렬의 기본력량으로 되게 함으로써 다시금 그 위력을 세상에 떨치게 되였으며 왜구의 침입을 철저히 분쇄하기 위한 1380년대의 결정적인 공세에서 뚜렷이 발휘하였다.

3. 진포바다싸움과 박두양싸움의 승리

애국적이며 재능있는 인민들과 기술자들의 창조적인 로력에 의하여 강력한 수군함대가 건설된것은 고려국가로 하여금 바다로부터 기여드는 왜구들을 바다에서 소멸해버릴수 있는 실제적인 가능성을 주었다. 이제 와서는 수군함대의 힘만으로도 왜구들의 침입을 철저히 분쇄할수 있게 되였다.

고려수군은 새로 건설된 강력한 함대에 의거하여 반왜구투쟁에서 주도권을 틀어쥐고 놈들의 침입을 철저히 분쇄하기 위한 결정적인 공세에로 이행하였다.

1380~1388년의 9년간은 왜구가 최후발악을 하던 시기로서 그 침입회수는 139회, 침입개소는 236개소에 달하였다.* 그러나 왜구는 고려함대와 애국적인민들의 투쟁에 의하여 이 기간에 결정적인 타격을 받았다.

* 《조선인민의 반침략투쟁사》(고려편) 사회과학출판사, 주체 99(2010)년, 593~602페지

화포로 무장한 고려의 수군함대는 1380년 8월 진포바다싸움에서부터 그 위력을 남김없이 발휘하였다.

이때 양광도, 충청도연해지방에서 해적행위를 일삼고있던 왜구들은 500여척의 대함선집단을 이끌고 진포(금강하구일대) 앞바다에

기여들어 함선들을 진포항에 정박시키고 일부 병력을 남겨둔채 뭍에 올라 여러 고을들로 싸다니면서 재물들을 략탈하기 시작하였다. (《고려사》 권134 렬전 신우 6년 8월, 권114 라세전)

이때까지 왜구가 500여척의 큰 함대로 침입해온적은 일찌기 없었다.

왜구의 대함대가 쳐들어왔다는 급보를 받은 고려정부는 해도도원수 심덕부, 상원수 라세, 부원수 최무선의 지휘하에 화약무기로 장비한 신형함선 100척을 출동시켰다. 기지를 출항한 고려의 함대는 진포앞바다에 이르러 전투서렬을 짓고 적함들을 향해 돌진하였다. 왜구의 함대는 고려의 함선수가 적은것을 얕보고 일제히 배에 올라 싸울 준비를 서둘렀다. 고려함대가 새로운 화약무기로 장비한것을 알리 없는 왜구들은 어리석게도 함선들을 모아 서로 잇대고 든든한 바줄로 묶어 집단적으로 저항하면서 여러척씩 묶은 편대를 끌고나와 반격을 서둘렀다.

고려함선들은 달려드는 적함들을 맞받아나가면서 일제히 포문을 열고 화전과 화포의 집중사격을 퍼부었다. 적함들은 삽시에 불바다로 변하였다. 고려함대의 함선들은 적들에게 숨돌릴 틈을 주지 않고 놈들의 기본함선집단에 돌입하여 또다시 일제사격을 가하여 가증스러운 왜구의 함선들을 모조리 파괴소각하였다. 왜적들은 별로 싸워보지도 못하고 섬멸되었다.

이에 대하여 《고려사》 라세전에서는 《연기와 불길이 하늘을 덮었고 항거하던 적은 모두 타죽었으며 바다에 빠져죽은자도 역시 많았다.》라고 전하고있다.

이 바다싸움에서 간신히 살아남은 적들은 륙지에 기여올라 충청도일대를 싸다니면서 로략질을 하다가 전라도지경에 이르러 운봉현 (전라남도 남원시)에 몰켜 발악하였으나 결국 고려의 륙군-지상군 부대에 의하여 섬멸되고 겨우 70명이 지리산으로 도망쳤을뿐이였다. 진포바다싸움에서 고려함대는 적선 500척을 모조리 파괴소각하고 놈들에게 붙잡혔던 330명의 인민들을 구원하였다.

진포바다싸움과 그 빛나는 승리는 개건된 고려수군이 달성한 첫 승리로서 그것은 반왜구투쟁에서 주도권을 틀어쥐고 적극적인 공세에로 넘어갔다는것을 뚜렷이 보여주었다.

또한 진포바다싸움은 세계해전사에서 처음으로 화포를 적용한 바다싸움이였으며 화력기동전술과 해상포격전의 시초를 열어놓은 력사적인 해전이였다. 바로 여기에 진포바다싸움의 력사적의의가 있다.

※ 유럽에서 진행된 바다싸움에 관한 력사기록에는 베니스, 제노아, 에스빠냐의 련합함대가 뛰르끼예함대를 격파한 1571년의 레빤토바다싸움에서 처음으로 포격전을 전개하였으며 로씨야해군군사예술사에서는 우샤꼬브가 지휘한 1791년의 뛰르끼예함대를 격멸시킨 께르첸해전에서 처음으로 화력기동전술을 적용하였다고 기록되여있다.

참으로 진포바다싸움은 왜구의 침입을 반대하는 싸움에서 획기적인 전환점으로 되였으며 고려수군의 활동을 새로운 발전단계에 들어서게 하였다. 진포바다싸움을 분수령으로 하여 고려수군은 더욱 적극적인 전투행동으로 이행하여 왜구들을 바다에서 족쳐버렸다.

간악한 왜적들은 진포바다싸움에서 만회할수 없는 참패를 당하였음에도 불구하고 계속 조선연해에 침입하였고 1382년에 또다시 수많은 함선들을 이끌고 곤양(경상남도 사천시) 앞바다에 기여들었다.

고려의 수군은 10여척의 함선으로 편성한 편대를 이끌고 기지를 출항하였다. 고려수군의 편대를 본 왜구들은 수적우세를 믿고 함부로 달려들면서 고려함선들을 포위하려고 하였다. 이때를 놓치지 않고 고려의 함선들은 일제히 포문을 열고 사격을 가하였다. 순식간에 여러척의 적함들이 파괴되고 불에 타버렸다. 당황한 적들이 도망치기 시작하자 고려의 함선들은 곧 추격하여 놈들의 큰 배 9척을 로획하는 커다란 승리를 거두었다. (《세종실록》권48 12년 4월 계미)

곤양앞바다싸움의 승리는 바다싸움에서 수적으로 우세한 적들을 전술기술적우세로 타승한 본보기해전의 하나로서(물론 조국을 지키려는 수병들의 애국심이 강한것이 우월성의 하나이기도 하였다.) 고려수군의 위력을 다시한번 시위하였다.

위력한 고려함대는 왜구들이 쳐들어올 때마다 된매를 안기고 련속적인 타격을 가하였다. 1382년 10월 왜적선 50척이 침입하자 고려함대는 그를 맞받아나가 격파하고 도망치는 놈들을 군산도까지 추격하여 타격하였으며 적선 4척을 로획하였다. (《고려사절요》권31 우왕 8년 10월)

이 싸움이 있은 후에도 여러차례에 걸쳐 왜구의 침입은 계속되였으나 해안선을 지키던 고려의 함대와 지상부대에 얻어맞고 쫓겨났다.

이처럼 개건된 고려의 수군은 침입하는 왜구들을 바다에서 쳐부심으로써 나라의 연해를 튼튼히 지키고 놈들이 지상에 올라와 로략질을 하지 못하도록 하였다.

거듭되는 참패에도 불구하고 략탈을 본성으로 하는 왜구들은 1383년 5월 또다시 120척의 큰 함대를 무어가지고 경상도연해에 들어와 략탈을 감행하려고 하였다. 이 소식에 접한 정지가 지휘하는 고려의 분함대는 라주 목포에 주둔하였던 47척의 함선을 이끌고 출항하였다. 고려함대는 관음포에서 왜적함대와 조우하였다. 력량대비는 3:1로 적들이 우세하였다. 기동이 제한된 관음포바다는 싸우기 불리하였기때문에 고려함대는 수적우세를 믿고 달려드는 왜적선들을 따돌린 다음 바람새를 리용하여 신속히 박두양(경상남도 남해군)으로 기동하여 유리한 진지를 차지하고 왜적선들이 나타나기를 대기하였다. 우둔한 왜적선들은 140명씩 태운 20여척으로 된 편대를 선봉으로 하여 포위태세를 취하면서 달려들었다. 고려함선들은 화포의 위력을 전제로 방진대형(원형방어를 위한 전투서렬)을 짓고 만단의 전투준비를 갖춘 후 적함들이 유효사거리에 접근하자 화포사격을 가하였다. 고려함선들에서 내쏘는 화포, 화전에 얻어맞아 왜적의 선봉함선들이 순식간에 녹아났다. 선봉함선들이 불에 타기 시작하자 용감한 고려의 수군들은 신속히 추격으로 넘어가서 맹렬한 포사격을 퍼부음으로써 놈들의 주력에 섬멸적타격을 가하였다. 이 바다싸움에서 고려함대는 근 3배나 되는 적을 격파하고 17척의 배를 불태워버리는 커다란 승리를 거두었다. *

* 《고려사절요》권32 우왕 9년 5월. 박두양싸움을 지휘한 정지는 장수들에게 《내가 전쟁마당에서 왜적을 격파한적이 많았으나 오늘과 같이 통쾌한 일이 없었다.》고 하였다. 이것은 박두양바다싸움에서 고려수군이 주도권을 틀어쥐고 왜적들을 솜씨있게 족쳐버렸다는것을 보여준다. (《고려사》권113 정지전)

박두양바다싸움은 진포바다싸움과 함께 고려수군의 위력 특히 화포, 화전의 위력을 시위한 큰 바다싸움이였다.

이 바다싸움에서 고려수군은 유인, 신속한 기동, 원형방어, 반공격에로의 이행 등 여러가지 전법들을 능란하게 적용한 솜씨있는 화력기동전술로 우세한 적을 족치고 빛나는 승리를 이룩하였다. 고려수군이 이처럼 련이어 승리를 거듭하고있을 때에 그에 고무된 지상부대와 인민들도 왜구들의 침입을 성과적으로 분쇄하였다.

4. 쯔시마원정의 빛나는 승리

왜구들은 바다와 륙지에서 거듭 섬멸적인 타격을 받았으나 그후에도 때때로 우리 나라에 침입하여 략탈해갔다. 바다로 침입해오는 놈들을 기다려 쳐부시는것만으로써는 놈들의 침입을 종식시킬수 없었다. 그러므로 고려정부는 놈들의 소굴을 쳐부시기 위한 원정을 단행하기로 결정하였다.

고려정부는 해안방비를 강화하여 침입하는 왜구들을 소멸하면서 쯔시마에 대한 원정준비를 다그쳤다. 쯔시마는 왜구들의 기본소굴의 하나였으며 조선침략을 위한 일본해적들의 전초기지였다.

쯔시마는 조선남해 부산해협의 남쪽에 위치하고있는 섬으로서 부산항에서 쯔시마까지의 거리는 약 40mile이다. 왜구들은 이곳에 둥지를 틀고 조선남해와 서해를 건너 남중국일대 그리고 멀리 동남아시아의 여러 나라들에 침입하여 략탈을 감행하고있었다.

그러므로 왜구의 침입을 종식시키기 위하여서는 무엇보다도 우리 나라와 가장 가까운 곳에 위치하였던 놈들의 소굴-쯔시마를 소탕해버리는것이 필요하였다.

쯔시마에 대한 원정준비를 다그쳐오던 고려정부는 1389년 2월 경상도 원수 박위의 지휘하에 화포와 화전으로 장비한 100여척의 함선으로 원정함대를 편성하였다.

고려원정함대는 곧 쯔시마로 진격하여 왜구의 소굴을 불의에 기습하고 적함선 300여척을 불살라버렸다. 동시에 항만의 시설들과 병실들을 모조리 파괴소각하였으며 수많은 적들을 살상포로하였다. 불의의 습격에 혼비백산한 적들은 대항할 엄두도 내지 못하고 뿔뿔이 산속으로 도망쳐버렸다. 원정군은 상륙하여 저항하는 적들을 소멸하고 그들이 쓰고있던 건물들을 모조리 불태워버린 다음 랍치당하여갔던 동포 100여명을 구원해가지고 유유히 개선하였다.

고려함대에 의한 쯔시마원정의 승리는 수십년간 더 나아가서는 백수십년간의 오랜 기간 끊임없이 침입하여 재물을 략탈하고 살인만 행을 감행하면서 우리 인민에게 고통과 불행을 들씌우던 왜구의 소굴을 소탕해버린 적극적인 원정이였으며 정의의 전쟁이였다. 이 원정은 또한 왜구와의 투쟁속에서 장성강화된 고려수군의 위력을 널리 시위한 원정으로서 커다란 국제적의의를 가진다.

고려함대의 쯔시마원정을 계기로 고려수군에 눌린 왜구들은 감히 덤벼들지 못하였다. 이리하여 우리 나라의 내륙지대에 대한 왜구들의 침입은 대체로 끝장나게 되였다. 그후부터는 때때로 해안지방에 소수의 왜구들이 침입하여 략탈하는것으로 그치게 되였다.

쯔시마원정의 빛나는 승리는 나라의 안전을 믿음직하게 지켜냈을뿐아니라 고려의 대외적위신을 크게 높이였다. 1389년 8월에 그때까지 고려와 직접 관계가 없던 류구국의 중산왕은 고려가 원정하여 쯔시마의 왜적들을 소탕하였다는 소식을 듣고 사신을 보내여 고려의 신하로 자처하면서 왜구들에게 랍치당하여 류구국에 가있던 고려사람을 돌려보내는 동시에 그 지방의 특산물인 류황, 후추 등을 보내왔다.* 또한 당시 왜구의 피해를 받던 동남아시아인민들도 경탄하고 고려를 찬양하였다.

* 《고려사》 권137 렬전 신창 원년 8월

쯔시마원정은 끝으로 지난 시기 왜구들의 침략을 묵인하거나 배후에서 조종하던 일본의 서북지방 봉건세력들이 고려에 굴복해오는 계기로 되였다. 규슈지방의 봉건세력들은 쯔시마원정후 저자세를 취하면서 고려에 접근하여왔다. 1390년 5월 규슈절도사 이마까와(일명 미나모또) 노리또시는 고려에 사신을 보내여 토산물을 바쳤으며 [*1] 1391년 8월에는 또다시 사신을 보내면서 왜구들이 잡아갔던 고려사람 68명을 돌려보내왔다.[*2] 규슈절도사는 이때 고려시중앞으로 보낸 글에서 《내가 귀국에 성의를 다하여 좋은 관계를 유지하여온지 40년이 넘었다. 지난 기해년(1389년) 10월에 도적을 금지하라는 당신의 명령을 받고 여러 섬의 도적무리들에게 명령을 내리여 금지시켰다.》[*3]라고 하면서 영원히 평화적인 좋은 관계를 맺기를 바란다고 하였다.

[*1], [*2], [*3] 《고려사》 권45 공양왕 2년 5월 신해, 권46 공양왕 3년 8월 계해

왜구들의 침입을 물리치기 위한 고려인민들의 투쟁은 14세기 후반기 안팎의 정세로 말미암아 매우 어려운 조건에서 진행되였으며 일시적인 실패와 우여곡절도 있었으나 끝내는 빛나는 승리를 이룩하였다. 특히 고려는 수군을 재건하여 화약무기로 장비한 강력한 함대를 건설함으로써 왜구들에게 섬멸적타격을 주었다.

고려의 수군은 왜구의 침입을 물리치는 싸움에서 주동적역할을 수행하여 조선수군사는 물론 반침략투쟁력사를 더욱 빛내이는데 커다란 기여를 하였다.

× × ×

고려의 수군은 발해, 후기신라, 태봉국의 수군건설의 경험을 이어받아 이미 건국초기부터 독자적인 군종으로서의 면모를 갖추고 나라의 강화에 커다란 기여를 하였다.

고려의 수군은 거란, 원(몽골)침략자들을 반대하는 전쟁에서 중요한 역할을 수행하였으며 특히 왜구의 침입을 물리치는데서 결정적역할을 수행하였다.

고려의 수군은 세계에서 처음으로 화약무기를 싸움배에 장비하여 왜적과의 싸움에서 그 위력을 시위하였으며 그 과정에 화력기동전술을 개척하고 리용한것을 비롯하여 수륙배합작전, 해상유격전 등 수많은 새로운 전투조법들을 창조, 활용함으로써 수군군사예술발전에도 적지 않은 기여를 하였다.

또한 새로운 포함의 건조와 전문수의 양성 등으로 수군을 강화함으로써 우리 나라 수군건설사에서 획기적인 변화를 가져왔으며 당시 동남아시아 각지에까지 출몰하면서 인민들을 괴롭히던 왜구들을 격멸해버림으로써 나라의 국제적지위를 비상히 높였다.

고려수군이 이룩한 커다란 성과들은 그후 리조의 수군에 계승되여 외적을 반대하는 투쟁을 더 성과적으로 해나갈수 있는 튼튼한 밑천으로 되였다.

제4편. 리조시기의 수군

제1장. 리조 전기의 수군

　리조시기에 와서도 우리 인민은 해상활동을 적극 벌리였다. 그러나 사대주의에 물젖고 문존무비사상에 사로잡힌 봉건통치배들은 유교성리학만 내세우면서 해상으로 진행하는 대외무역, 대외교섭활동을 극히 제한된 범위에서만 하고 인민들의 해외진출을 극력 억제하는 정책을 썼다.
　그러나 우리 인민은 이 시기에도 창조적인 로동으로 생산을 늘이고 세계적인 발명과 문화재의 창조로 민족의 력사를 빛내였을뿐아니라 외래침략자들을 반대하여 용감하게 싸웠다.
　고려때와 마찬가지로 이 시기에 와서도 수군의 활동무대는 주로 서해와 남해였다. 그것은 계속되는 일본침략자들의 침공과 그로 인한 피해와 손실이 컸기때문이였다.
　리조 초기에 수군은 서해와 남해, 동해에서 연해를 믿음직하게 지켜나가면서 15세기초의 쯔시마원정을 비롯한 여러차례의 바다싸움을 벌려 일본해적들의 침공을 물리쳤으며 녀진인들의 침입을 격퇴하였다.
　16세기에 이르러 봉건통치배들의 추악한 권력다툼으로 국방력은 약화되고 수군의 역할도 전시기에 비하여 현저히 저하되였다.

오직 애국적인민들과 장병들의 끊임없는 노력과 투쟁에 의하여 16세기말에 일본침략자들을 종국적으로 몰아내고 력사적인 승리를 달성할수 있었다.

제1절. 수군무력의 증강을 위한 조치

1392년에 고려의 왕권을 탈취한 리성계일파앞에는 봉건적중앙집권체계를 확립하면서 륙군과 수군무력을 다같이 강화하는것이 급선무로 나섰다. 그것은 북방에 있던 원나라의 잔여세력과 새로 일어난 명나라 및 녀진인들의 침공위험이 있었으며 남방에서는 왜구의 침습이 그치지 않고있었기때문이였다.

특히 수군인원수를 더한층 증가시키고 수군의 전투력을 높이는것이 중요한 문제로 나서게 된것은 아직도 왜구가 커다란 위험으로 되고있었던것과 관련되여있다.

수군무력을 강화하려면 우선 수군군정(선군, 기선군, 선병)수를 증가확보하여야 하며 다음으로 많은 함선들을 건조하고 보다 우수한 무기무장을 적재장비하여야 하며 수군기지들을 옳게 설정하고 함선의 배비를 합리적으로 하여야 하며 수군에 대한 지휘통솔체계를 잘 세워야 하였다.

리조봉건정부는 14세기말~15세기 중엽까지 이러한 방향에서 수군을 정비강화하였다. 그러나 통치계급의 부패타락으로 인한 군사제도, 군률의 문란, 약화와 함께 봉건적억압과 착취를 반대하는 인민들과 수군군사들의 투쟁으로 하여 수군군사제도의 수립은 오랜 시일이 걸리였으며 수군은 자기 기능을 제대로 수행할수가 없었다.

1. 선군 및 함선의 량적증가

리조통치배들은 봉건국가존립의 경제적 및 사회계급적기초로 되는 토지와 호구의 장악 그리고 봉건적계급신분관계의 재편성에 선차적인 주의를 돌렸다. 그들은 주되는 국역담당자들인 량인신분인민들의 대렬을 늘이기 위한 호적등록, 노비변정사업을 진행하는것과 함께 정치적반대파의 토지와 노비의 몰수, 사원전의 정리, 몰수과정을 통해서 조세, 공물, 진상, 로역, 군역담당자의 원천을 늘이는데 힘을 기울이였다.

리조 초기 호구대장의 정리와 군적의 작성에 의하여 장악된 군정수를 보면 1392년에 8도의 마병, 보병, 기선군(선군)수는 도합 20만 800여명이고 여기에 각종 국역부담자까지 가산하면 30만 1 300여명이였다. *¹ 1403년의 군정수는 29만 6 310명, 1404년의 장정수는 경기를 제외하고도 32만 2 786명, 1406년에는 경기까지 포함하여 37만 365명으로 늘어났다. *² 이것은 10여년사이에 국역부담자수가 약 7만명이나 더 많이 장악되였다는것을 의미한다.

수군수의 증가정형을 보면 1412년에 경상도에서는 새로 병선 50척을 만든것과 관련하여 시위군 5 989명 가운데서 2 850명을 선군으로 전환시켰다. *³ 1413년에 충청도안의 원정(본래부터 정해진)선군수는 5 537명, 가정(추가된)선군은 1 377명이였다. *⁴

그리고 1421년에 평안도안의 군정총수는 7만 7 487명, 그중에서 마병, 보병(호수 동거 및 별거 봉족 합계)은 6만 4 399명이였는데 선군은 호수, 봉족을 합하여 1만 3 186명이였다. *⁵

*¹ 《태조실록》권3 2년 5월 경오
*² 《태종실록》권5 3년 5월 병오, 권7 4년 4월 을미,. 권12 6년 10월 병진
*³, *⁴ 《태종실록》권23 12년 4월 을축, 권26 13년 9월 정축
*⁵ 《세종실록》권12 3년 7월 을축, 이 군정수에 대한 기록대로 하면 평안도 군정총수는 7만 7 585명이 되여야 한다. 차이나는것이 98명인데 무슨 까닭인지 알수 없다.
　　평안도는 수군이 상대적으로 적은 도이므로 평안도의 수군이 차지하는 비중이 곧 전국적인 비중으로는 될수 없다.

1410년대초에 선군총수는 약 4만명으로 추산되는데 여기에 봉족까지 합하면 12만~15만명이나 되였을것이며 전체 장정수 약 40만의 30~38%에 달했을것이다. *

* 1432년경의 수군총수는 약 5만명인데 함선총수는 829척이였다. 그런데 1408년에는 함선수 428척에 새로 185척을 더 건조함으로써 총 613척이 되였다. 그러므로 함선에 승무하는 인원(정병 – 호수)은 약 4만으로 될것이다.

1432년에 편찬된 《세종실록》 지리지에 의하면 8도의 선군(수군)수는 경기 3 892명, 충청도 7 858명, 경상도 1만 5 934명, 전라도 1만 1 793명, 황해도 3 997명, 강원도 1 384명, 평안도 3 490명, 함길도 969명으로서 총 4만 9 317명이였다. *[1] 전국적인 병종별 종합수자를 보면 시위군은 1만 4 933명, 수호군은 248명, 영진군은 8 066명, 영진속군은 2 736명, 수성군은 1 316명, 진방패는 25명, 익군은 1만 4 053명, 익속군은 4 472명으로서 도합 4만 5 849명이였다. 이 수자와 대비해볼 때 선군이 차지하는 비중이 50%이상이라는것을 알수 있다. *[2] 이 한가지 사실만 놓고보아도 리조초에 수군무력을 증강하는데 얼마만 한 힘이 돌려지고있었는지 알고도 남음이 있다. *[3]

*[1] 이 수자는 같은 책에 실려있는 각 도 영진소속 수군수 합계 5만 58명보다는 741명이 적고 또 각 고을소속 수군수의 합계 4만 8 504명에 비하면 813명이 더 많다. 이러한 차이는 조사등록시기의 차이 또는 계산상의 오유 등으로 하여 생긴것으로 볼 수 있다.

*[2] 8도이외에 경도 한성부의 군역담당자수가 빠져있고 또 구도(개성)류후사에는 마군, 보군 합계 73명, 순작군(巡綽軍) 1 000명, 선군 20명 계 1 093명이 더 있다. 또 같은 책의 군현별로 등록된 군정수합계 10만 2 709명(여기에는 갑사, 별시위 등 중앙군도 들어있다.)에 비하면 도별로 등록된 군정수 합계 9만 5 166명은 7 543명이 적다. 그러나 이러한 수자들을 다 고려한다고 하더라도 우에서 말한 선군(수군)의 비중은(약 50%) 크게 달라질것이 없다.

*[3] 8도 선군은 8도 시위군의 3.35배가 되는 많은 수자이다. 1413년 충청도의 선군총수는 6 914명인데 시위군총수는 2 754명으로서 선군은 시위군의 2.5배이다. (《태종실록》 권26 13년 9월 정축) 실지

로는 이때 선군을 늘이면서 일부 시위군까지 선군에 편입시켰다고 하므로 시위군수는 훨씬 줄어들었다. 따라서 선군(수군)의 비중이 총 무력구성에서 매우 크다는것을 알수 있다.

이러한 많은 선군(수군)의 원천은 어디에 있었는가. 리조시기의 봉건적의무병역제는 량반, 공사노비, 역리 등을 제외한 량인신분의 농민들에게 주로 적용되였다. 봉건정부는 수군을 바다에서 아주 멀고 북방방어의 중요임무를 지니고있는 평안도나 함길도(함경도)의 몇몇 산간 또는 연변(국경 및 해안지대)고을들과 수군이 따로 없는 제주도(3고을) 등을 제외하고는 300여개의 고을들에 의무적으로 수군(선군)군역담당자를 배정하여 그 수자를 확보하였다. 바다에서 상대적으로 먼곳에 있는 충청도의 피산에 137명, 청주에 475명, 경상도 상주에 540명, 성주에 768명, 합천에 236명, 초계에 280명, 황해도 수안에 160명, 곡산에 119명, 전라도 남원에 567명, 운봉에 159명 등 많은 수의 선군을 배정함으로써 모자라는 선군군역담당자의 수를 채워넣었다.

그들은 량인신분 농민이 부족하다는것을 알고 량반의 노비출신 첩자식을 보충군이라는 이름으로 일정한 기간 수군에 복무하도록 하여 량인신분으로 만들어주기도 하고 노비변정사업에서 신량역천으로 규정된자들을 사재감 및 사수감수군으로 박아넣기도 하였다. 그래도 부족하므로 시위군가운데 말이 없는자들을 수군으로 전환시키기도 하고 팽배, 대졸들을 선군으로 만들기도 하였다. 마지막으로는 염한(염간)을 수군으로 복무하게 하기도 하고 정 없으면 공노비까지도 수군으로 충당하였다. 또 무슨 죄를 범한자에 대한 처벌로서 수군역을 지우기도 하였다.

이처럼 수군을 증대, 확보하기에 급급한것은 리조 초기 남방해상과 북방해상으로부터 오는 외래침략의 위험이 매우 컸기때문이며 고려왕조가 망한 요인의 하나가 바다방어를 잘하지 못한데 있었다고 보았기때문이다.

리조 초기의 수군수는 《경국대전》이 편찬완성된 1469년에 4만 8 800명으로 규정되여 법전에 고착되였다.[1]

이밖에도 유사시에 수군으로 복무할수 있는 조졸(조운선승무원) 5 960명이 있었다.[2]

[1], [2] 《경국대전》권4 병전 번차도목 수군, 조졸

수군수의 증가는 함선수의 증가와 뗄수 없는 관계에 있다. 물론 수군가운데는 직접 함선을 타지 않고 륙상기지에서 복무하는 인원들도 있고 후방보장을 위한 성원들도 있다. 그러나 기본은 함선을 타고 거기에서 복무하는 군사들로 되여있다.

리조 초기에 와서 함선수는 그전에 비하여 현저히 늘어났다. 1408년에 각 도에 배치되여있던 함선(병선)수 428척으로는 부족하다 하여 185척을 더 만들어 모두 613척이 되게 하였다. 그 정형을 도별로 보면 표 2와 같다.

표 2

번호	도별	본래의 척수	새로 더 만들게 한 척수	합계	비고
1	경기좌우도	51	25	76(척)	
2	전라도	81	30	111	
3	경상도	137	50	187	
4	풍해도	26	20	46	
5	강원도	16	10	26	
6	충청도	47	30	77	
7	서북면	40	15	55	
8	동북면	30	5	35	
	계	428	185	613	

※ 《태종실록》권15 8년 3월 경오

이때 추가적으로 배정된 병선들은 그후 2~3년안으로 다 건조되였다.

613척가운데서 큰 배는 몇척이나 되였겠는지 잘 알수 없으나 1415년에 화통(화약무기)적재대상 병선수가 160여척이며 그것들은 대체로 대선, 중선에 해당한것으로* 보아 큰 배는 160여척정도이고 기타는 비교적 작은 함선들이였다고 인정된다.

* 《태종실록》권30 15년 7월 신해

그후 1430년대 초경의 함선수에 관한《세종실록》지리지와 1460년대의 함선수에 관한《경국대전》의 자료를 보면 표 3, 4와 같다.

표 3   《세종실록》지리지의 8도 함선수

번호	도별	함선의 종류												계
		병선	중대선	쾌선	맹선	중맹선	무군선	무중군대선	왜병선	추별왜맹별선선	별선	대선	중선	
1	경기	4	11	30	4		47		1					97
2	충청	92	6	4		18	4	6		8	4			142
3	경상	285												285
4	전라				14						40	8	103	165
5	황해	41												41
6	강원	17												17
7	평안	41												41
8	함길	41												41
	계	521	17	34	18	18	51	6	1	8	44	8	103	829

※ 맹선은 대, 중, 소맹선의 통칭이다.
　무군선들은 배는 만들어놓았으나 수군이 없어서 평상시에는 륙지에 보관하였다가 유사시에만 쓰게 된 함선이다.

《경국대전》의 규정에 의하면 대맹선의 승무원(수군)수는 1척당 80명, 중맹선은 60명, 소맹선은 30명씩이였다. 그러므로 대맹선 80척

표 4   《경국대전》병전 제도병선조의 함선수

번호	도별	함선의 종류						계
		대맹선	중맹선	소맹선	무군소맹선	무군중맹선	무군대맹선	
1	경기	16	20	14	7			57
2	충청	11	34	24	40			109
3	경상	20	66	105	75			266
4	전라	22	43	33	86			184
5	강원			14	2			16
6	황해	7	12	10	10			39
7	영안		2	12	9			23
8	평안	4	15	4	16	3	1	43
	계	80	192	216	245	3	1	737

에 6 400명, 중맹선 192척에 1만 1 520명, 소맹선 216척에 6 480명 계 2만 4 400명의 수군이 필요하며 2교대제로 두달에 한달씩 교대근무를 시키려면 총 4만 8 800명의 수군이 필요하였다. 이밖에 꼭 필요한 인원들까지 합하면 수군 총 병력수는 약 5만명으로 된다.

비상시－전시에 무군선에 타야 할 7 510명은 수군의 정군을 교대없이 근무하게 하거나 보인－봉족들까지 승무하게 할것을 타산하고있는것이다.

표 5 《경국대전》공전 주차(舟車)조에 보이는 배들의 크기의 기준

종류	척도	길이	너비
해선 (海船)	대선	42자(약 12.5m)	18자 9치(약 5.63m)
	중선	33자 6치(약 10m)	13자 6치(약 4m)
	소선	18자 9치(약 5.6m)	6자 3치(약 1.9m)
강선 (江船)	대선	50자(약 14.9m)	10자 3치(약 3.1m)
	중선	46자(약 13.7m)	9자(약 2.7m)
	소선	41자(약 12.2m)	8자(약 2.4m)

리조시기 함선의 종류와 크기는 앞의 표와 같이 규정되여있었다.

그런데 시간이 경과함에 따라 함선들은 점차 대형화되여갔다. 실례로 전선 1척에는 보통 100～120여명이 타게 되여있었고 많으면 300여명이나 태웠다.[1] 17세기의 판옥선에는 길이 73자(21.7m), 너비 25자(7.45m) 되는것도 있었다. 가장 큰 함선가운데는 길이 54.5m, 너비 12.7m, 깊이(높이) 10.9m나 되는것도 있었다. 거북선은 길이 64자 8치(약 19.3m), 앞너비 12자(약 3.6m), 중간너비 14자 5치(약 4.3m), 꼬리의 너비는 10자(약 3.2m)나 되였다.[2]

    [1], [2] 《증보문헌비고》권120 주사(100여명), 《선조실록》권206 39년 12월 무오(125명), 《조선중세군사기술연구》 과학백과사전종합출판사, 1988년, 341～342페지.

그렇지 않더라도 원래 대, 중, 소맹선의 승무원 정원수는 최소

한의 수자이고 실지 전투때에는 그보다 많은 인원수를 태우게 되여 있었다.

700~800척이나 되는 이 함선들이 제대로 정비되고 화약무기를 비롯한 각종 무기무장들로 장비되였으며 수군이 잘 훈련된 군인들이였다면 당시로서는 매우 강유력한 전투력을 가진 수군으로 되였을것이다.

2. 수군기지의 증설과 정비, 수군통솔 체계의 수립, 진관제의 실시

리조시기에는 수군기지가 증설되고 정비되였다.

리조시기 1419년 기해동정(쯔시마원정)이 있을 때까지 경상도 개운포, 서생포, 장생포, 염포(울주－울산), 감북포(경주), 장곶(남해현), 구라량(仇羅梁), 로량, 적량(진주), 영등포(거제) 등지에 만호들이 배치된 수군기지(영)들이 있었고 부산포, 냉이포(제포)에는 경상좌우도 도만호영들이 있었으며 번계(고성), 다대포(부산)에는 천호영이 있었다. 그리고 강원도에는 월송포(평해), 수산포(울진), 삼척포 등지에 만호영들이 있었고 전라도에는 검모포(무안), 장사포, 대굴포(무안), 진례량(進禮梁), 내례량(순천), 려도(呂島), 축두(築頭) 만호영들이 있었다. 동북면에는 두만강에 함선 10척을 새로 배비하고 경원땅에 만호부를 두었다. 다른 도들에도 황해도의 대곶량, 풍주량, 의주도 만호영, 평양 안주도 첨사영 등 여러개의 수군기지들이 있었다. 그리고 수군 천호, 만호, 도만호를 지휘통솔하는 체계도 점차 수립되여가고있었다.

즉 1399년에 각 도에는 수군 첨절제사, 절제사 또는 도절제사들이 파견되여있었다.[*1] 1404년에는 삼도 수군도지휘사를 두고 수군에 대한 통일적인 지휘를 보장하도록 하였다.[*2]

[*1] 《정종실록》권1 원년 정월 경인, 《태종실록》권6 3년 9월 갑진,

권11 6년 4월 신미, 권27 14년 4월 경술
*² 《태종실록》권7 4년 3월 갑인

 또한 해도(수군)찰방, 해도 경차관 등을 파견하여 륙군과 함께 수군의 함선, 장비품 준비정형, 군기제조정형을 검열하게 하였다. (《태종실록》권28 14년 8월 정미)
 수군에 대한 지휘통솔체계를 강화하기 위한 수단의 하나로서 각급 무관의 명칭을 벼슬등급에 따라 명확히 가르도록 하는 조치도 취하였다. 실례로 1413년에는 종전에 3품이상이면 만호, 4~6품이면 천호라고 부르던것을 새로 3품은 만호, 4품은 부만호, 5품은 천호, 6품은 부천호라고 부르기로 하였다.*

  * 《태종실록》권26 13년 7월 병술, 륙군만호와 구별할 필요가 있을 때에는 《수군만호》라고 구별하여 쓰기도 하였다.

 물론 《경국대전》에서 보는바와 같이 절제사, 도절제사 등이 없어지고 수군절도사, 병마절도사(륙군) 등 수, 륙군지휘관의 관직명칭이 고착되게 된것은 상당한 시간을 필요로 하였다. 전국의 11도 도절제사가 수군까지도 통솔한 일도 있었으며(1409년) 경상, 전라, 충청 3도의 수군도절제사를 없애고 병마도절제사가 겸임하게 한적도 있었다. (1410년) 그리고 1420년에는 하3도의 수군도절제사를 수군도안무처치사라고 개칭하였다. 그런가하면 경기좌우도 수군도절제사의 명칭은 그냥 남겨두기도 하는 등 통일성을 기하지 못한 때도 있었다.
 다소 규모가 큰 왜구의 침입이 있었던 1408년 같은 해에는 충청, 전라수군도체찰추포사, 경기병사 솔령 도체찰사, 조전(助戰)절제사 등 림시적성격을 띠는 지휘관들을 수많이 임명파견하였는데 그것은 고려말에 숱한 원수, 조전원수, 절제사 등을 보낸것과 비슷하였다.
 이러한 곡절이 있은 다음 《세종실록》지리지 편찬당시의 각 지방별 수군기지들의 배치상태를 보면 수군기지망의 설정 및 수군통솔체계의 정비가 기본적으로 끝나가고있었다는것을 알수 있다.

표 6 경기

번호	좌우도별	수군영진	소재지	병선수(계)	수군수 장번	수군수 번상
1	좌도	수군첨절제사(영진)	남양부 서-화지량	대선 3, 쾌선 10, 무군선 13 (26)	강화도 69	각 고을 1 597
2		영종포만호(진)	남양부 서	중대선 3, 맹선 1, 무군선 3 (7)		510
3		초지량만호	안산현 서-사곶	중대선 5, 무군선 4(9)	8	615
4		제물량만호	인천군 서-성창포	병선 4, 무군선 4(8)		510
5	우도	수군첨절제사영	교동현 서-응암량	쾌선 9, 맹선 3, 무군선 13, 왜별선 1(26)	교동 295	1 018
6		정포만호	강화부 서	쾌선 11, 무군선 10(21)	강화도 246	924
계				97	618	5 174

표 7 충청도

번호	수군영진	소재지	병선수	수군	선직
1	수군도안무처치사(영)	보령현 서-대회이포	중대선 6, 중맹선 18, 병선 4, 무군중대선 6, 추왜별병선 6(40)	1 766	114
2	좌도도만호	태안군 서-후근이포	병선 11, 추왜별선 2, 무군선 2(15)	1 400	
3	우도도만호	람포현-구정	병선 16, 별선 2, 무군선 1(19)	1 302	
4	서천포만호	장암포	병선 16 (16)	797	
5	고만량만호	보령현 서-송도포	병선 10(10)	661	
6	파치도만호	서산군 북-대산포 당진현	병선 13, 별선 2, 무군선 1(16)	790	
7	당진만호	북-박지포 신평현	병선 13 (13)	790	
8	대진만호	북-대진	병선 13 (13)	794	
계			142	8 300	114

표 8 경상도

번호	좌우도별	수군영진	소재지	병선수	수군수
1	좌도	수군도안무처치사(영)	동래—부산포	33	1 779
2		염포만호(도만호)	울산	7	502
3		서생포 만호	울산	20	767
4		축산포 만호	녕해	12	429
5		오포 만호	영덕	8	353
6		통양포 만호	홍해(지금은 두모적포)	8	218
7		포이포 만호	장포(지금은 가엄포)	8	589
8		감포 만호	경주	6	387
9		개운포 만호	울산	12	420
10		두모포 만호	기장	16	843
11		해운포	동래	7	589
12		다대포	동래	9	723
13	우도	수군도안무처치사(영)	거제 오아포 (1419년전에는 제포)	28	2 601
14		가배량도 만호	고성 (지금은 거제 옥포)	22	1 122
15		제포 만호	김해	9	882
16		영등포 만호	거제	8	700
17		견내량 만호	고성 (지금은 거제 옥포)	20	940 742
18		번계 만호	고성(지금은 당포)	15	722
19		구량량 만호	진주(지금은 고성사포)	16	748
20		적량 만호	진주(지금은 가을곶)	13	720
21		로량 만호	진주(지금은 평산포)	8	568
계				285	16 602

표 9 전라도

번호	좌우도	수군영진	소재지	병선수(계)	수군	초공
1	좌도	수군처치사 (영)	무안현 대굴포	대선 8, 중선 16 (24)	1 895	21
2		좌도 도만호	보성군 동려도량	중선 6, 맹선 12 (18)	1 012	19
3		내례 만호	순천부 남머포	중선 6, 별선 6(12)	766	6
4		돌산 만호	순천부 남롱문포	중선 8 (8)	518	4
5		축두 만호	고흥현 남고흥포	중선 6, 별선 2 (8)	512	4
6		록도 만호	장흥부 동록도량	중선 6, 별선 2 (8)	483	4
7		회령포 만호	장흥부 남주포	중선 4, 별선 4(8)	472	4
8		마도 만호	강진현 남원포	중선 8(8)	510	4
9		달량 만호	령암군 남달량	중선 7, 병선 2(9)	519	4
10		어란 만호	해진군 남삼촌포	중선 4(4)	480	4
11	우도	우도 도만호	함평현 서원곶	중선 8, 별선 10(18)	1 055	9
12		목포 만호	무안현 남목포	중선 6, 별선 2(8)	490	4
13		다경포 만호	무안현 서와포	중선 4, 별선 4(8)	479	4
14		법성포 만호	령광군 북법성포	중선 6, 별선 2(8)	493	4
15		검모포 만호	부안현 남웅연	중선 4, 별선 4(8)	455	4
16		군산 만호	옥구현 북진포	중선 4, 별선 4(8)	461	4
계				165	10 600	103

표 10 황해도

번호	수군영진	소재지	병선수	수군수
1	수군첨절제사(영)	옹진현 관량	9	516
2	롱매량 만호	지금은 해주 동쪽 피곶	6	411
3	순위량 만호	지금은 강령현 동10리 무지곶	7	500
4	대곶량 만호	장연현 남쪽 40리	6	502
5	아랑포 만호	장연현 서쪽 38리	4	400
6	풍천량 만호	풍천군 서쪽 10리 업청강	4	400
7	광암량 만호	은률현 서쪽 18리	5	510
계			41	3 239

표 11 강원도

번호	수군영진	소재지	병선수	수군수
1	월송포 만호(영)	평해 동쪽	1	70
2	속초포 만호(영)	양양 북쪽	3	210
3	강포구 만호(영)	고성 남쪽	3	196
4	삼척포 만호(영)	삼척 동쪽	4	245
5	수산포 만호(영)	울진 남쪽	3	210
6	련곡포 만호(영)	련곡현 동쪽	3	191
계			17	1 122

표 12 평안도

번호	수군영진	소재지	병선수	수군수
1	평안도 수군 첨절제사(영)	삼화 범도포	11	1 000
2	안주도 수군 첨절제사(영)	안주 로근강	15	1 380
3	의주군 수군 첨절제사(영)	선천 선사포	15	1 100
계			41	3480

표 13 함길도

번호	수군영진	소재지	병선수	수군수
1	랑성포 수군만호(관하) 랑성포	안변부	9	330
2	수군만호(관하) 조지포	룡진현	5	120
3	수군만호(관하) 림성포	영평부	7	202
4	도안포 수군만호(관하) 도안포	예원군	16	350
5	수군만호(관하) 장자지	경성부*	4	67
계			41	1 069

* 장자지는 함길도 총론부분에는 북청부에 있는것으로 되여있으나 실지로는 경성부에 있었다.

《세종실록》 지리지 (대체로 1440년대 까지의 변동을 반영하고있다.)에서도 수군첨절제사(첨사) - 만호 또는 수군 도안무처치사 - 도만호 - 만호의 지휘체계가 서있으나 아직 일원화되지는 못하고있었다. 그리고 관찰사와의 관계도 명백치 않다.

그러나 여기에서 보는바와 같은 체계로 되기까지에는 일련의 정리사업-진의 위치변경, 그 장관의 명칭변경, 소속 병선수의 증감 등 보다 합리적인 사업체계와 방어대책을 세우기 위한 모색의 과정이 있었다.

실례로 진의 위치는 적선이 나타났을 때 제때에 대응책을 취하기 좋은 위치를 선정하는것을 원칙으로 하였다. 그러자면 적선이 드나드는 길목에 있으면서도 아군의 함선들을 은폐할수 있고 또 밀물과 썰물의 차가 심한 곳에서는 인차 함선을 바다에 띄워내보낼수 있는 위치에 있어야 하였다. 그리고 수군 진영간의 련계와 후방물자의 보급이 편리한 곳이라야 하였다. 해안지대의 지형, 간석지의 형성, 흙모래의 퇴적은 시기마다 달라질수 있었다. 어제날까지는 좋은 항구였다가도 오늘에 와서는 불편하고 쓸모없는 곳으로 될수도 있고 그 반대로 될수도 있다. 그렇기때문에 력대로 항구-수군기지는 흔히 여러번 그 위치를 바꾸게 되였다.

실례로 충청도의 대산포(서산군 대산곶) 만호영은 함선의 정박에 불편하게 되여 1428년에 20여리 남쪽의 파지포(파치도)로 배들을 옮겼는데 그때로부터 파치도만호영으로 부르게 되였다.*¹ 또 1408년에 전라도 검모포를 장사(고현)포로, 옥구에 있던 수군처치사영의 병선은 무안현 대굴포로 옮겼고 후자는 다시 1432년에 목포로 옮겼으며 이와 관련하여 목포만호산하의 병선은 주량으로 옮기고 천호로 고쳐졌다. 주량의 병선은 1438년에 남도포(진도)로 옮겨지고 남도포만호가 관리하게 하였다.*²

풍해도(황해도)에서는 1420년에 반니량의 병선 2척을 룡매량에 넘겨주고 반니량만호는 폐지하였고 1429년에는 광암량만호가 웅도로 지점을 옮겼으며 1439년에는 장연의 대곶량의 병선들은 별서강으로, 옹진관량(본영)의 병선은 소강으로 옮겼으며*³ 1445년에 평양도 수영을 호도(범도)에서 광량포로, 의주도 수영은 선사포에서 서락포로 옮겼다.*⁴

경상도에서는 1411년에 신당포만호를 폐지하고 그 병선은 냉이포만호가 관할하게 하였고 번계천호(고성군 하서면)는 폐지하고 가배량만호가 그 병선을 함께 관할하기로 하였다. 1417년에는 다대포에 만호를 파견하고 염포(울산)만호를 새로 두었으며 1426년에는 염포에 도만호를 두고 서생포의 병선가운데 3척을 더 넘겨받도록 하였

다. 또 1438년에 구량(쿠)량의 병선들을 사량에 옮기고 사량만호라고 부르기로 하였다.*⁵

동북면(함길도)과 강원도에서는 1399년에 한때 전국적으로 수군병력을 축감하는 조치에 따라 선군을 페지한 일도 있었으나 그것은 반년도 못되여 다시 복구하기로 하였다. 1411년에는 왜구의 침공이 없다하여 동북면의 수군 만호, 천호는 민관(고을원)이 겸하게 하고 선군들도 일단 집으로 돌아가게 하였으나 1422년에는 안변 랑성포, 룡진 조지포, 정평 미진포, 북청 자외포, 길주 다신포 등에 병선들을 두고 민관겸임제를 없애고 두 포구(진)에 만호 한사람씩 두기로 하였다. 1426년에는 미진포의 병선들을 도안포(예원군)로 옮겼으며 1449년에는 진명포(원산)의 병선들을 랑성포에, 림성포의 병선들을 조지포에 옮겨두도록 하였다.*⁶

1419년에 강원도 월송포, 수산포 만호의 겸임제도를 없앴고 삼척진 첨사도 겸임이 아닌 전임첨사를 보내기로 하였다.*⁷

 *¹ 《세종실록》권39 10년 정월 정해
 *² 《태종실록》권16 8년 9월 임술, 《세종실록》권58 14년 10월 을사, 권80 20년 정월 을미
 *³ 《세종실록》권7 2년 윤정월 병신, 권44 11년 6월 신사, 권86 21년 7월 갑인
 *⁴ 《세종실록》권108 27년 5월 임진
 *⁵ 《태종실록》권22 11년 7월 무자, 권34 17년 8월 계묘, 10월 갑진, 《세종실록》권32 8년 4월 무진, 권83 20년 10월 임자
 *⁶ 《정종실록》권1 원년 3월 갑신, 권2 원년 9월 정축, 《태종실록》권22 11년 12월 정유, 《세종실록》권15 4년 2월 무술, 권33 8년 9월 병오, 권125 31년 9월 정미
 *⁷ 《세종실록》권5 원년 8월 계유

이밖에도 적지 않은 변동들이 있었으며 그중에는 실록에 기록되지 않은것들도 있다. 이렇게 수군기지들을 페지, 이동, 신설, 승격, 강격시키거나 병선이 돌아다니면서 순찰임무를 수행하게 하거나 일정한 바다초소들에 나가 경계근무를 서게 한것은 다 왜구의 준동이

심한가 덜한가에 따라서 변동되였다.

　수군의 지휘통솔체계를 통일적으로 합리적으로 정비하고 일정한 방어수역(신지)을 분담시켜 그 수역안에서 일어난 왜구침습사건 등은 해당 진영들에서 책임지고 처리, 격파하도록 한 진관제가 완전히 성립된것은 1457년이였으며 그것은 《경국대전》 병전에 법적으로 고착되였다. 진관제는 륙군에서는 병사진을 주진으로 하고 그아래 전국적으로 총 5개의 거진과 고을별로 되는 제진을 두는 방법으로 조직되였다. 수군의 진관제도 이 시기까지에 확립되였는데 수군진들은 그것들을 묶어서 군관구들을 형성하였고 후에는 몇개의 고을의 지방무력이 수영에 소속되는 형식으로 보장되였다.

　진관제에 의하면 도별로 1~3명의 수군절도사(정3품)가 있고 (그중 하나는 관찰사 겸임, 일부는 병마절도사 겸임) 그 보좌성원으로서 수군우후(정4품)가 경상, 전라도에 한하여 있었다. 수군절도사(략칭 수사)가 주재하는 진영(수사영)을 주진(主鎭)이라고 하였다. 수사아래에는 수군첨절제사(략칭 첨사 종4품) 1~3명이 있고 그 주재 진영(첨사영)을 거진(巨鎭)이라고 하였다. 첨사아래에는 수군 만호(종4품)가 있고 만호가 주재하는 진영(만호영)과 그 이하의 진영 보루들을 제진(諸鎭)이라고 하였다. *

> ＊ 후에 동첨절제사(종4품), 별장(別將 종9품), 권관(權官 종9품)진 등이 더 설치된다. 이들이 주재하는 진영은 별장진(영), 권관진(영)이라고 하였다.

　이들 진영의 책임을 진 무관들에게는 2~5명씩의 보조성원인 군관(무과합격자 등)들이 있었다.

　전라도의 제주도는 특수한 사정으로 하여 제주진 병마수군절제사(종3품)가 따로 있었고 수군도 공사의 배 5~6척으로 1대를 뭇고[1] 몇개의 대들이 9개의 방호소들마다에 각각 소속되여있었다.[2] 이것은 수전과 륙전을 겸해서 하기마련인 제주도의 특성에서 그렇게 한 것이였다.

　　　＊[1], ＊[2] 《세종실록》 권84 21년 윤2월 임오, 권93 23년 7월 임자

　《경국대전》 병전 외관직조와 제도 병선조에 보이는 수군진관별 병선배치정형을 보면 표 14~21과 같다.

표 14 **경기**

번호	수군진 영구분	진영명 및 소재지 (현지명)	대맹선	중맹선	소맹선	무대군맹선	무중군맹선	무소군맹선	계	비고
1	주진 (수사진)	화지량[남양] (경기도 화성시 송산면)	6	7	4			1	18	
2	거진 (첨사진)	월곶(진)[강화] (강화군 송해면 월곶)	3	6	2			1	12	
3	제진 (만호진)	영종포[인천] [옹진군 (남)영종면 운남리]	1	2	2			1	6	
4		초지량[안산] (시흥시 군자면 고진)	2	1	3			1	7	
5		정포[강화] (강화군 내가면 고천리)	2	3	2			2	9	
6		교동량[교동] (강화군 교동면)	2	1	1			1	5	
계			16	20	14			7	57	

표 15 **충청도**

번호	수군 진영 구분	진영명 및 소재지 (현지명)	대맹선	중맹선	소맹선	무대군맹선	무중군맹선	무소군맹선	계	비고
1	주진(수사진)	대회이포[보령] (충남 보령시 보령면)	4	8	10			10	32	
2	거진	소근포(진)[태안] (서산시 소원면 소근)	2	6	3			8	19	
3	제진	당진포[당진](당진군 석촌면 당진포)	2	7	3			4	16	
4	제진	파지도[서산] (서산시 대산면)	1	3	3			3	10	
5	거진	마량(진)[람포] (보령시 웅천면)	1	6	4			10	21	
6	제진	서천포[서천] (서천군 서천면)	1	4	1			5	11	
계			11	34	24			40	109	

표 16 경상도

번호	수군진영구분	진영명 및 소재지 (현지명)	대맹선	중맹선	소맹선	무대군맹선	무중군맹선	무소군맹선	계	비고
1	좌도주진(수사진)	개운포[울산](울산시 울주군 청량면)	2	7	6			2	17	
2	우도주진(수사진)	가배량[거제](거제시 동부면)	2	11	8			10	31	
3	(좌도)거진(첨사진)	부산포(진)[동래](부산시 동구)	1	3	5			1	10	
4	제진(만호진)	두모포[기장](량산시 일광면)	1	3	3			1	8	
5	제진(만호진)	감포[경주](경주시 양남면)			6			1	7	
6	제진(만호진)	해운포[동래](부산시 동래구)	1	1	4				7	
7	제진(만호진)	칠포[흥해](포항시 의창면 칠포)			4			1	5	
8	제진(만호진)	포이포[장기](포항시 지행면)		1	6			1	8	
9	제진(만호진)	오포[영덕](영덕군 강구면 오포)			4			1	5	
10	제진(만호진)	서생포[울산](량산시 서생면)	1	1	4			1	7	
11	제진(만호진)	다대포[동래](부산시 서구)	1	2	6			1	10	
12	제진(만호진)	염포[울산](울산시 염포)	1	4	5			2	12	

표계속

번호	수군진영구분	진영명 및 소재지 (현지명)	대맹선	중맹선	소맹선	무대맹선	무중군맹선	무소군맹선	계	비고
13	제진(만호진)	축산포[녕해](영덕군 축산면 축산포)			6			1	7	
14	(우도)거진 (첨사진)	제 포(진)[웅천] (진해시 웅천)	1	5	5			5	16	
15	제진(만호진)	옥 포[거제](거제시 장승포읍)	1	5	4			6	16	
16	제진(만호진)	평산포[남해](남해군 남면)	1	3	3			6	13	
17	제진(만호진)	지세포[거제](거제시 일운면)	1	4	7			5	17	
18	제진(만호진)	영등포[거제](거제시 장목면)	1	3	3			6	13	
19	제진(만호진)	사 량[고성](통영시 사량면)	1	2	4			5	12	
20	제진(만호진)	당 포[고성](통영시 일운면)	1	4	3			5	13	
21	제진(만호진)	조라포[거제](거제시 일운면)	1	2	3			3	9	
22	제진(만호진)	적 량[진주](남해군 창선면)	1	3	3			6	13	
23	제진(만호진)	안골포[웅천](창원시 웅동면)	1	2	3			4	10	
계			20	66	105			75	266	

표 17 전라도

번호	수군진영구분	진영명 및 소재지 (현지명)	대맹선	중맹선	소맹선	무대군맹선	무중군맹선	무소군맹선	계	비고
1	좌도주진 (수사진)	[순천](려수시)	2	6	1			7	16	
2	우도주진 (수사진)	[해남](해남군 문내면)	3	4	2			9	18	
3	(좌도)거진 (첨사진)	사도(진)[홍양](고흥군 포두면)	1	4	2			8	15	
4	제진(만호진)	회령포[장흥](장흥군 관산면)	1	1	2			4	8	
5	제진(만호진)	달 량[해남](해남군 송지면)	1	2	1			3	7	
6	제진(만호진)	려 도[홍양](고흥군 과역면)	1	1	2			3	7	
7	제진(만호진)	마 도[장흥](장흥군 대덕면)	1	2	1			4	8	
8	제진(만호진)	록 도[홍양](고흥군 도양읍)	1	2	3			3	9	
9	제진(만호진)	발포[홍양](고흥군 도화면)	1	3	3			4	11	
10	제진(만호진)	돌산포[순천](려수시 돌산면)	1	2	1			3	7	
11	(우도)거진 (첨사진)	림치도(진)[함평](무안군 해제면)	1	3	2			3	9	
12	제진(만호진)	검모포[부안](부안군 산내면)	1	1	2			4	8	
13	제진(만호진)	법성포[령광](령광군 법성면)	1	2	1			2	6	
14	제진(만호진)	다경포[령광](무안군 망운면)	1	1	1			2	5	

표계속

번호	수군진영구분	진영명 및 소재지 (현지명)	대맹선	중맹선	소맹선	무대군맹선	무중군맹선	무소군맹선	계	비고
15	제진(만호진)	목포[무안](목포시)	1	1	1			3	6	
16	제진(만호진)	어란포[령암](해남군 송지면)	1	1	2			8	12	
17	제진(만호진)	군산포[옥구](군산시)	1	2	1			4	8	
18	제진(만호진)	남도포[진도](진도군 림회면)	1	3	4			4	12	
19	제진(만호진)	금갑도[진도](진도군 내귀면)	1	2	1			8	12	
계			22	43	33			86	184	

표 18 황해도

번호	수군진영구분	진영명 및 소재지 (현지명)	대맹선	중맹선	소맹선	무대군맹선	무중군맹선	무소군맹선	계	비고
1	거진(첨사진)	소강(진)[옹진] (옹진군 런봉리)	1	2	2			2	7	
2	제진(만호진)	광암량 [은률] (은률군 삼리)	1	2				2	5	
3	제진(만호진)	아랑포 [장연] (장연군 백촌리)	1	1	2			1	5	
4	제진(만호진)	오차포[장연] (룡연군 오차진리)	1	2	2			1	6	
5	제진(만호진)	허사포[풍천] (과일군 월사리)	1	1	2			1	5	
6	제진(만호진)	가을포[강령](강령군 부포로동자구)	1	2	2			1	6	
7	제진(만호진)	룡매량[해주] (청단군 연산리)	1	2				2	5	
계			7	12	10			10	39	

표 19 **강원도**

번호	수군진 영구분	진영명 및 소재지 (현지명)	대맹선	중맹선	소맹선	무대군맹선	무중군맹선	무소군맹선	계	비고
1	거진 (첨사진)	삼척포(진)[삼척] (삼척시)			4				4	
2	제진 (만호진)	안인포[강릉] (강릉시 강동면)			2				2	
3	제진 (만호진)	고성포[고성] (고성군 구읍리)			3				3	
4	제진 (만호진)	울진포[울진] (울산시 울진군 읍)			3			2	5	
5	제진 (만호진)	월송포[평해](울진군 평해면 평해리)			2				2	
계					14			2	16	

표 20 **영안도**

번호	수군진영 구분	진영명 및 소재지 (현지명)	대맹선	중맹선	소맹선	무대군맹선	무중군맹선	무소군맹선	계	비고
1	(남도)제진 만호진	랑성포[안변] (안변군 월랑리)			8			4	12	
2	(남도)제진 만호진	도안포[예원] (정평군 복흥리)		2	2			4	8	
3	(북도)제진 만호진	조산포[경흥] (라선시 조산리)			2			1	3	
계				2	12			9	23	

표 21 평안도

번호	수군진영 구분	진영명 및 소재지 (현 지명)	대맹선	중맹선	소맹선	무대군맹선	무중군맹선	무소군맹선	계	비고
1	거진 (첨사진)	선사포(진)[선천] (선천군 고현리)	1	5	1			7	14	
2	거진 (첨사진)	로강(진)[안주] (문덕군 서호리)	1	5	2	1	3	4	16	
3	거진 (첨사진)	광량(진)[삼화] (남포시 와우도구역 령남리)	2	5	1			5	13	
계			4	15	4	1	3	16	43	
8도 총계			80	192	216	1	3	245	737	

※ 진들은 몇개의 촌 또는 한두개의 면을 자기의 직속지로 가지고있었다. 흉년에 진행하는 진휼 – 진대도 진직속지 주민들에 대해서는 진이 책임지고 진행하게 되여있었다. 그러므로 진직속지역은 린접한 고을들과는 일단 소속관계가 없었던것으로 볼수 있다. 진상공물도 진을 단위로 진행되였다. 그러나 전세의 징수, 호적작성 등도 진이 다 맡아서 하였는지는 명백하지 않다.

《경국대전》의 수군 진관관계기사들과 《세종실록》지리지의 그것을 대비해보면 그사이에 상당히 큰 변화가 일어났던 사실을 알수 있다.

우선 그전에 경기, 충청, 경상, 전라 등의 여러 도들에 수군도안무처치사, 처치사, 첨절제사 등 각이한 관직명으로 도급 지휘관이 파견되였다면 그것들이 다 수군절도사의 이름으로 통일되였고 경상, 충청, 전라도들에 있었던 좌우 도만호가 없어진 대신에 첨절제사(첨사)를 두게 되였다.

다음으로 수군 진영의 합리적배치문제가 계속 론의되고 일부 실현에 옮겨져서 충청도의 고만량(보령시 오천면)만호와 대진(당진군 송악면 한진리)만호가 없어지고 마량첨사진이 새로 생겨났다. 경상도에서는 통양포(경상북도 포항), 견내량(경상남도 고성군 룡남면), 번계(고성군 하이면, 1411년에 일단 페지되였던것인데 그후 다시 생긴것), 구량(라)량(삼천포), 료양(하동군 금남면)만호영들이 없어지고 평산포, 사량, 당포, 조라포, 안골포 진영들이 새로 설치되였다. 전라도에서는 무안현 대굴포(무안군 무안면)에 있던 수군처치사영이 목포를 거쳐 해남현 명량해협 북안으로 옮겨져서 전라우수영이 되였고 내례(순천)만호영이 페지되고 그곳에 전라좌수영이 설치되였으며 축두(고흥현)만호영이 없어지고 남도포 금갑도(이상 진도군)에 진영들이 생겨났고 우도 도만호가 있던 함평현 원곶(부안군 해제면)부근에는 림치도 첨사영이 설치되였다.

황해도에서는 옹진현 관량(옹진군 본영리)에 있던 첨사영이 소강진으로 이동되고 순위량(강령군 순위도), 대곶량(장연 서남 40리), 풍천량 [과일군 서쪽 10리 (업청강)]만호들이 페지되고 그 대신 가을포(강령군 무포), 허사포 만호영들이 신설되였다. 강원도에서도 삼척포 만호가 첨사로 승격되고 속초포(속초시), 련곡포(강릉시 련곡면)만호영들이 페지되고 안인포만호가 신설되였으며 수산포는 울진포로 개칭되였다.

함길도(영안도)에서는 조지포(룡진현, 지금의 원산시 죽산리), 림성포(영평부), 장자지(경성)의 수군기지들이 페지되고 조산포(권관진)가 신설된것을 볼수 있다.

진관제에 의한 방어책임분담제는 해당 진영소속 진영들의 책임성을 높이는데는 유리한 점도 있었으나 린접과의 협동동작이 잘되지 않을수 있는 결함이 있었다. 게다가 그후 봉건통치배들의 해상방어에 대한 관심이 저하되고 군사들에 대한 억압과 착취가 강화되고 규률과 질서가 해이되자 그 실효성이 매우 적은것으로 되였다. 그리하여 1510년 삼포왜란, 1555년 을묘왜변 당시에 집중적으로 표현된바와 같이 자기의 기능을 제대로 놀지 못하게 되였다.

을묘왜변이후 제주 목사 김수문의 제의에 의하여 전라도의 각 고을 군병들을 림시적으로 파견된 순변사, 방어사, 조방장, 도원수, 원수들과 해당 도의 병사, 수사 등에게 소속시키는 분군법(分軍法-이것을 《제승방략》이라고 하였다.)을 적용하게 되였고 그것은 그후 각 도에 확대 적용하게 되였다. 그리하여 진관법은 륙군의 경우 허울만 남게 되였다.

한편 1510년 삼포왜란을 계기로 성곽시설이 없던 수군기지들에 성곽들을 쌓음으로써 함대가 어디 가고 없거나 해상전투에서 실패한 경우에도 적이 상륙, 공격할 때 진영-기지들을 고수할수 있게 하였다.

《증보문헌비고》여지고 해방 및 성곽조기록에 의하여 이 시기에 새로 쌓아진 수군진영 방위시설로서의 성들을 보면 표22와 같다.

표 22 15세기말엽~16세기초엽 수군기지들에서의 축성정형 (단위 : 자)

축성년대	수군기지명	축성 재료	성의 길이	성의 높이	비고
1488(성종19)	당포 만호진(고성)	돌	1 445	13	
	돌산도 만호진	돌	2 313	13	
	옥포 만호진	돌	1 074	13	
1498(연산4)	장군도(전라좌수영 앞)	돌			
1500(연산6)	오양포(거제서쪽 34리)	돌	2 150		
1510(중종5)	칠포 만호진	돌	1 153		
	두모포 만호진	돌	1 010		
	마량 첨사진	돌	1 371	9	
	충청수사영(보령)	돌	3 174	11	
1514(중종9)	해운포 만호진	돌	1 036		
	법성포	돌	188	12	조창방어용
	서천포 만호진	돌	1 311	9	
	소근포 첨사진	돌	2 165	11	
	당포 폐진성(당진)	돌	1 340		당진포 만호진 성인듯
1515(중종10)	다경포 만호진	돌	980	12	
1520(중종15)	대진포(양양) 만호진	돌	1 469	12	1487년에 안인포 만호진이 이곳으로 이동
	삼척포 첨사진	돌	900	8	
1521(중종16)	가리포 첨사진	돌	5 400 (321)	11	1522년에 완도에 새로 설치
	백석포(흥양)	돌	1 611	6	장성의 일부(?)
1522(중종17)	울진(고현)포	돌	750	6	
	미조항 첨사진	돌	2 146	6	1506년에 첨사진 설치
	상주포 권관진	돌	985		1522년에 남해 성고 개보에서 이동해옴

※ 이밖에도 년대가 밝혀지지 않았으나 이 시기에 쌓은 성들이 여러개 있었다고 인정된다.

수군기지들에 성을 쌓은것은 좋은 측면도 있었으나 그후부터 첨사, 만호 등이 이전과는 달리 성안에 들어박혀 해안방어를 소홀히 하는 경향을 발로시켰다.(《중종실록》 권99 37년 8월 임진)

16세기말 임진조국전쟁이 일어나기 전에도 수군기지의 배치에서는 다소간의 변동이 있었다.

이 기간에 있었던 중요한 변화로서는 우선 1556년에 경기수사를 따로 임명하고 남양부 화량(화지량)에 수사영(수영)을 꾸리도록 한것을 들수 있다. 이것은 1555년 을묘왜변의 경험에 비추어 수도방위를 강화할 목적으로 그렇게 한것이였다. *

* 《명종실록》 권20 11년 정월 갑자
《경국대전》에도 경기수사가 있는데 이때에 와서 새로 경기수사를 두었다는것은 전임관리를 둔것을 의미하는것일수 있다.

다음으로 첨사진의 설치, 변동정형을 보면 1506년에 남해도에 미조항첨사진을 새로 두었고 1538년 이전에 돌산도에 방답첨사진을 두었는데 이것은 이미 있던 돌산도 만호진을 승격시킨것으로 볼수 있다. 1522년에는 후기신라때 청해진이 있었던 완도에 가리포 첨사진을 두었다.(《증보문헌비고》 권32 해방 2, 《중종실록》 권88 33년 9월 기해)

1544년에는 가덕도에 가덕첨사진과 천성포만호진을 둠으로써 동남해방어를 한층더 강화하였다.(《중종실록》 권103 39년 6월 기묘)

1522년에는 남해도에 곡포(曲浦)권관진을 신설하였다. 그보다 앞선 1487년에는 강릉 안인포 만호진을 양양 대포진으로 옮기였다. 이상의 변동들은 주로 그때그때의 왜구의 침입동향과 관련하여 취해진 조치였다.

그밖에도 1523년에 황해도 풍천 비파곶과 장련현 대진관에 각각 권관진을 두었는데 이것은 당시 일부 상인들이 국가 금령을 무릅쓰고 명나라와의 사무역을 진행하고있던 현상을 막기 위한 조치였다. (《증보문헌비고》 권31 해방 1, 권32 해방 2, 권34 해방 4)

진관제의 실시과정에 비록 큰 결함이 나타났으나 그것은 제도자체가 나빠서가 아니라 그것을 쓸모있게 운영하기 위한 관료통치배들의 노력이 없었기때문이였다.

진관제는 륙군의 경우에는 제승방략에 의한 방어법의 적용으로 말미암아 전혀 쓸모없는것으로 되고말았으나 수군의 경우에는 자기의 기능을 계속 유지할수 있게 되여있었다. 즉 수군에 대한 지휘는 수도나 다른 도에서 파견되여오는 고위급지휘관이라 하더라도 해전의 경험도 배타는 능력도 없는자들이 절대다수를 차지하고있었던것만큼 어차피 함선을 타고 지휘, 통솔할래야 할수도 없었기때문에 함대지휘는 수군절도사, 수군첨절제사, 수군 만호, 수군 권관을 비롯한 수군 군직을 가진자들이 맡아야 하였다. 그러므로 수군의 진관제는 헝클어지지 않고있었다.

게다가 분군법실시이후 연해지방의 일부 고을이 수사의 전투지휘를 받게 되였으며 따라서 연해지방 일부 고을원들의 통솔지휘밑에 있는 군대는 수군위주로 되였다.

임진조국전쟁 당시 전라 수사였던 리순신장군이 순천부사, 락안군수, 보성군수, 흥양현감, 광양현감 등을 자기 휘하의 수군지휘관으로 삼았던 사실은 이러한 리유에 근거한것이였다.

1555년 을묘왜란이후 봉건정부는 풍덕군(개성시 서남부)에도 전선을 만들어두게 하였는데 그것은 유사시에 쓸 예비함선을 마련하자는데 목적이 있었다.* 이러한 사실과 함께 《속대전》(병전 제도 병선)에 의하면 수많은 연해고을들이 자기의 함선들을 따로 가지고있었는데 이 사실로 미루어보면 을묘왜변이후에 풍덕군이외의 연해고을들의 일부에도 예비함선 또는 한두척의 현역함선의 관리를 맡기였을수 있다. 그렇게 하여야 수영소속 연해고을들이 자기 배를 가지고 훈련도 하고 실전에도 참가할수 있었을것이다.

* 《명종실록》 권32 21년 4월 무인

물론 수영속읍이 생겼다고 하여 원래부터 수군군정을 내던 산간군주민들의 수군군역담당자들이 달라진것도 아니고 연해고을에 있던 륙군군역분담자들이 달라진것도 아니였으나 어쨌든 고을원들이 함선을 타야 하였던만큼 그 직속부대들은 더 말할것도 없고 자기 산하 수군 군정의 징발에 대해서는 보다 많은 주의를 돌리게 되였으며 또 군사훈련도 수군훈련을 하였으므로 그만큼 수전에 더 익숙하게 된 것이였다.

그러므로 군사제도가 적지 않게 해이되였지만 수군은 그 지휘관이 유능한 경우 독자적으로 전투임무를 수행할수 있었던것이다. 이러한 의미에서 수군의 경우 진관제의 실시와 유지는 국방상 중요한 의의를 가지는것이였다.

3. 함선건조와 무기, 장비류의 개선

리조봉건정부는 국방력을 강화하기 위하여 군사통솔체계를 새로 편성하는 한편 함선들을 많이 무어내고 그 질적구성을 개량하며 우수한 성능을 가진 새 류형의 함선들을 건조하도록 하였으며 또 화포를 비롯한 각종 무기들도 많이 생산하면서 새형의 무기들을 발명제작하도록 하는데도 깊은 주의를 돌리였다.

우리 인민은 15세기에 함선건조와 무기제조에서 뛰여난 재능을 발휘함으로써 새로운 전진을 이룩하였다.

리조 초기 배무이장공인들의 기술은 고려시기의 우수한 전통을 이어받았던만큼 그 수준이 매우 높았다.

리조 초기에 봉건국가는 사수감, 사수색(1432년), 수성전선색(1436년) 등 전문관청을 두고 많은 배를 무어내게 하였다.

1393년에 벌써 고려말에 수군지휘관으로 활동하였던 박위를 각 도에 보내여 전함을 만들게 하였고 1395년, 1398년에는 경기 좌도, 충청도에 관리를 보내여 병선들과 그 무장장비들을 검열하게 하였다. (《태조실록》 권4 2년 7월 무신, 권7 4년 4월 정사, 권14 7년 윤5월 신묘)

함선건조사업이 강하게 추진된 결과 15세기에는 대체로 700~800여척이였으며 그중 승무할 군사가 없는 함선들도 약 250척이나 되는 형편이였다.

리조 초기 함선건조에서는 왜구함선들을 격파하는데서 큰 힘을 나타낸 대형함선들을 더 많이 건조하는 한편 그 속도를 높이며 안전성을 강화하기 위한 노력을 기울이였다. 또한 작고 빠른 배들을 무어내여 큰 배와 배합하여 전투임무를 보다 원만히 수행할수 있도록 하기 위한 여러가지 기술실무적방도들이 강구되였다.

15~16세기에 쓰이던 함선들의 이름으로는 맹선(대, 중, 소), 병선, 대선, 중선, 중대선, 소선, 별선, 검선, 쾌선, 별쾌선, 추왜별선, 왜별선, 전함, 전선, 방선, 박배선, 방패선, 판옥선, 구선, 협선, 사후선, 탐선, 비거도선(거도선), 포작선, 삼판선, 급수선 등이 있었다.

화포를 장비할수 있으리만큼 큰 배는 중맹선, 탐선급이상의 전투용함선들이였다. 그것은 배가 너무 작으면 화포의 반충작용을 견디여내지 못하기때문이였다.

리조시기 함선들의 그림을 보면 전선에는 다락시설이 있는것과 없는것이 있었다. 전선은 수상전투에서 함대의 주력으로 되는 큰 배로서 통나무와 두터운 판자로써 견고하고 크고 높게 만든 배였다.

전선은 상장(갑판우의 시설, 웃설미)을 설치하면 군함으로 쓸수 있고 상장을 떼내면 조선(조운선)으로 리용할수도 있는 배였다. 그러므로 처음에는 두가지 용도로 쓸수 있게 설계제작하기도 하였으며 그 이름도 《병조선》(兵漕船)이라고 불렀다.[*1]

전선의 일종으로서 판옥선이 있었다. 판옥선이란 말은 16세기경부터 쓰이게 되였는데 전선-대맹선보다는 큰 규격으로 만든것으로서 선체의 웃부분이 3층 판옥(판자로 무은 집)으로 되고 그옆에는 창문들이 설치되여 한꺼번에 여러개의 총포를 쏠수 있게 만든것이다.[*2] 배전의 둘레에는 두터운 방패들을 세워 화살이나 총알이 날아와도 뚫지 못하게 되여있었다. 판옥선은 승무원수가 125~310명이나 되는 크고 견고한 함선으로서[*3] 그자체가 하나의 《엄연한 성보》와 같았다.[*4]

[*1] 《만기요람》 군정편 4 주사 세조 을유, 《세조실록》 권26 7년 10월 무진

[*2] 《증보문헌비고》 권120 병고 주사

[*3] 《선조실록》 권85 30년 2월 갑신조에는 전선 1척에 노군 150명, 사수 100명, 포수 60명 계 310명이 탄다고 하였다. 또 우와 같은 책

권206 39년 12월 무오조에는 125명이 탄다고 하였다. 《수영지》에 의하면 장자 제1호 전선은 270명, 장자 제2호 전선은 218명이 탔다.

*4 《증보문헌비고》 권120 병고 주사

전선, 판옥선은 크고 견고하면서도 노와 돛을 배합한 대형 다층 목조 구조선으로서 배머리는 예각으로 되지 않고 넙적하게 되여있었지만 돛배로서의 속력을 일정하게 보장할수도 있고 적선과의 접현전에서 매우 위력이 있는 배였다. 그리하여 당시 일본수군의 선박보다 속도는 좀 떨어졌지만 비할바없이 강하였으며 한번 부딪치기만 하여도 적선 2~3개를 깨뜨릴수 있었다. (《선조실록》 권82 29년 11월 기해)

병선, 별선, 추왜별선, 조맹선이나 협선 등은 주로 적선을 추격할 때에 쓰는 비교적 작으면서도 전투력이 강한 함선들이였다고 인정된다.

삼판선은 작은 배로서 전함에 싣고다니다가 왜의 해적선을 추격할 때 리용하는 배였다. (《세종실록》 권6 원년 12월 신미)

급수선(박배선)은 물을 긷는데 쓰는 작은 배이고 사후선, 탐선은 정찰용함선이였으며 비거도선(쾌선)은 속도가 빠른 작은 추격용함선으로서 리조 초기이후 많이 제작리용되였다.

리조 함선으로서 가장 특색이 있고 위력이 있는 함선은 거북선(구선)이였다.

거북선의 원형은 리조초에 이미 창조되였다. 1413년에 왕이하 고위관리들이 림진강에서 거북선과 왜선이 싸우는 정형을 보았으며 1415년에는 좌대언 탁신이 거북선은 많은 적과 맞다들어도 적이 해칠수 없으니 승부를 결정하는데서 그와 같은 좋은 방책이 없다, 다시 견고하고 정교하게 만들도록 하자고 제기한바 있었다. (《태종실록》 권25 13년 2월 갑인, 권30 15년 7월 신해)

1580년에 발포수군만호로 된 일이 있고 1591년에 전라좌수사로 임명된 리순신장군은 일본해적들의 침범을 예견하고 전투용함선들을 개조하는데 깊은 관심을 돌렸으며 이미 있던 전선-판옥선을 개조하여 거북선을 다시 만들어냈다.

거북선은 두터운 판자로 덮고 그우에 +자로 된 작은 길을 내여 사람이 다닐수 있게 했을뿐 나머지는 다 송곳을 빈틈없이 꽂아두고 그우에 다시 갈대로 자리를 엮어 덮음으로써 적들이 알수 없도록 위장하였다. 적이 기여오르려 하면 송곳에 찔리워 발붙일데가 없게 하였고 적이 포탄을 쏘아도 쇠못을 박기 위한 밑판이 다 철이기때문에 깨뜨릴수도 불태울수도 없었다. 배머리는 룡처럼 만들고 꼬리는 거북처럼 만들어 전체적으로 엎드려있는 거부기처럼 생겼고 전체 표면을 철판으로 씌웠다고 한다. *

> *《정한위략》권2 고려선전기에는 조선함선에는 온통 철로 장비된것이 있어서 일본측의 포가 상하게 할수 없었다고 전하고있다. 지금 전하는 《리충무공전서》(권수) 등에 실린 기록에는 전체 표면을 철판으로 덮었다는것을 전하지 않으나 적선과 충돌할 때 배머리나 배전을 보호하는 장치는 이미 11세기에 창안된것만큼 16세기말의 생산력발전수준에서 철판을 만들어 씌웠다는것은 얼마든지 있을수 있는 일이다. 갑판우에 송곳을 빈틈없이 박자고 하도 갑판전체가 철로 장갑되지 않으면 안된다.

거북선의 건조방법은 다음과 같다. 본판(밑판)은 열쪽을 잇대여 만드는데 길이는 64자 8치(19.13m), 배머리의 너비는 12자(3.57m), 중간허리의 너비는 14자 5치(4.31m), 배꼬리의 너비는 10자 6치(3.16m)이다.

삼판(좌우 현판)은 각각 일곱쪽을 잇대여 만드는데 높이는 7자 5치이다. 맨아래 첫째 쪽의 길이는 68자이고 차차 길어져서 맨우의 일곱째쪽의 길이는 113자(33.65m)이며 두께는 모두 4치(약 12cm)이다.

하판(로판, 배머리쪽에 대는 판자)은 네쪽을 이어서 만드는데 높이는 4자이다.

두번째 쪽 좌우량쪽에 현자(玄字) 총통구멍을 각각 하나씩 뚫었다.

축판(舳版)(배꼬리-고물쪽에 대는 판자 역시 《하판》이라고 부른다.)은 일곱쪽을 잇대여 만드는데 높이는 7자 5치, 맨우의것의 너비는 14자 5치, 맨 아래것의 너비는 10자 6치이다. 여섯째쪽 한복판에 직경 1자 2치의 구멍을 뚫어 거기에 키(타)를 꽂는다.

좌우쪽 배전에 란간을 만드는것을 《신방(信防)》이라고 하고 란간머리에 가로지른 보를 《가룡(駕竜)》이라고 한다. 가룡은 이물앞부분에서는 마소에 멍에를 진것처럼 보인다.

신방(란간)을 따라 판을 깔고 또 빙 둘러 방패를 씌우고 패우에 또 란간을 만드는데 이것을 《언방(偃防)이라고 한다. 신방(현란)에서 언방(패란)까지의 높이는 4자 3치이다. 언방은 좌우에 각각 11개의 판[개판(덮개판) 또는 구배(거북등)판이라고 한다.]을 서로 향해 마주 이여서 덮는다.

배등은 1자 5치(44.7cm)로서 돛대를 세우고 눕히기 편리하게 되여있다.

배머리—이물에는 거북대가리(길이 4자 3치, 너비 3자)를 설치하고 그안에서 류황과 염초(화약)를 태워 거부기입에서 안개 같은 연기를 내뿜게 하여 적들을 혼란시킨다.

좌우에는 노가 각각 10개씩 있다.

좌우쪽 패에는 각각 22개의 포혈을 뚫고 12개의 문을 설치한다.

거부기대가리우에는 포혈(총통구멍) 2개를 뚫고 아래에는 문 2개를 설치하는데 문옆에 각각 하나씩 포혈이 있다.

좌우쪽의 복판(덮은 판자)에도 각각 12개의 포혈을 뚫고 《거북구(龜)》자 기발을 꽂는다.

좌우의 포판(판을 깐것)아래에는 각각 12칸의 방이 있는데 그중 두칸은 철물을 저장하고 3칸은 화포, 활과 화살, 창, 검을 둔다. 남은 19칸은 군사들이 휴식하는 방이다. 왼쪽 포판우에 있는 방 한칸은 선장(배를 지휘하는 장수)이 거처하는 곳이고 오른쪽 포판우에 있는 방 한칸은 장교들이 있는 곳이다.

전라 좌수영의 거북선도 크기가 비슷하나 거북대가리 아래에 또 귀면대가리를 새기였고 복판(씌우개)에다는 거북잔등무늬를 그렸으며 좌우에 각각 2개씩의 문이 있고 거북대가리밑에 포혈 2개가 있으며 삼판(현판)좌우에 포혈이 1개씩 있고 현란(신방)좌우에 포혈 10개씩 있으며 복판좌우에 포혈 6개씩 있고 좌우에 노가 8개씩 있다. (《리충무공전서》 권수 도설)

거북선은 여러가지 점에서 다른 전투용목조함선들보다 우월한 점을 가지고있었다.

첫째로, 그것은 세계최초의 철갑선이였다. 유럽에서는 1780년에 에스빠냐와 프랑스에서 함선겉면에 강판을 댄것으로부터 철갑선의 력

사가 시작되였다.(《쏘베트군사백과사전》로문1권 1976년, 599페지)

화포가 발명된 이후 해상전투에서 함선에 철갑을 도입하게 된것은 필연적인 현상이지만 우리 나라에서는 다른 나라보다 거의 200년이나 앞서 그것이 도입되였고 실제로 해전에서 큰 은을 내였다.

둘째로, 거북선은 건조공정이 비교적 간단하면서도 견고성을 최대한으로 보장하였다. 선체가 류선형이 못되는것은 당시 목조선박의 속도에서는 크게 문제로 되지 않았고 형태가 간단하며 얼마든지 두꺼운 나무판으로 만들수 있었다. 그리고 당시 보통 왜선(길이 47자, 너비 20자)에 비하면 길이 113자 4치, 너비 14자 5치로서 2배이상 컸으므로 한번 부딪치면 영낙없이 적선을 깨뜨릴수 있었다.

셋째로, 거북선 머리(이물)에 설치된 룡대가리와 그아래우의 시설이 매우 독특하고 다양한 기능을 수행하게 된것이다. 즉 룡대가리로써는 적선을 들이받아 깨뜨릴수도 있고 연기를 뿜어 연막을 치게 하고 아가리아래와 옆에는 포혈(총통구멍)이 있어서 적의 유생력량을 소멸하면서 나아갈수 있었다.

넷째로, 거북선 등판-장갑판우에 송곳들이 빼곡이 솟아나게 하여 적들이 기여오르지 못하게 한것이다.

다섯째로, 포혈의 수가 많고 그 배치가 합리적으로 되여있는것이다.

포혈은 배전에 44개, 갑판에 24개, 선두에 4개 합계 72개나 되였으므로 장약수가 따로 있는 조건에서는 련속 발사가 가능하며 화력밀도가 매우 높은것이다. 또 그 배치정형을 보면 적들이 삼면에서 달려들어도 능히 대응사격을 할수 있게 되였다. 이것은 봉건시대의 함선들에서는 보기 어려운 우수한 포배치법이다.

여섯째로, 항행성도 좋았다는것이다. 거북선은 배머리의 홀수 2자정도, 배꼬리의 홀수 4~5자정도이고 80~90t의 배수량을 가지는 것으로 인정되고있으므로 그리 깊지 않은 바다에서도 항행할수 있고 길이 대 너비가 7.8:1(왜선은 25:1)로서 빠른 속도를 보장할수 있는 선형으로 되여있었다. 게다가 노가 좌우에 10개씩 달려있고 노군이 한 노에 3명씩 총 60명씩(포혈수에 따라 포수 72명, 사수 약간명 기타 총계 125명)붙어있어서 돛을 달지 않고도 능히 일정한 속도로(약 7kn) 기동할수 있었다. 철물, 무기, 탄약을 아래선창에 두면 선체의

중량중심이 약 1.4~1.5m의 높이에 있었다고 보이므로 선박의 복원성도 대단히 좋았다고 볼수 있다. *·

> * 《조선기술발전사자료집》(제1집) 고등교육도서출판사, 1963년, 109~113페지
>
> 정원 125명이면 노군 60명 포수 72명 계 132명이므로 전시에는 150명정도 탄것으로 인정된다.

이상에서 본바와 같이 우리 조상들이 15~16세기에 창안제작한 거북선은 근해 방어용함선으로서는 가장 우수한 함선이였으며 임진조국전쟁시기에 그것은 실로 커다란 역할을 하였다.

이밖에 이 시기에 제작된 주목할만 한 함선에는 검선(劒船)이 있다. 검선은 고려시기에 이미 제작리용된바 있었다.(《고려사》권113 최영전)

15~16세기에 와서도 검선은 한자가량 되는 창검을 선측에 한줄로 쭉 꽂아놓은것으로서 소형함선의 방어력을 강화하기 위한것이였다고 인정된다. (《세종실록》권48 12년)

중맹선에 적재할 군량이 4~5석이였다면 검선의 적재량은 3~4석이였으므로 검선은 중맹선보다는 약간 작은 배였다고 볼수 있다.

15~16세기에도 배무이장공인들과 기술자들은 함선의 속도를 높이는데 큰 관심을 돌리고 자체로 연구하여 새형의 배들을 만들어내거나 다른 나라 배들의 건조방법을 참고하면서 여러가지 배들을 만들어냈다.

1397년에는 사수감에서 새로 만든 병선을 시험하였으나*1 이 시기 함선건조에서 중요하게 힘을 넣은것은 속도가 빠른 배를 창안제작한것이다. 1403년에는 왜적의 배는 작아서 섬들사이로 숨어다니고 바다기슭을 바투 붙어다니는데 우리 나라 전함은 너무 커서 따라갈수가 없다고 하여 각 도마다 경쾌한 작은 배(쾌선) 10척씩 만들어서 추격하도록 하였다. *2

1408년에도 쾌선을 규정에 따라 건조하였다. *3

1413년에는 새로 만든 병선과 왜선의 속도를 대비하는 실험을 진행하였다. *4

1420년에는 왕이 서울 양화도로 가서 전함을 보았는데 이때 새로

만든 쾌선 3척은 왜선보다 속도가 더 **빨랐다**. *⁵ 이 쾌선가운데 하나를 비거도선 또는 거도선이라고 하였는데 그것은 배머리끝이 뾰족하고 모양이 거도(거두, 흰 톱)처럼 생겼다고 해서 생긴 이름인것 같다.

   *¹, *², *³, *⁴ 《태조실록》 권12 6년 8월 정해, 《태종실록》 권5
   3년 6월 정사, 권16 8년 12월 정유, 권25 13년 정월 갑오
   *⁵ 《세종실록》 권10 2년 11월 신사

  쾌선―비거도선에 대한 파악이 생긴 조건에서 1425년에는 제주도에서 비거도선 28척을 무어냄으로써 전라도 수군처치사영과 그 산하 각 포구들에서 원래 있던 49척과 함께 총 77척에 이르게 하였다.
  당시 전라도에서 가지고있던 병선, 맹선 등 각종 함선 총 249척 가운데서 비거도선의 비중은 약 30%에 이르게 되였다. 그후 다른 도들에서도 비거도선이 많이 무어졌다.(《세종실록》 권28 7년 5월 정축)
  중국과 류구의 선박의 우점을 살리는 방법도 연구되였으며 그중 선진적인 방법들은 실천에 받아들여졌다. 실례로 배무이한 나무쪽들의 틈새로 스며드는 물을 막기 위하여 판자접촉면에 밀착제를 발랐다.(《세종실록》 권48 12년 5월 계해, 권63 16년 3월 을미, 《조선중세군사기술연구》 과학백과사전종합출판사, 1988년, 349페지)
  1434년에는 경강(서울부근 한강)에서 새로 만든 전함의 속도를 실험하였는데 왕(往)자갑선, 동(冬)자갑선, 월(月)자갑선의 세 가지 가운데 왕자가 제일 빠르고 동자가 그다음이였으며 월자갑선(류구국의 장공인이 만듬)이 제일 속도가 덜하였다.
  왕자, 동자갑선들은 선체아래부분은 쇠못과 나무못을 섞어쓰고 상장(갑판우의 웃시설)은 쇠못만을 쓴것이고 월자갑선은 다 쇠못만을 써서 만든것이였다. 그리하여 왕자, 동자갑선들의 건조방법을 써서 각 도에 보내여 앞으로는 그에 따라 전함들을 건조하게 하였다. 월자갑선은 선체의 아래부분이 매우 견고하였으므로 참고로 하도록 지시하였다.(《세종실록》 권65 16년 9월 정유)
  이 시기 선박의 성능개조에서 주목할만 한 창안은 륜선의 제작이였다. 1549년경에 김순고가 만든 륜선은 물을 떠밀게 된 바퀴를 량쪽 배전에 달고 안에서 축을 밟아 돌아가게 함으로써 앞으로 나아가게 한것이였으리라고 짐작된다. 그것은 노를 저어 추진시키는것보다 훨

쎈 적은 힘으로 배를 움직이게 하는 선진적인 방법이였으며 그것을 많이 만들면 해상수송에서 어려울것이 없다고 할것이였다. 1553년에는 륜선을 시험적으로 만들었으나 그후 실지로 채용되지 못하고말았다. (《명종실록》권10 5년 2월 경신, 권15 8년 9월 병오)

이 시기 선박기술자들은 나무판자로 배를 씌운다고 하여 속도가 늦어지는것이 아니라 선체의 모양이 어떻게 생겼는가에 의하여 속도가 좌우된다는것을 알고있었으며 선체를 옳게 만들것을 제의하였다. (《세종실록》권52 13년 5월 정축)

1599년에 라대용이 새로 창안건조한 창선(艙船)은 격군(노군) 42명을 태우고서도 그 속도가 나는듯이 빠르고 활쏘기에도 매우 편리한 함선이였다. 그것은 그가 수군 승무원수의 부족을 타개하기 위하여 판옥선이나 거북선의 절반이하의 인원을 가지고도 높은 전투력을 가진 함선을 만들기 위하여 고심어린 노력끝에 창안한것이였다. 창선이라는 이름은 배전에 검과 창을 가득 꽂아두고 적이 접근하지 못하게 한데서 나온것이다. 이 점에서 창선은 그전에 있었던 검선의 우점을 이어받은것이라고 할수 있다. (《선조실록》권206 39년 12월 무자)

그러나 창선은 1606년 이후 시제품이 생산되였을뿐 본격적으로 도입되지 못하고말았다.

다음으로 이 시기 선박건조기술자들이 중요한 관심을 돌린 문제는 선박의 안전성을 잘 보장하는것이였다. 그러한 개량방도의 하나로서 1419년에 종전에는 병선의 꼬리를 하나밖에 달지 않던것을 2개씩 달게 함으로써 파도에 잘 견디도록 하는 조치를 취한것을 들수 있다. * 그리하여 바람이 어느쪽에서 불어와도 전복될 우려가 없어졌을뿐아니라 뒤로부터 불어오는 바람을 더 잘 받아 속도를 높일수 있게 되였다.

* 《세종실록》권4 원년 6월 경자

이 모든것은 보다 견고하고 빠른 새형의 함선을 건조하기 위하여 기술자들과 장공인들이 쉼없는 창조적로력을 계속하였으며 그 성과들이 적지 않게 도입되여 수군함선들의 전투력을 강화하는데 기여하였음을 보여준다.

리조시기에도 언제나 나라와 겨레를 사랑하는 인민대중(특히는 수공업장공인들과 기술자들)은 외적의 침입에 대처하여 무기무장을 개선하기 위하여 창의창발성을 발휘하였다. 그 결과 많은 우수한 무기들을 제작하여 방위력강화에 이바지하였다.

중앙에서는 군자감에서 무기를 만들었고 지방에서는 각 고을과 진들에서 달마다 각종 무기, 장구류들을 일정하게 만들어서 공물로 올려보내게끔 규정되여있었다.

이 시기에 와서 특별히 강조된것은 활쏘기에서 편전을 널리 리용하는것이였다.

실례로 1413년에는 전국의 군사들에게 편전련습을 강화할것을 지시하면서 편전을 장전(긴화살)과는 달리 눈에 잘 보이지 않으므로 적이 미리 막지 못하며 또 투과력이 강하며 한번 맞으면 꼭 상하며 200보 밖에까지 날아가므로 적을 공격하는데는 이보다도 좋은 무기가 없다고 강조하였다. * 편전은 작은 통안에 짧은 화살을 넣고 활이나 쇠뇌로 한번에 여러개씩 쏠수도 있게 만든 쓸모있는 무기였다.

* 《태종실록》권26 13년 7월 갑진(발사통의 길이 약 1자, 편전의 길이는 약 0.5자이다.)

이것은 물론 수군에서도 널리 리용하는것이였다. 이밖에도 물속에 숨은 적을 소멸하기 위한 자루가 긴 낫이라든가 적선을 끌어당기기 위한 4조구(네개의 갈구리가 달린것) 등도 있었다.

그러나 이 시기에 와서 현저한 발전을 이룩한 무기는 화약무기였다. 리조정부는 화약무기의 발명가 최무선의 아들 최해산을 15세기초에 군기감에서 일하도록 하였으며 화약무기에 대한 연구를 심화시켜나가도록 하였다.

1415년 현재 화통(총통 등)은 1만여자루가 제작되였으며 동북, 서북면의 변경지방 요충지들과 전국의 진영들에 보내졌으나 그것만으로는 수많은 성들과 100여척이나 되는 병선의 수요를 도저히 충족시킬수 없다고 하여* 전국의 폐사(폐지된 절간)들의 종 기타 쇠붙이들을 모아다가 화통을 많이 주조하도록 하였다.

* 《태종실록》권30 15년 7월 신해 좌대언 탁신의 제기

　15～16세기에 생산된 화약무기로서 화차, 백환화포, 화통, 소화포, 발화, 신포(信砲), 세총통(권총), 완구(대, 중, 소), 세주화, 소주화, 화초(火鞘. 소주화를 쏘는 기구), 질려포, 신기전, 천자총통, 지자총통, 현자총통, 가(架)자총통, 쌍전총통, 4전총통, 6총통 등 여러가지가 있다.
　리조정부는 화약무기의 기술적완성과 생산경험에 기초하여 1448년에 《총통등록》이라는 무기해설서를 간행하였다.
　그 일부는 《국조오례의》(성종 5년 편찬)안의 군례 병기도설에 실려 전한다.
　《총통등록》에는 화전, 2총통, 세장전, 4전총통, 4전장총통, 8전총통, 륙화석포, 신제(新製)총통, 세총통, 신기전(대, 중, 소) 총통기, 신기전기, 화차, 질려포(대, 중, 소), 발화 등에 대한 해설이 있다.
　문제는 이러한 화약무기들가운데 많은것이 수군용, 수군함선용으로도 사용되였다는데 있다.
　화포가운데 해상전투에서 특히 많이 쓰인것은 천자, 지자, 현자총통들이였다. 이런 화약무기로 가까이에서 공격하면 목조선으로서는 마사지지 않는것이 없었다. (《명종실록》권25 14년 6월 병오)
　이처럼 각종 화약무기들을 창안제작하고 그것을 더욱 개량완성시켜나간것은 15～16세기 녀진인들의 부단한 침습과 일본해적들의 로략질을 막는데서 그리고 임진조국전쟁에서 우리 군대 특히는 수군의 빛나는 승리를 담보하는데서 중요한 밑천으로 되였다.
　리조봉건정부는 싸움배무이를 추진시키면서 그의 관리와 항해술의 발전 및 수군훈련 등에도 깊은 관심을 돌리고 여러가지 대책을 취하였다.
　1416년에 배무이기술과 배를 관리운영하는데서 얻은 경험들을 종합하여 《승선직지록》이라는 책을 300부나 인쇄출판하였다. 이 책은 항해의 안전을 보장하며 배에 화포와 화전 등을 설치하여가지고 싸움을 하는데서 제기되는 안전성보장문제까지 포함한 책으로서 봉건시대의 항해기술서적으로서는 세계적으로 보아도 매우 일찌기 편찬된것이였다.

《경국대전》에는 병선의 건조, 관리운영과 관련된 규정과 규범 등 법규들이 체계적으로 정리되였다. 이 책의 병선조에 의하면 여러 도들에 있는 병선(함선)들과 그 장비에 대해서는 해마다 수군절도사들이 년말에 그 보관정형을 병조에 구체적으로 보고하게 되여있다. 병선의 보수 및 건조에 대해서는 한번 《건조한지 8년이 지나면 수리하고 6년이 더 지나면 또 수리하며 다시 6년이 지나면 개조한다.》든가 《매달 보름과 그믐에 연기로 그슬려서 선체가 썩는것을 막아야 한다.》고 규정되여있다. 경상좌도, 강원도, 영안도(함경도)에서는 10년만에 수리하고 다시 10년만에 새로 만들며 연기로 그슬리는것은 그만두고 언제든지 륙지에 있는 물(바다의 짠물이 아닌)에 정박시켜야 한다고 규정하였다.

또 함선들에는 중요한 장비들 3건씩을 갖추어야 한다는것과 만든지 5년안으로 잃어버렸을 때는 대맹선은 면포 230필, 중맹선은 210필, 소맹선은 110필, 거도선은 55필을 보상하여야 하며 10년, 15년, 20년미만일 때에는 각각 5필씩 감해준다는것을 규정하였다.

함선이 기한내에 썩었거나 불탔을 때에는 우에서 정한 배상액의 절반을 물도록 되여있었다. 그리고 함선들에는 늘 1개월분의 군량을 싣고있어야 한다는것도 규정되여있었다.

함선들에는 륙물 또는 륙물제연(陸物諸緣)이라고 하여 배를 조종하며 관리하는데 꼭 필요한 기구, 물자들과 그 예비들을 갖추고있어야 하였다.

륙물이란 빈 섬, 황죽(굵은 대통), 벼짚, 초둔, 초석, 숙마줄(삶은 삼으로 엮은 줄), 숙마 소조팔거리, 산마줄, 칡줄, 쇠못, 거머리못, 범죽(돛대에 쓸 대) 등이였다. (《중정교린지》 권1)

《경국대전》에는 수군의 의무, 군사칭호 등에 대해서도 자세하게 규정되여있다.

수군은 원패를 차고다녀야 하였다. 수군이 차게 된 원패(검은 칠을 한 둥근 나무패*)의 한쪽면에는 어느 포구의 수군 아무개인데 나이는 몇살이고 용모는 어떻게 생겼으며 주소는 어디라는것을 새기고 다른쪽 면에는 작성년월일을 새기며 량쪽에다가 전서로《수군》두 글자를 락인하게 되여있었다.

* 《세종실록》 권116 29년 4월 임인

수군은 2교대제로 한달에 한번씩 엇바꾸어가면서 근무하게 되여 있었다.(1년에 6개월씩 근무) 수군의 전투훈련을 정기적으로 실시하는것은 전투력을 높이는데서 필수적인 일로 나섰던것만큼 훈련에 대한 규정도 점차 정리완성되여갔다.

　1439년에는 3포(내이포, 부산포, 염포)에서처럼 일본인들이 볼수 있는 곳을 내놓고는 모든 수군기지(포구)들에서 각각 자기의 병선들을 좌우대로 갈라서 스스로 주, 객편으로 나누어 서로 싸우는 훈련을 하도록 지시하였고 그보다 앞선 1433년에는 각 도의 수륙군들이 해마다 2월과 10월에 무예를 련습하도록 한 규정을 지키면서 편전련습도 강화하라는 지시를 떨군바 있었다. (《세종실록》 권86 21년 7월 병인, 권59 15년 정월 병인)

　이밖에도 일상적으로 무술을 련마하도록 하고 수군절도사가 각 진들을 순시할 때에 시험을 쳐서 활쏘기를 하여 성적이 우수한자는 근무일수를 늘여주도록 하였고 가장 우수한자들은 도별로 1~2명씩 (경상, 전라도는 6명씩) 병조에 보고하며 산관직(실제 직무가 없는 벼슬)을 주기로 되여있었다.

제2절. 수군의 처지, 반봉건투쟁

1. 수군의 처지와 각종 부담

　리조 초기 수군에는 각지의 수군 진영(기지)들에 소속되여 싸움배를 타고 경비, 전투 등에 종사하게 되여있는 원래의 의미에서의 군역을 지는 수군과 사재감, 사수감에 속하여 전투임무가 아닌 각종 역을 지는 수군들이 있었다.

　그 어느것을 막론하고 수군은 륙군의 여러 병종에 비하면 2배이상의 무거운 부담을 지고있었으며 또 그들이 맡아하는 소금구이, 물고기잡이, 미역따기 등은 다 사회적으로 천시되는 일이였다.

사재감은 리조 초기에 전국의 배의 등록, 민용선박의 건조 등에 관한 일을 맡았고 그와 함께 선세, 어량, 어전세의 징수 등을 맡았으며 자기 소속배들을 가지고 직접 물고기잡이 등을 하여 국왕에 대한 진상, 각 관청에 대한 공급 등을 맡아하였다. 후에는 선박등록, 관리는 맡지 않고 물고기, 고기, 땔나무, 봉화 등에 관한 일을 맡은것으로 되였다. (《경국대전》 리전 참조)

사재감소속 수군이 천시되였다는것은 량반관료들의 천첩이 낳은 아들을 사재시 수군으로 지정한데서 찾아볼수 있다. 즉 천인(비)이 낳은 자손을 원래 천인으로 만드는것은 력대 봉건국가들의 법에 규정된것이였고 그것을 특별히 면제해준다고 하지만 벼슬길은 열어주지 않는다는것도(일부 특수한 경우와 리조 후기에 그것이 완화된 경우를 내놓고) 역시 움직일수 없는 법으로 되여있었다. 그러므로 사재감 수군들이 신량역천신분층에 속했다는것이 명백하다. (《태종실록》 권26 13년 11월 기해, 권29 15년 4월 경진)

사수감은(후에 사수색, 수성전함색, 전함사로 개편되였다.) 전선(싸움배)의 건조, 관리를 전문적으로 맡은 관청이였으나 사수감 수군도 신량역천에 속하였다. 즉 1398년이후《호적 기타 문건이 분명치 못하여 누구에게 속하는지 모르는 사람으로서 관청소속(속공)으로 된자와 신량역천으로서 사수감에 정속된자가 많았다.》*고 한 기록이 보여주는바와 같이 사수감소속 수군은 처음부터 신량역천신분이거나 그와 비슷한 처지에 있는 사람들이였다.

　　* 《태종실록》권3 2년 6월 계축

수군의 사회적처지가 노비나 그에 가까운 신분의 인민들의 처지와 비슷하였다는것은 수군의 역을 지는것을 피하기 위하여 일부러 천인신분으로 가장한 인민들이 있었다는것이나 소금구이를 업으로 하던 염한들, 물고기잡이하는 어민들을 모집하여 수군(선군)으로 만들되 그들에게는 관직은 주지 말고 공패(공로가 있다는것을 표시한 쪽지 등)만 주자고 한데서도 알수 있다. (《태종실록》권26 13년 11월 기해, 《세종실록》권86 21년 7월 병인)

또한 수군이나 조군(조졸)이 모자랄 때에는 관청소속 사사노비-공노비로써 충당하게 한데서도 찾아볼수 있다.

봉건국가는 수군부족을 타개하기 위한 방도의 하나로서 죄인들을 수군으로 받기도 하였다. (《태종실록》권23 12년 6월 정묘, 권4 2년 8월 신사, 권11 6년 2월 갑오)

물론 리조 초기에도 수군에 대한 대우를 높여준다고 하면서 해령직이나 영직을 주기도 하고 무술에 능란한자는 선발해서 다른 우대받는 병종으로 보내준다고 선포하고 부분적으로 실시하기도 하였다.[1]

그리고 수군이나 다른 병종의 군사들사이에 그 어떤 신분적차이가 없다고 선포하기도 하고 1403년에는 경상도 시위군 2 850명을 수군으로 전환시키기도 하였다.[2]

[1] 《정종실록》권1 원년 정월 경인, 《세종실록》권86 21년 7월 병인, 《경국대전》권4 병전 번차도목 수군, 조졸

[2] 《태종실록》권23 12년 4월 을축
　이해에 경상도 시위군 5 989명중에서 2 850명을 기선군으로 만들고 새로 만든 병선 50척에 나뉘여 타게 하였다. 또 《대전후속록》병전수군조에는 수군이 부족하면 한정(군역이 없는 장정)을, 한정이 부족하면 려외(旅外 편제외)정병으로 메꾼다는것이 지적되여있다.

그러나 수군이 지는 역이 가장 고된것이였으므로 누구도 자원해서 수군이 되겠다는 사람이 없었다. 봉건통치배들은 수군을 확보하기 위한 대책으로 일단 수군이 되면 대대손손 내려가면서 그 역을 세습하게 한다는것을 법전에 규정하였으며 수군에게는 조졸들과 같이 원패를 차도록 강요하였다. * 일반인민들이 차는 호패와는 다른 원패를 차게 한것은 수군의 신분을 신량역천신분으로 고착시키는것을 촉진하는 법적조치로 되였다.

* 《경국대전》권4 병전 번차도목 수군, 조졸

봉건통치배들은 수군의 부담이 다른 군종, 병종의 군사보다 센것으로 하여 생겨나는 폐단을 조절한다고 하면서 1404년에 갑사와 기선군이 받는 봉족(보인, 뒤바라지를 해주는 장정)수를 다 같은 3명으로 일치시키는 조치를 취하기도 하고 수군군역을 지는 동거가족이 4명이 되더라도 남은 1명에게 따로 군역을 지우지 않는다고 규정하기도 하였다.*

* 《태종실록》권7 4년 5월 계해, 권30 15년 11월 갑진, 《경국대전》권4 병전 급보, 보인은 한달에 무명 1필을 내여 상번근무하는 호수 군정의 비용으로 쓰게 하였다.

  그러나 전반적으로 볼 때 수군의 실질적부담은 륙군에 비하여 2~3배에 달하였다.
  수군은 스스로 당번(당령이라고도 한다.) 근무때 필요한 무기, 군복, 식량을 자체로 부담해야 하였고 한달에 한번씩 교대하므로 수백리씩이나 먼 산간고을들에 있는 수군들은 왕복하려고만 해도 휴번기를 다 소모하게 되여 쉴 사이가 없었다. 그리하여 그 부모, 처자, 형제가 식량을 먼 포구에까지 날라다주는 형편이였다. *

    * 일부 수군들은 장번근무(교대없는 근무)를 썼다. 고려말인 1380년에 왜구가 수도 개경부근에까지 침입하자 그것을 막으려고 전라도 목포를 비롯한 연해지방 인민들로서 바다에 익숙한 사람들을 교동도, 강화도에 이주시켜 좌번, 우번으로 갈라서 장기복무를 시키는 대신에 한사람당 구분전 1결 50부를 주어서 식량을 해결하도록 하였다. 그런데 1417년에 50부만 남기고 봉건국가가 몰수하였으므로 살아갈 길이 없어졌다. 강화, 교동수군들의 항의에 의하여 다른 수군처럼 좌, 우 2령으로 나누어 근무하도록 조치가 취해졌다. (《세종실록》권1 즉위년 9월 을해)
    또 강원도 수군은 본래 인원이 적었으므로 적정이 긴장한 때에는 장번근무를 서게 되였다. (《세종실록》권19 5년 3월 임인) 이러한 현상은 전시 또는 준전시 환경에서는 드물히 있는 일이였다. 그리하여 통치배들도 사정으로 인하여 합번근무(장번근무)를 하게 될 때에는 절반식량은 국가에서 부담하도록 하지 않을수 없었다. (《세종실록》권3 원년 정월 계유)

  륙군가운데서 팽배, 대졸 등이 각종 로역에 동원되듯이 수군도 적정이 좀 덜하면 왕궁, 관청, 성곽건설, 얼음캐기 등의 공사들에 줄곧 동원되였고*¹ 또 군량을 마련한다는 구실밑에 둔전을 경작하며*² 군기를 제작하고, 함선을 건조 또는 보수하였으며 거기에 필요한 쇠불이를 얻기 위한 취련(쇠부리)을 자체로 하였다.*³ 왕궁과 각 관청에 바쳐야 할 진상, 공물을 위하여 미역을 따고 소금구이를 하였으며 또 물고기를 잡아야 했고 지어 날짐승, 들짐승사냥까지 해야 하였다. *⁴ 또한 수군들은 함선에 실어야 할 군량이나 륙물가지들도 다 자체로 해결해야 하는 경우가 많았다. *⁵ 정기적으로 오는 일본 봉건령주들의 배 또는 표착하는 다른 나라 배들의 보수, 물자공급 등 의무도 졌다. *⁶ 태풍이나 기타 리유로 하여 함선이 못 쓰게 되였거나 침몰되였을 때 그리고 불에 탔을 때, 조세미운반선을 호송해가다가 사고가 났을 때, 그 무슨 리유로 변상을 할 일이 생기면 의례히 수군군사들에게 그 부담이 들씌워졌다.

*¹《세종실록》권69 17년 8월 무진, 권46 11년 10월 갑오, 권82 8월 신유
*²《정종실록》권1 원년 정월 무인
*³《세종실록》권93 23년 7월 경술,《경국대전》권4 병전 군기,《대전속록》권2 호전 지공(支供)
*⁴《태종실록》권15 8년 5월 기미
*⁵《대전후속록》병전 수군
*⁶《대전속록》권3 례전

수군에 대한 이러한 각종 복무규정을 만들고 갖가지 국역부담을 들씌운것 자체가 가혹한 봉건적, 신분제적억압이며 착취였다.

봉건국가는 수사이하의 수군관료들에게 따로 봉급(록)을 주지 않았다. 법적으로는 아록전, 관둔전, 군자곡에서 떼서 준다*¹고 하였으나 실지로는 그러한 보장이 없어 부득불 수군을 착취하게 되여있는데다가 수군관료들은 짧은 재임기간(보통 2년)에 최대한으로 많이 착취할 궁리만을 하였다. 그들은 수군들을 온갖 잡역에 부려먹었으며 뢰물을 받고서 수군들이 근무하지 않고 집으로 돌아갈수 있게 하였다. *² 이것은 가난한 수군들의 부담을 2배, 3배로 중대시켰다. 그들은 또한 상전에 아첨하기 위하여 여러가지 사냥과 잡역 등을 부담시켰다.

*¹《경국대전》권2 호전 외관 공급
*²《태조실록》권11 6년 2월 갑오, 권13 7년 2월 계사

수군군정들은 중앙과 지방의 관리들과 아전들의 방납, 점퇴행위에 의해서도 큰 피해를 입었다. 그들이 천신이요 진상이요 공물이요

하는 명목으로 수탈하는 물고기와 집짐승들을 잡아 바치면 판리들은 방납자(수도의 상인 등으로서 그러한 물품들을 대신 바치고 중간 폭리를 취하는자들)의 말을 듣고 물품대신 그 값으로 쌀을 거두어서 올려보내라고 독촉하거나 수도의 상점에서 파는 물품을 바치게 함으로써 물고기 한마리 값이 쌀 10말이 되고 꿩 한마리의 값은 쌀 8말이 되게끔 하였다. 이러루한 횡포무도한 착취는 15세기말~16세기초부터 보편적인 현상으로 되고있었다. (《명종실록》권17 9년 11월 을묘)

관리들은 또한 수군들이 무슨 사고로 하여 번을 서지 못하게 되면 또는 상관과의 합의밑에 번을 서지 않게 되면《월령》이라고 하여 한달에 무명 1필, 쌀 9말을 바치게 하였다.

수군군정들은 이러한 고역을 면해보려고 가산을 팔아서 대립가(대신 근무하는 값)를 마련하여 내기도 하였으나 그 값이 또한 엄청나게 비쌌다. 봉건국가는 처음에는 대립을 금지하다가 물에 익숙되지 못한 산골농민들보다는 연해지방 사람들이 수군으로 근무하는것이 낫다고 하여 그것을 허용하게 되었다. 그리하여 급가대립(값을 물고 대신 근무하는것)을 국가적으로 공인하게 되였으며 그 값을 한달에 5승포(다섯새 무명) 3.5필을 바치는것으로 규정하기까지 하였다. (《대전후속록》)

1493년에 대립가는 2개월분이 15~18필이였는데 이것은 보인 한 사람이 한달에 1필씩 (3명이면 3필씩 두달이면 6필씩) 내기로 한《경국대전》의 규정을 가지고 대비해보면 정군호수의 몫까지 가산하더라도 8필이면 될것을 그 2배에 해당하는 많은 값을 내는셈이였다. 그런데 수군의 경우 한달의 대립가가 무려 60필에 이르렀으니 이것은 봉건국가에서 규정한 대립가포의 10배 가까운 막대한 량이였다. 그러므로 가난한 백성들은 도저히 감당할수가 없었다. 그런데다가 대립이 공식화되자 일부 포민들과 결탁한 만호, 첨사 등은 의무적으로 대립을 시켰고 그 결과 산골농민들은 소와 토지를 팔아도 그것을 도저히 감당할수가 없어서 파산하고마는데 이렇게 되면 그 일가일족들과 이웃사람들에게 그 부담이 들씌워졌다. (《중종실록》권103 39년 5월 병진)

이 족징, 린징의 폐단은 그후 리조시기의 전기간에 걸쳐 계속 감행된 썩어빠진 착취현상이였다.

2. 수군군사들의 반봉건투쟁

수군군정들은 2중3중으로 닥쳐오는 갖가지 강제수탈로 하여 더는 제 고장에서 살수 없게 되였다. 통치배들은 수군들의 생활처지를 동정하는척 하면서 수군들에게 농사일을 비롯한 각종 로역을 시키는 대신에 그 소출을 팔아서 군량과 군비를 마련한다고 선전하였으나 수군들은 차라리 자체로 식량을 싸가지고 다니는 한이 있더라도 물고기잡이, 소금구이, 둔전경작은 하지 말것을 요구하였다.*¹ 어떤 수군군사들은 너무도 혹심한 고역에 시달린 나머지 스스로 목숨을 끊는것으로 항거하였다.*²

많은 수군군역담당자들이 정든 고향을 떠나 먼곳으로 도망을 감으로써 수군살이를 반대하고 봉건통치질서를 마비시키는 소극적인 투쟁형태로 반봉건투쟁을 벌리기도 하였다. 1402년에 강화, 교동의 수군으로서 도망가고 없는 사람의 수는 161명이였고*³ 1538년에 경기의 도망 수군수는 351명이였다.*⁴ 이것은 얼핏 보기에는 많지 않은것 같지만 실지로는 3명의 보인과 함께 제자리를 뜨고 없다는것을 의미하므로 600~1 500명의 장정들이 떠돌아다닌다는것을 의미하는것이다.

*¹, *² 《세종실록》권37 9년 7월 신해, 《태종실록》권2 원년 12월 갑술

*³, *⁴ 《태종실록》권3 2년 2월 무오, 《중종실록》권89 33년 11월 갑술

도망간 수군이 있으면 그가 쓰던 집이나 그가 소유한 토지를 팔아서 대립가를 바치게 하였다. 이러한 현상이 많아지게 되자 봉건통치배들은 도망간 수군이 다시 제 고장으로 돌아오게 하려고 그들이 돌아오는 경우 집과 땅을 무조건 본인에게 돌려주고 그동안에 군역값으로 쓴 값어치는 그 수군이 진 빚으로 쳐서 점차 받아내도록 하는 조치를 취하였다. 그러나 고향에 되돌아오는 수군은 거의나 없었다. (《대전후속록》병전 수군)

막다른 골목에 다달은 수군군사들은 지배계급을 반대하는 폭력적투쟁을 벌리는데로 넘어갔다. 1473년에 전라도 라주의 선군 오영기는 동료들을 모아가지고 량반지주들을 습격하여 물품을 빼앗는 투쟁을 벌리다가 붙잡혔으며 1469~1470년에 전라도 무안출신인 장영기가 지휘한 대규모의 농민폭동이 일어났을 때 부근의 어민, 수군들도 여기에 적극 참가하여 투쟁하였다. 이 투쟁에서 수군들이 폭동에 적극 참가하게 된것은 폭동군이 거점을 전라도의 여러 섬들에 옮긴 뒤부터였다고 보인다. (《성종실록》권1 즉위년 12월 을축, 권3 원년 2월 경술, 권31 4년 6월 무진)

1471~1472년에 전라도 순천, 홍양, 락안 등 고을에 속한 섬들에는 거제도 지세포의 수군을 비롯한 수군군정들과 어민들이 8~9명씩 소조를 편성하여 여러곳으로 배를 타고 오가면서 활동하였다. 때로는 30여명의 큰 집단을 이루어 4척의 배를 타고 버젓이 다니면서 악질관료들을 처단하는 등 용감한 투쟁을 벌리였다. (《성종실록》권132년 12월 임오, 권15 3년 2월 갑오)

1470년 1월 폭동군의 지휘자 장영기가 체포된 후에도 섬에서 활동하던 폭동군은 오래동안 분산적으로 투쟁을 계속하였다. 그것은 1474년에 국왕이 연해지방에서 다시 《수적》(바다에서 활동하는 폭동군에 대한 모독적인 표현)의 활동이 심해진데 대하여 전라도 관찰사 등을 추궁한 사실에서도 찾아볼수 있다. (《성종실록》권42 5년 5월 갑진)

1486년 전라도의 바다가와 섬들을 중심으로 또다시 큰 규모의 폭동이 일어났다. 봉건통치배들은 이 폭동군에 대하여서도 《수적》이라고 불렀는데 그들은 1486년말에 《토벌군》의 공격을 물리치고 많은 적을 살상하였다. (《성종실록》권198 17년 12월 신묘)

이 시기 전라도 령광군이남지방의 섬들에서 활동하던 폭동군들은 전라도로부터 전세미를 수도로 실어가는 조운선을 빼앗는 투쟁을 힘있게 벌렸다.

1487년에 전라도의 남쪽바다섬들에서도 폭동이 일어났다. 이 폭동의 주되는 력량도 어민들과 수군들이였다. 라주와 령암군의 섬들과 그 앞바다에서 폭동군은 크지는 않으나 속도가 빠른 거도선을 타고 여러곳으로 다니면서 높은 기동성을 가지고 활동하였을뿐아니라 장시(장마당)를 통하여 서로 긴밀한 련계를 유지하면서 투쟁을 벌렸다. 이러한 폭동군의 활동을 저지시켜보려고 전라도 관찰사 등은 국왕에게 장시를 폐지하며 민간에서 거도선을 리용하는것을 일체 금지하자고 제의하는데까지 이르렀다. [《성종실록》 권204 18년(1487년) 6월 무자]

폭동군은 때로는 악질관료지주들의 집을 불사르고 재물을 빼앗기도 하였으며 지어 대낮에 큰 길가에 나타나 지나가는 악질관료배들을 처단하는 등 맹렬한 활동을 벌려 놈들을 공포와 불안에 떨게 하였다. (《성종실록》 권214 19년 3월 병인)

폭동군은 투쟁대오를 더욱 확대하고 활동범위를 넓혀 1489년에는 람포를 중심으로 령광, 함평, 무안, 라주 등 전라도일대에서 투쟁을 벌렸으며 바다에서는 남도지방의 배들이 많이 다니는 령광의 어을외섬, 병풍섬, 시루섬, 모야섬, 고이섬에 발을 붙이고 줄기찬 투쟁을 벌려 나갔다.

폭동군은 1489년 1~2월 두달사이에만도 람포에서 악질관료들과 지주 20여명을 처단하였다. 봉건통치배들은 폭동군의 후방기지를 봉쇄할 음흉한 목적밑에 로인(려행증명서)을 검열하는 방법으로 바다가에서 활동하는 폭동군을 단속하느라고 하였으나 그들의 투쟁을 막아낼수 없었다. (《성종실록》 권226 20년 3월 계유, 권227 20년 4월 기유)

1490년 7월 폭동군은 바다에서 나와 광양현에 상륙하여 악질적인 관료배들과 지주들을 처단하는 싸움을 벌렸다. 이 소식을 알게 된 전라도 수군절도사가 함대를 끌고와서 바다길을 막았다. 《토벌군》의 기습을 받아 배를 타고 본거지로 돌아갈수 없게 된 폭동군은 산발을 타고 임실현 평당원으로 들어갔다가 다시 포위를 뚫고 깊은 산속에 들어가 자취를 감추고말았다. (《성종실록》 권242 21년 7월 계유)

이상에서 보는바와 같이 하층신분으로서 천대와 멸시를 받으며 2중3중의 가혹한 착취를 당해온 어민들과 수군들은 봉건통치배들의 억압과 착취를 반대하는 투쟁을 적극 벌림으로써 봉건통치배들에게 심대한 타격을 주었다.

제3절. 리조수군의 초기활동, 1419년 쯔시마원정

  14세기말~15세기초에 리조봉건국가는 국토를 완정하며 북방방비를 강화하기 위하여 4군, 6진을 설치하는 사업과 장성건설, 보의 설치, 녀진인들의 침입을 물리치기 위한 투쟁 등 복잡하고 어려운 사업들을 벌려나가면서 남쪽에서 끊임없이 침입하는 왜적들을 처부시기 위한 싸움을 벌리지 않으면 안되였다.
  14세기 후반기에 고려의 수군함대에 의하여 섬멸적타격을 받고 일시 수그러들었던 왜적의 침입은 14세기말부터 또다시 계속되였다.
  리조봉건정부는 날로 우심해지는 왜적들의 침입과 관련하여 그를 막아내기 위한 해안방비를 강화하는 한편 침입하는 왜적들을 단호하게 징벌하였다.
  그러나 일본해적들은 집요하게 침입하여왔다. 1393년 3월 고만량(충청남도 보령시 오천면)에 침입하여 략탈행위를 감행한 왜구들은 이 한해에만도 열번가까이 침입하였다.
  그후에도 놈들은 1400년까지 50여차나 쳐들어왔는데 그중 많이 침입한 해를 보면 1394년에 13차, 1396년에 13차, 1397년에 11차나 되였다. 그리고 1403년에는 6차, 1404년에는 4차, 1406년에는 8차, 1408년에는 5차나 침입하였다.
  왜적들의 침입을 뒤에서 조종하던 일본의 서북지방 봉건령주들은 겉으로는 해적들을 단속한다고 하면서 우리 나라에 그 대가로 량식이나 불교전서인 대장경을 줄것을 요구하였다.
  1396년 12월에 림온이란자는 60여척의 배를 끌고 경상도 녕해 축산도에 와서 거주지를 정해주고 식량을 공급하여줄것을 간청하면서 그 대신 다른 일본해적들을 진압하겠다는것을 다짐하였다. 일본령주들은 1395~1419년에 리조봉건정부에 20여차 사신을 파견하여 불교전서인 8만대장경을 요구하고 그 대가로 랍치되여간 조선사람들을 돌려줄것을 약속하기도 하였다. 또한 서부 일본의 큰 령주들인 오우찌와 쇼니 등도 대장경을 보내주면 해적들을 철저히 진압하겠다는것을 알려왔다. 그러나 이것들은 모두 빈말뿐이였으며 그들에게는 해적들을 단속할 힘도 없었다.

일본봉건령주들의 동향이 이와 같은 조건에서 그들을 믿고 해적들에 대한 방비대책을 시급히 세우지 않는다면 놈들의 준동이 더해질수 있었다. 리조정부는 왜구를 적극적으로 소탕하기 위한 대책으로서 수군을 늘이고 함선을 더 많이 건조하였다.

1408년에는 경기수군을 당번(당령), 하번(하령)을 막론하고 다 동원하기로 하였고 왜변이 있는것과 관련하여 각 도절제사와 도만호들이 각각 10척의 함선을 이끌고 자기 관할구역을 늘 순시하도록 하였다. (《태종실록》 권15 8년 2월 임오, 권16 8년 12월 정유)

우리의 해상방어가 강력하게 진행되자 그후 한동안 일본해적들의 준동은 주로 명나라 연안지방들에로 돌려지고있었다.

1419년 5월초에 명나라 연해지방을 습격하고 돌아온 일본해적선 39척이 전라도 앞바다에 와서 정박하였다. 이들은 북상하여 5월 무신일(5일)에는 충청도 비인현 도두음곶에 기여들어 그곳에 있던 싸움배 7척을 소각하고 륙지에 기여올라 비인현성을 포위하였으며 인민들의 재물을 략탈하고 주민들을 학살하는 만행을 감행하였다. 이것은 도두음곶만호 김성길이 안일해이하여 술을 마시고 취해있었던데로부터 발생된 사건이였다. 급보를 받은 충청도 서천군과 람포진군인들의 지원으로 왜적들은 격퇴되였다. (《세종실록》 권4 원년 5월 기유 신해)

이 통보를 받은 리조봉건정부는 앞으로 일본해적들의 침입이 더욱 격화될것을 예견하고 충청도, 경기도, 황해도의 모든 수군들에게 동원령을 내렸으며 이 세 도의 수군도처치사를 임명하고 충청도에는 조전(助戰)병마도절제사를 파견하였다.

5월 11일 비인에서 침략야욕을 실현하지 못한 일본해적들 38척은 황해도 해주의 연평곶에 침입하였다. 놈들은 안개자욱한 연평바다가에 도적고양이처럼 몰래 기여들어 부두에 있는 우리 나라의 배들을 불의에 포위하고 식량을 내라고 강요하였다. (《세종실록》 권4 원년 5월 정사)

일본해적들의 침입을 철저히 진압하기 위한 준비를 다그치고있던 리조봉건정부는 도두음곶과 연평곶에 대한 왜적들의 침입사건을 직접적동기로 하여 왜적들의 소굴인 쯔시마원정을 단행할데 대한 문제를 결정하고 추진시켰다.

5월 4일 리조봉건정부는 리종무를 삼군도체찰사로 임명하고 중군을 겸하여 지휘하게 하고 박초를 좌군도절제사로, 리지실을 우군도절제사로 임명하였으며 경상, 전라, 충청도의 함선 200척을 6월

8일까지 견내량(거제도 서북쪽의 해협)에 집결하도록 하였다.

리조봉건정부는 원정함대를 편성하면서 원정을 성과적으로 보장하기 위한 일련의 작전적 및 전술적조치들과 구체적인 보장대책을 강구하였다.

무엇보다먼저 쯔시마원정의 비밀을 보장하기 위하여 냉이포(경상남도 진해 제포) 등지에 와있던 일본상인 등 591명을 구류하여 내륙지방으로 옮겨두고 노비로 삼았으며 당시 조선에 와있던 사절을 억류하였다.

그리고 이 원정의 성과적보장을 위하여 령의정 류정현을 3도 도통사로, 참찬 최윤덕을 3군도절제사로 임명하여 전투준비를 다그치게 하였다.

또한 리조봉건정부는 쯔시마원정에 대처하여 해안방어를 튼튼히 하기 위한 조치로서 병마도절제사, 조전병마사 등을 서해지방의 각 도에 파견하였다. 그리고 각 기지(포구)에 남겨둔 전선들을 군사적으로 중요한 곳에 배치하였으며 민간선박들도 동원준비를 갖추게 하였다.

이와 함께 번을 쉬는 갑사로부터 재인, 화척, 향리에 이르기까지 싸움할만 한 사람들을 모두 동원하여 바다가를 철저히 지키게 하였다.

한편 리조정부는 쯔시마도주에게 도두음곶과 연평곶에 침입하였던 일본해적들을 체포하여 보내며 항복해올것을 요구하였다. 그러나 20일이 지나도 아무런 회답도 받지 못하게 되자 드디어 쯔시마에로 진격하였다.

리조봉건정부의 원정함대는 함선 227척에 1만 7 285명을 태워가지고 6월 17일 거제도를 출발하였다.*

> * 《세종실록》권4 원년 6월 경인
> 227척은 경기 10척, 충청도 32척, 전라도 59척, 경상도 126척으로 구성되였다.

리조봉건정부는 원정함대가 출발하자 일본봉건령주들이 파견한 사절가운데서 규슈탐제의 사절만을 돌려보내여 이번 원정의 목적이 일본해적-왜구의 소굴인 쯔시마를 습격소탕하는데 있으며 규슈를 치기 위한것이 아니라는것을 알리게 하였다.

원정함대는 거제도에서 출항하여 항행하는 도중 바람이 사나와 돌아왔다가 다음날 19일에 다시 떠나 20일에 쯔시마의 두지포(쯔찌요리)에 도

하였다. 이때 쯔시마의 왜적들은 략탈나갔던 저들의 배가 돌아오는줄로만 알고 마음놓고있다가 전투준비도 하지 못한채 리조함대가 들이닥치자 모두 넋을 잃고 헤매다가 싸워보지도 못하고 얻어맞고 도망쳐버렸다.

불의의 기습전에 성공한 원정군은 두지포에 상륙하여 이전에 귀화하여온 일본인들을 적진에 보내여 쯔시마도주에게 항복할것을 권고하였다. 그러나 아무런 반응도 없었으므로 원정군은 놈들의 소굴을 샅샅이 수색하여 왜적선 129척을 로획하여 그중 109척을 불살라버렸으며 놈들이 도사리고있던 1 939채의 집들을 불사르고 114명의 적을 소멸하였다.*¹ 또한 21명의 적을 생포하였다.*² 그리고 붙잡혀와있던 명나라사람 131명을 구출하였다.

  *¹, *² 《세종실록》권4 원년 6월 계사, 권11 3년 3월 병자조에는
  원정때 로획한 왜적선이 20척이 아니라 34척으로 되여있다.

두지포에서 싸움을 끝낸 후 원정군은 왜적들에게 랍치당하였던 명나라사람들을 통하여 적들이 량식이 떨어져 곤경을 겪다가 도망쳤다는것을 알게 되였다. 원정군은 적들을 끝까지 소멸할 태세를 보이는 한편 날마다 수색대를 파견하여 적의 은폐지와 배들을 찾아다니며 적들을 모조리 소멸하였다.

26일에 원정함대는 왜적들을 모조리 소탕하기 위하여 북쪽섬의 남부로 진격하였다. 먼저 상륙한 원정군의 좌군은 매복하였던 적들의 불의의 기습에 걸려 공격이 좌절당하고 불리한 정황에 놓이게 되였다. 그러나 뒤따라 상륙한 수군이 합세하여 적들의 반격을 제압하고 종심깊이에로 일정하게 들어가 전투성과를 확대하면서 공격하였다. 그리하여 총 전과는 해적소굴의 집 2 007채를 불태우고 배 144척을 처리하였으며 153명을 처단하고 우리 나라 사람 8명과 중국사람 146명을 구원하여왔다. 우리측의 손실은 전사자, 추락자를 합하여 백수십명이였다. (《세종실록》권4 원년 6월 계사, 임인)

적들은 리조원정함대의 맹렬한 공격에 기가 꺾이우고 식량마저 떨어져 더는 지탱할수 없게 되였다. 곤경에 빠진 쯔시마도주 도도웅와(종정성)는 사람을 보내여 앞으로 조선에 순종하겠다는것을 다짐하였다. 물론 쯔시마도주의 다짐 하나만으로 앞으로 왜적들의 침입이 완전히 없어지리라는것을 믿을수 없었다. 그러나 원정함대는 쯔

시마도주의 다짐을 받았고 또 해마다 7월에 들어와 쯔시마일대를 휩쓰는 계절태풍이 우려된다고 하여 섬을 전면적으로 포위하여 왜적을 격멸하려던 처음의 계획을 바꾸어 7월 3일 거제도로 돌아왔다.

이무렵에 왜구의 일부는 충청도 안흥량에 나타나 전라도의 공선(공물로 내는 배) 8척을 략탈해갔다. 또한 황해도 소청도일대에서 30여척의 해적선들이 돌아치고있었으므로 연해의 요충길목마다에 병선 20척씩을 배치하고 75척의 함선은 등산곶 등지에 대기하게 하였다.

리조봉건정부는 원정함대가 철수한 후 다시 60척의 함선을 보내여 쯔시마로 돌아오는 일본해적떼들을 소탕하려다가 중지하였다.

리조봉건정부는 쯔시마도주에게 다시 배은망덕한 행동에 대하여 단죄하면서 쯔시마땅을 바치고 투항할것을 요구하는 편지를 보내였다. 만일 투항하지 않으면 9~10월에 다시 토벌하겠다고 위협하였다. 그리고 9월에는 평안도의 대동강, 청천강어구에서 각각 병선 50척을 건조하게 함으로써 쯔시마에 대한 대원정을 진행할 준비를 다그치였다. 그러나 10월에 들어와서 쯔시마도주가 사죄하면서 억류한 쯔시마사람들과 도장을 돌려보내줄것을 요청하자 재원정을 미루었다. 그후에도 쯔시마도주에게 완전히 투항하지 않으면 앞으로 다시 500~1 000척으로 징벌하겠다고 위협하였다.

리조함대의 쯔시마원정은 왜적들을 징벌하는 정의의 싸움이였음에도 불구하고 리조봉건통치배들 특히 원정함대지휘관들의 소극적이며 비겁한 태도로 말미암아 시초의 계획대로 왜적의 소굴을 완전히 소탕하지 못함으로써 침략의 근원을 철저히 뿌리뽑지 못하였다.

또한 쯔시마원정은 작전상결함도 발로시켰다. 그것은 우선 쯔시마도주가 도사리고있는 시가우라를 첫 대상으로 선택하여야 할것이였으나 그와는 달리 두지포에 상륙한것이였다. 후에도 종심깊이에로 전투성과를 확대하며 적의 기본력량을 소멸해버려야 하였으나 리종무를 비롯한 원정함대의 지휘관들이 작전을 끝내지도 않고 쯔시마도주의 다짐을 구실로 중도에서 철수한것은 두번째 과오였다.

이와 함께 명나라에 갔다 돌아오는 왜적들을 철저히 소탕해버려야 하였으나 중도반단한것도 커다란 잘못이였다.

당시 리조의 원정함대가 그처럼 큰 력량을 가지고 쯔시마의 적을 철저히 진압소탕하는것은 어려운 일이 아니였다. 그럼에도 불구하고 리종무 등이 쯔시마도주가 사람을 보내여 《항복》을 다짐했다고 하여 원정계획을 중도반단하고 돌아오고만것은 결정적인 잘못이였다.

1419년 리조함대의 쯔시마원정은 이러한 결함들과 부족점들이 있음에도 불구하고 중세 우리 인민의 반침략투쟁력사 특히 일본침략자들을 반대하는 투쟁에서 중요한 자리를 차지하는 력사적인 원정이였다.

쯔시마원정의 의의는 우선 쯔시마 왜구를 포함한 일본해적들에게 다시한번 섬멸적타격을 주고 리조함대의 전투적위력을 크게 시위하였다는데 있다. 쯔시마원정에서 된벼락을 맞은 왜적들은 항상 심한 불안과 공포속에서 떨게 되였으며 보복이 두려워 그전처럼 큰 규모로 침입해오지 못하였다. 이 원정에 의하여 일본해적의 중심집단이였던 쯔시마왜적들은 군사적, 경제적타격으로 하여 심한 곤경에 빠지게 되였다.

쯔시마원정의 의의는 또한 일본해적들의 침입을 기본적으로 진압함으로써 리조봉건정부로 하여금 한편으로는 봉건적통치체제를 정비강화할수 있게 하였고 다른편으로는 1420년이후 북방에서 녀진인들의 침입을 물리치고 국경경비를 강화하는데 많은 힘을 돌릴수 있게 하였다는데 있다.

쯔시마원정이 가지는 또 하나의 력사적의의는 그것이 인민들의 해상활동을 더욱 강화할수 있는 조건을 지어주었으며 더 나가서는 우리 나라의 경제발전에 도움을 주었다는데 있다.

쯔시마원정후 리조정부는 강화된 수군력에 의거하여 해상활동을 활발히 벌리면서 대외관계를 발전시켜나갔다.

강력한 수군을 꾸려 왜적을 비롯한 바다로부터 쳐들어오는 적을 물리칠수 있게 됨으로써 나라의 연해를 믿음직하게 지키게 되였다. 그에 따라 어민들은 바다에 적극적으로 진출하게 되였으며 수산업이 상당한 정도로 발전하게 되였다.

이 시기에 바다가에서 살고있던 사람들속에서 물고기잡이를 전업-생업으로 하며 살아가는 사람(어민)들이 늘어나게 되였다. 또한 함경도 북부바다가어민들은 녀진인들이 자주 침범하던 곳인 경원부 후라둔도, 시우둔도 등지에까지 진출하여 물고기를 잡았으며[1] 전라도의 광양, 순천, 락안 등지의 바다가주민들은 먼바다에 나가 섬들에 자리를 잡고 크고작은 전복을 채취하였다.[2]

*¹, *² 《세종실록》권52 13년 5월 병자, 《성종실록》권47 5년 9월 계해

이처럼 15세기에 들어와 수군의 담보와 능동적인 활동에 의하여 인민들은 바다에로 적극 진출하여 수산업을 발전시켰다.

15세기에는 또한 농업과 수공업이 현저히 장성한데 기초하여 대외무역도 일정하게 활기를 띠게 되였다.

15세기 대외무역은 명나라와 일본, 류구국, 녀진족들과의 사이에 진행되였다. 일본에 대해서는 1443년에 쯔시마와의 사이에 계해약조를 맺음으로써 평화적인 관계가 회복되였다. 그후 대마도 및 일본각지의 봉건령주들과의 무역이 늘어났다. 1490년에 우리 나라에 온 일본의 사송선은 큰배 160척, 중간배 4척 모두 164척이였고 그 다음해에도 대체로 이만한 수의 사송선들이 무역하러 왔다. (《성종실록》권289 25년 4월 기미)

이밖에도 류구국과 섬라(타이)를 비롯한 동남아시아의 상인들이 찾아왔다. 14세기말에 타이와 인도네시아(조와, 쟈와)에서 사절이 찾아오고 15세기초에는 인도네시아추장의 사절이 찾아왔으며 1478년과 1482년에는 구변국의 추장이 사신을 보내왔다. (《성종실록》권96 9년 9월 기미, 권138 13년 2월 병오)

이처럼 여러 나라들과 대외관계를 맺고 무역거래를 활발히 한것은 수군력이 강화되여 바다길과 해안선이 안정된 결과이며 특히 왜구의 침입을 기본적으로 진압한 결과였다.

제4절. 16세기 왜적과 녀진의 침입을 물리치기 위한 투쟁에서 리조수군의 활동

근로인민대중의 창조적로동에 의하여 16세기에 들어와서도 사회적생산은 늘어나고 과학과 문화도 발전하였다.

이 시기 화약무기제작수공업이 현저한 발전을 이룩하였는데 그

중요한 요인은 나라의 남, 북쪽으로부터 자주 침입하는 외적들 특히 일본침략자들을 소멸하려는 인민들의 애국적이며 창조적인 적극성이 높아진것이였다.

1510년의 삼포왜란, 1544년의 사량왜변, 1555년의 을묘왜변 등 일본해적들의 침범사건과 1513년 녀진인들의 온성, 창성방면침입을 비롯한 빈번한 국경침범사건들은 무기제조기술자들과 장공인들로 하여금 효과적인 무기를 만들어내기 위하여 심혈을 기울이게 하였다. 1520년에는 서후가 100근짜리 무게를 날릴수 있는 강노를 창안제작하였으며 이듬해에는 120근짜리를 날릴수 있는 강노와 극적궁과 벽력포 등을 만들어내는데 성공하였다. (《중종실록》 권40 15년 10월 무술, 권41 16년 정월 기사)

화포의 일종인 벽력포는 그 성능이 우수하였을뿐아니라 가볍고 편리하였으며 특히 수전에 리용하도록 만든것이였다. (《고사신서》 권9 무비문, 《중종실록》 권41 16년 정월 기사)

16세기에 새로운 화약무기들이 발명된것은 륙군뿐아니라 수군함대의 무장장비를 강화할수 있게 하였다. 봉건통치배들의 부패타락으로 전반적으로 국방력이 약화되였음에도 불구하고 리조의 수군이 반침략투쟁에서 일정한 역할을 놀수 있었던것은 그들의 애국심과 함께 무기제조분야에서 달성된 새로운 성과들이 부분적으로나마 함선들에 도입되였기때문이였다.

1. 왜적의 침입을 물리치기 위한 투쟁

1419년 쯔시마원정이후 거의 한세기동안 일본해적들의 대규모적이며 체계적인 침입은 없었다. 그러나 일본렬도안에서는 봉건령주들사이의 분쟁이 계속되고있었으며 각지의 해적들의 준동도 완전히 종식된것은 아니였다. 이러한 조건에서 쯔사마 왜와의 관계만을 조정해가지고서는 연해지방의 안정을 제대로 담보할수 없었다. 그러므로 리조정부는 한편으로는 해상 및 해안방어를 늦추지 않으면서 다른편으로는 일본의 각지 봉건령주들의 사절단-무역선파견요청을 일부 허용하는 정책을 실시하였다.

1426년에는 전라도 만경현과 위도에서 일본해적의 남은 무리들이 우리의 배를 한척씩 습격, 략탈하는 사건이 발생하였다. 그밖에도 해적선들의 연해지방출몰은 계속되였다. 그러므로 리조정부는 쯔시마도주가 발행한 증명서가 없거나 조선측의 증명서가 없는 일체 일본선박들은 해적으로 인정하고 철저히 단속, 소멸한다는것을 선포하고 해상경비를 강화하였다.

1434년에 충청도의 좌도 도만호를 안흥량에, 파지도 만호를 도둔곶에, 고만도 만호를 사포에 내보내여 미리 방어하게 하고 서천포, 대진포, 당진포의 만호, 천호들은 대기상태에 두도록 한것이라든가 1439년에 하3도의 여러 수군진영들의 병선을 1척씩 늘구고 도만호가 주재한 포구들에 새로 단만호를 두고 도만호는 각 포의 병선가운데서 1척씩 뽑아올려다가 관내수역을 정상적으로 순찰하도록 한것은 다 해안방어를 강화하기 위하여 취해진 조치였다. (《세종실록》권66 16년 10월 무오, 권86 21년 7월 병인)

1474년에는 왜선 2척이 증명서도 없이 물고기를 낚는다는 구실로 전라도수역에 들어와 우리의 어선 4척을 습격략탈하는 행위를 감행하다가 리조수군의 추격을 받아 그중 1척이 나포되였다. (《성종실록》권48 5년 10월 경자)

16세기에 들어와서 왜인들의 행패질은 다시 악랄한 성격을 띠고 나타나게 되였다.

그것은 쯔시마 왜를 비롯한 서부일본각지의 봉건령주들이 해외침략에서 략탈목적을 달성할수 없게 되자 무역액을 증가시키는 방법으로 리득을 얻으려고 하면서 리조정부에 더 많은 무역선을 보내게 해줄것을 검질기게 요구해나선데 대하여 리조통치배들이 회유정책을 쓴다고 하면서 점차 양보하였고 또 상인들과 지방관들이 밀무역에서 얻는 리익을 탐내여 규정이상의 많은 수의 왜인들이 비법적으로 삼포(웅천 냉이포, 동래 부산포, 울산 염포)에 와서 거주하며 제멋대로 왜인거류지밖으로 드나드는것을 눈감아준것과도 관련되였다.

1434년에 냉이포와 부산포에 와있는 왜인장사치(상왜)수는 각각 600명에 달하였고[*1] 1439년에 냉이포에는 본래 60명만 거주하도록 허용한것인데 200여명이 와서 살고있었다. 부산포에는 본래 늘 거주하는 왜인이 없었는데 160여명이나 와서 살고있었기때문에 봉

건정부는 그들을 다 이듬해봄까지 찾아서 돌려보내도록 하였다.*²
1440년에 부산포의 왜인은 60여호인데 장사군들은 무려 6 000여명
이나 되였다.*³

15세기말에 삼포에 거류하는 왜인수는 무려 1만여호로 엄청나
게 늘어났다.*⁴

*¹, *², *³《세종실록》권64 16년 4월 무진, 권87 21년 11월 기
사, 권88 22년 2월 경진
*⁴《연산군일기》권19 2년 11월 을축, 권49 9년 3월 임진조에는 냉
이포(제포) 왜호가 400이고 인구가 2 000여명이라고 하였으며 염
포, 부산포도 이와 비슷한것이라고 하였다. 그러므로 1만여호는
1만여명의 잘못일것이다.

삼포에 거류하는 왜인수가 늘어나 일정한 세력을 이루자 그들은
해적무리의 본성을 드러내놓기 시작하였다. 왜적무리들의 침입은 특
히 연해인민들이 바다에 나가 작업하는 4~5월과 8~9월에 더욱 심
하였다. (《연산군일기》권37 6년 3월 기미)

왜인들은 이러저러한 구실을 붙여 내륙깊이 싸다니면서 위법행
위를 하였고 심지어 비밀을 내탐하기도 하였다.

리조정부는 쯔시마에 경차관을 보내여 항시적으로 사는 왜인
60호외의 왜인들을 모두 데려가도록 강력히 요구하였다. 현지 관청
들에서도 약조외에 오는 배들을 접수하지 않고 돌려보냈으며 냉이포
첨사는 왜인들이 자의로 장사질하는것을 엄격히 금지하였다. (《중종
실록》권8 4년 4월 계유)

그러나 왜인들은 제정된 질서를 무시하고 계속 비법적으로 거주
해있으면서 장사도 하고 물고기잡이도 하였으며 1505년에는 조라포
(거제도)에 침입하여 많은 인민들을 살상하는 만행을 감행하였다.*¹
1508년에는 가덕도에 침입하여 집을 불태우고 웅천현감이 나무를 베
러 보낸 9명을 죽이고 옷, 량식 기타 물품들을 략탈하였다.*²

1509년 3월에는 제주도에서 공납으로 보내는 말을 실은 우리 배
가 보길도 앞바다에 정박해있는것을 보고 왜적선 5척이 달려들어
10여명을 살상하고 옷과 식량 등을 빼앗아갔다.*³

*¹ 《연산군일기》권59 11년 8월 무진
*². *³《중종실록》권8 4년 3월 신유, 권10 5년 2월 기축

리조정부는 이러한 범죄자들을 빨리 색출하여 엄벌에 처할것을 요구하였으나 쯔시마 왜들은 도리여 놈들을 비호하였다.

1509년 3월 20일에는 왜의 해적선 5척이 전라도수역에 침입해왔다가 우리 수군의 공격으로 17명이 죽고 도망친 사건이 생겨났다. 이에 앞서 왜적들은 자라포만호가 왜인들의 비법행위를 단속했다고 하여 우리 수군 3명을 붙들어가는 행위까지 서슴지 않았다. (《중종실록》권8 4년 4월 갑자, 을축, 권10 5년 2월 기해)

리조정부는 1497년에 수사로 하여금 배를 타고 관내수역을 순시하고 불의의 사변에 대처하도록 대기하게 하였다. 그러나 그것은 관리들의 태공으로 제대로 집행되지 못하고말았다.

이러한 틈을 타서 쯔사마 왜적들은 끝내 1510년 4월에 웅천과 부산에 침입하였다.

1510년 4월 4일 쯔시마령주의 대관(대리인-보좌관) 종 성친이 란자를 두목으로 삼고 무어보낸 왜적선 100척과 함께 삼포거류왜인들은 냉이포와 부산포에 쳐들어오는 도발사건을 일으켰다. 이것을 력사에서는 《삼포왜란》이라고 불러왔다.

이날 이른새벽 쯔시마령주가 보낸 해적떼와 야합한 삼포의 왜인무리 4 000~5 000명은 갑옷과 투구, 활과 검, 창, 방패로 무장하고 냉이포성밖인민들의 집에 불을 지르고 성을 포위공격하여 강점하고 우리의 병선들을 불태웠다. 다음날에는 웅천성으로 밀려들었다. 다른 한떼거리 200명은 부산포를 공격하여 강점하고 첨사를 살해하였으며 또 한떼거리는 거제도의 영등포에 기여들어 마구 불을 지르고 인민들의 재산을 략탈하는 만행을 감행하였다. (《중종실록》권11 5년 4월 계사, 을미, 병신)

왜적떼들은 웅천성을 포위하고 발악적으로 달려들었다. 웅천성의 군인들과 인민들은 침략자들을 반대하여 용감히 싸웠으나 력량관계의 엄청난 차이로 6일에 성은 함락되였다.

웅천성에 대한 공격과 때를 같이하여 왜적의 다른 한 무리는 조라포, 다대포 등 여러곳에 기여들어 략탈행위를 감행하였다.

삼포왜란에 대한 보고를 받은 리조봉건정부에서는 8일에 황형을 좌도병마사로, 류담년을 우도병마사로 파견하고 13일에는 안유덕을 도순찰사로, 좌의정 류순정을 체찰사로, 우의정 성희안을 도원수로 (후에 성희안은 도체찰사로, 류순정은 도원수로 교체됨) 임명하여 토벌군지휘부를 편성하였다. 초기의 어려운 상태를 수습하고 대오를 편성한 경상도의 지방군은 동평현(부산시)과 거제도에서 적들을 격퇴하였고 4월 19일에는 웅천성에 둥지를 틀고있는 왜적들에 대한 공격을 개시하였다. 경상도의 동남해안지역의 지방군은 웅천성일대의 지리적조건과 왜적들의 배치상태에 기초하여 수륙량면에서 놈들을 치기 위한 작전을 벌렸다. 3개의 공격집단으로 편성된 4 900명의 지상부대를 섬에 진출시키고 경상우수사 리의중과 부산첨절제사 리보가 지휘하는 수군함대를 바다로부터 웅천성에로 육박하였다.

왜적들은 성을 지켜낼수 없다는것을 깨닫고 성밖으로 뛰쳐나와 동봉, 서봉, 남봉의 세 봉우리에 의거하여 지탱해보려고 진을 쳤다.

경상도지방군은 먼저 동봉을 공격하여 적을 소탕하고 고지를 차지하였다. 이에 질겁한 서봉과 남봉의 적들은 진지를 버리고 모두 바다가쪽으로 달아났다.

징벌군의 수군함대들은 시급히 공격서렬을 짓고 맹렬한 공격을 들이대고 집중포화를 안겼다. 징벌군의 함대는 포위진을 좁히면서 도망치려는 놈들의 배길을 막고 화포와 화전의 집중사격을 가하였다. 적함들은 순식간에 불길에 휩싸였다. 리조의 수군함대는 일제히 공격으로 이행하였고 적함들에 육박하여 놈들을 모조리 잡아죽였다. 전투는 아군의 커다란 승리로 끝났다. 이 전투에서 징벌군은 한명의 희생자도 없이 왜적두목 다섯놈을 포함하여 295명을 목베거나 사로잡았으며 적선 5척을 격침하고 많은 무장과 군수물자를 로획하였다. 이밖에 물에 빠져죽은 적은 부지기수였다. (《중종실록》권11 5년 4월 기유)

이 전투에서 왜적들은 얼마나 혼이 났던지 삼포거류왜인들까지 모조리 끌고 쯔시마의 소굴로 도망쳤다.

·삼포왜란은 애국적인 군인들과 인민들의 용감한 투쟁에 의하여 15일만에 진압되였으며 커다란 승리를 이룩하였다.

삼포왜란이 진압됨으로써 무시로 그리고 불의에 기여들어 략탈과 학살만행을 감행하던 왜적들에게 다시한번 심대한 타격을 주었다.

삼포왜란진압투쟁의 승리는 화약무기로 장비한 리조함대의 위력을 과시하고 나라의 자주권을 튼튼히 지켜벌수 있게 하였다.

삼포왜란진압후 리조봉건정부는 쯔시마와의 모든 관계를 완전히 끊어버렸다. 이것은 조선과의 무역거래에서 리득을 얻어오던 쯔시마령주를 비롯한 일본상인들에게 커다란 타격으로 되였고 특히는 삼포에 거류하였던 왜인들을 심한 곤경에 몰아넣었다.

그리하여 쯔시마령주는 왜란이 진압된 직후부터 단독으로, 후에는 막부를 통하여 조선정부와 외교관계의 정상화, 무역 및 삼포거류의 승인을 애걸하였다.

1512년 리조봉건정부는 삼포왜란의 《주모자》들의 머리를 베여가지고 사죄하여온 일본막부의 사신에게 이 사건에 대하여 엄중히 책임을 추궁하고 다시는 침략사건을 도발하지 못하게 하겠다는 다짐을 받고 임신약조를 맺았다. 이 약조에는 왜인들이 삼포에 거류할수 없으며 세견선수와 그에 따르는 쌀과 콩을 절반으로(50척이던것을 25척으로, 200섬이던것을 100섬으로) 줄이는 동시에 그들의 래왕을 제한하며 위법행위를 감행할수 없도록 극력 단속하는 방향에서 규정하였다.

그러나 일본해적들의 본성은 변하지 않았으며 삼포왜란후에도 소규모의 침범과 략탈행위는 계속되였다.

경상도의 수군함대는 1511년 6월 가덕도에 기여들어 략탈을 감행하던 일본해적들에 대한 소탕전을 벌려 그를 크게 격멸하였다. 거듭되는 타격에도 불구하고 왜적들은 주로 거제섬의 남해 안지방과 전라도연해일대에 침입하여 략탈을 감행하였다. 놈들은 10여척안팎으로 떼를 무어 보길도, 추자도, 달량, 회령포, 가리포, 사조도, 당사도, 대모도 등지에 대한 략탈을 감행하였다. 적들은 서해안지방에로 침입범위를 확대하여 충청도 서천, 람포앞바다의 섬들과 지어는 경기의 인천, 황해도의 풍천, 평안도의 광량과 철산, 피도에까지 기여들어 략탈만행을 감행하였다.

이러한 왜적들의 침입을 물리치는데서 수군이 커다란 역할을 수행하였다. 리조정부는 미조항, 방답 등 첨사진들을 신설하였고 또 1510~1520년대 전반기에 하3도의 여러 수군진영들에 성을 쌓고 방어를 강화하였다.

전라도의 수군함대는 1522～1525년에 달량 등지에 기여드는 왜적떼들을 제때에 포착하여 추격해나가서 격퇴하였으며 충청도의 수군함대는 1523년 직도에서 략탈을 감행하던 왜적들을 쳐물리쳤다.
　　1538년에 왜적들은 부산 절영도에서 풀을 베던 인민들을 살해하였다. 또한 1541년 6월에는 제포(냉이포)왜인들이 제멋대로 나다니면서 살인행위를 저질렀고 영등포부근에서는 왜적이 우리 함선 1척을 략탈하고 경비서는 수군을 죽이는 행동을 감행하였다. 이처럼 왜인들의 준동이 심해지자 리조봉건정부는 왜적들의 준동을 미리 막으며 해안방비를 강화하기 위한 일련의 조치들을 취하였다.(《중종실록》권95 36년 6월 병자, 7월 무자)
　　리조봉건정부는 1541년 11월 쯔시마령주에게 냉이포에 와있는 왜인들에 대한 단속을 엄격히 할것을 강하게 요구하면서 위법행위를 하는 경우에 법에 따라 처형한다는것을 거듭 신칙하였다. 또한 왜적들의 침략만행에 대처하기 위하여 1543년 왜인들의 기항지, 은거지로 되여온 가덕도에 수군기지(진)를 설치하여 수군함대를 상주시키도록 하는 조치를 취하였다.(《중종실록》권96 36년 11월 기해, 권101 38년 9월 무오)
　　왜적들은 리조봉건정부의 요구를 받아들이지 않고 세견선(해마다 보내여온 배) 수를 증가할데 대한 요청이 거절당하자 앙심을 품고 또다시 1544년에 사량왜변을 일으켰다.
　　왜적들은 1544년 4월 12일 20여척의 해적선과 200여명의 병력으로 경상도 고성 앞바다의 사량섬을 침공하였다. 당시 사량섬에는 적은 인원의 경비병들밖에 없었으나 그들은 인민들과 함께 포위진을 치고 달려드는 왜적들을 반대하여 6시간동안이나 치렬한 싸움을 벌림으로써 20여명의 왜병들을 소멸하고 쫓아버렸다.* 사량섬에 적정이 나타났다는것을 알고 적량만호, 소비포권관, 가배권관, 당포만호, 고성현령 등이 함선들과 군대를 이끌고 달려왔으나 그때는 이미 왜적들을 쫓아버린 뒤였다.

　　　　* 《중종실록》권102 39년 4월 을유, 우리측의 손실은 전사자 1명,
　　　　　부상자 10명이였다.

　　리조봉건정부는 이 사건을 계기로 그해 5월 일본국왕과의 관계만

유지하고 쯔시마와의 관계를 다시금 끊어버린다는것을 통고하였다. 이와 함께 넁이포에 불법거주하는 왜인들을 쫓아버리고 그후 왜인들의 거류를 엄격히 단속하였다. 1544년 가을에는 가덕도에 방파제를 막아 큰 항구를 건설하였으며 평산포, 상주포 등을 미조항 첨사진에 소속시켜 방어를 강화하며 부근섬들에 경비병을 늘이도록 하였다. (《중종실록》 권103 39년 5월 기미, 5월 병인, 권104 39년 9월 경술, 임술)

1546년말 쯔시마령주는 사량사변은 자기들이 일으킨것이 아니라고 변명하면서 일본막부의 사신을 통하여 관계회복을 다시 간청하였다. 리조봉건정부는 1547년정미약조로써 대일외교 및 무역에서 왜인들에 대한 법적통제를 더욱 강화하였다.

사량왜변후 왜적들의 침입은 한동안 뜸해지다가 1550년대에 들어서면서 또다시 감행되기 시작하였다. 1554년 5월에 우리 수군은 전라도 보길도 앞바다에서 왜선 2척과 교전한 일이 있었다.

1555년에 왜적들은 전라도 남해안일대에 대한 대규모적침공을 감행하였는데 이것을 력사에서는 《을묘왜변》이라고 한다.

1555년 5월 11일 왜의 한 해적떼들은 70여척의 배들을 몰고 불의에 전라도 달량앞바다 (해남군 송지면)에 기여들었다. 수천명이나 되는 놈들은 리진포와 달량포 동서 두곳으로 상륙하여 상투적수법대로 성밖에 있는 인민들의 집들을 불사르고 재물을 략탈한 다음 달량진성을 여러겹으로 포위하여 공격하였다. 성안의 200여명의 군인들과 인민들은 수량상 우세한 왜적들을 맞받아 용감히 싸웠다. (《명종실록》 권18 10년 5월 신해, 기유)

달량성인민들과 군인들은 3일간이나 성을 견지하였으나 수군절도사 원적은 량식이 다 떨어져 더는 싸울수 없다고 하면서 휴전을 제기하였다. 이것은 왜적들의 본성을 모르고 한 어리석은 행동이였다. 왜적들은 휴전제기를 기회로 원적을 비롯한 군인들과 인민들을 살해하였다. 해남현감, 전라우수사 등이 소식을 듣고 지원하였으나 성공하지 못하였다. 왜적들은 련이어 어란포, 남도포, 금갑도 등지를 침공하여 방화, 략탈을 일삼았으며 5월 21일에는 강진에 있던 전라도병영에, 그 이튿날에는 장흥부에 침입하고 24일에는 령암에 침입하였다. (《명종실록》 권18 10년 5월 갑인, 신해, 기미, 6월 갑자)

왜적들은 5월 25일 전주에서 온 군사들의 주동적발기로 진행된 령암전투에서 120여명의 손실을 당하고 배를 타고 달아났으나 아주 가지는 않고 5월 27일에는 가리포(완도)진을 공격함락시켰으며 록도진을 공격하였다. 왜적들은 우리 수군함대의 공격으로 타격을 받다가 포위를 뚫고 달아났다. 왜적들은 금당도에도 기여들어 략탈을 감행하다가 전라도수군함대의 공격을 받고 커다란 손실을 당하여 겨우 도망쳤다. (《명종실록》권18 10년 6월 신미, 임신, 정축)

6월 3일에 리조수군의 전함 60여척은 몇개의 방향으로 60여리를 추격하여 금당도앞바다에서 적함선들을 집중공격하자 왜적선 26척은 견디지 못하고 도망을 쳤다. 우리 함대가 적의 후위를 맡은 2척에 대한 집중포화를 가하니 거기에 탔던 놈들은 거의다 화살에 맞아 너부러지고 살아남은 놈들은 어둠을 리용하여 배를 타고 달아났다. 이때 우리 함선은 천자총통, 지자총통을 싣지 못한 배였으므로 적선을 깨뜨리지 못하여 더 거둘수 있는 전과를 거두지 못하였다. *1

달량을 비롯한 전라도 남부연해지방을 습격한 왜적들은 5도 렬도(북규수 서북)에서 사는 왜였다고 한다. 그들은 바람새가 좋으면 조선남해를 곧바로 횡단하여 전라도 진도, 완도 등지에 이르게 되므로 달량에 대한 불의습격을 할수 있었던것이다. *2

*1, *2 《명종실록》권18 10년 6월 계유, 《증보문헌비고》권35 여지고 과방, 해로, 《선조실록》권121 33년 정월 계유

왜의 해적떼들이 전라도 남해연안지방에 침입하여 살인, 방화, 략탈을 일삼고 몇개의 고을과 수륙군의 진영들을 함락시킬수 있었던것은 놈들이 불의에 습격하였다는 유리한 조건들도 있었지만 당시 량반통치배의 그릇된 정사로 하여 방어체계로서의 진관제가 실속있게 움직이지 않았고 일부 고을원들과 관리들이 비겁하여 싸워보지도 않고 성을 비워둔데 중요한 원인이 있었다.

해적떼들을 반대하여 용감하게 싸운것은 애국적인 하급군사들이였다. 령암전투당시 전주부윤 리윤경과 우도방어사 김경석이 성안에 있으면서 싸우려고 하지 않을 때 전주의 군사들은 스스로 나서서 왜적들을 소탕하였다. 우도방어사 남치근 같은자는 이 전투에서 쫓겨가는 왜의 패잔병들의 목을 여라문개 베였을뿐이였다. (《명종실록》권18 10년 5월 기미, 경신, 신유, 6월 갑자)

달량사변은 진관제가 허울만 남아있고 그때그때 군사지휘관들을 중앙이나 도에서 내려보내야 사태가 수습될수 있다는것을 보여주었다.

전라남도해변가에서 로략질을 하다가 우리 수륙군에 의하여 쫓겨난 왜적들은 제주도방면으로 도망갔다. 6월 21일에 그들중 40여척은 보길도를 거쳐 제주앞바다에 와서 정박하였다.

이 급보를 받은 정부에서는 전라좌우도 수사들에게 명령하여 함대를 거느리고 제주도로 향하게 하고 다른 도들의 수군함대들도 곧 출발하여 후원하게 하였다.*¹

6월 27일에 왜적 1 000여명은 제주도에 상륙하여 진을 쳤다. 이때 제주도의 선봉군사 20여명이 30보 거리에서 사격함으로써 숱한 적들을 살상하였고 이어 기병 4명이 돌진하자 적들은 패주하기 시작하였으며 아군은 이 기회에 추격함으로써 많은 적들을 살상포로하고 적들을 구축하였다.*²

7월 5일에 정비를 끝낸 전라도 수군함대 56척은 제주도를 향하여 진격하였으나 적들은 이미 달아나고 없었다.*³ 8월에 쯔시마도주는 이때 침입한 적선 한척을 공격하여 25명을 목베였다고 하면서 조선측에 통지하여 왔다.*⁴

9월에 제주도의 수군들은 총통으로 적선을 쏘아맞히고 불태웠다. 이때 왜적들가운데 불에 타고 물에 빠진자들의 목 54개를 베여 바치였다.*⁵

  *¹, *², *³, *⁴, *⁵ 《명종실록》 권18 10년 6월 신묘, 7월 정유, 무술, 임인, 8월 갑술, 9월 갑진

이와 같이 5월 중순부터 9월까지 약 4개월동안 남해지방에서 계속된 왜구의 침습은 우리의 수륙군인들과 인민들의 투쟁에 의하여 격퇴되였다.

을묘왜변은 심각한 교훈을 남기였다.

그것은 우선 국방력을 강화하기 위하여서는 군사규률을 결정적으로 강화하여야 한다는것을 보여주었다. 통치배들의 부패타락과 나약성으로 하여 군사제도는 극도로 문란해지고 군사규률은 심히 해이되였다.

수륙군사들이 정상적인 훈련을 받지 못하고있었으며 규률이 서지 못하여 진관들이 응당한 구실을 놀지 못하였다.

처음에 불의의 공격을 받아 한개 진이 위험에 처하였다면 이웃한 진보들과 고을들은 마땅히 제때에 책임적으로 지원해야 할것이였다. 그러나 달량진이 포위되였다는 소식을 듣고도 이웃 고을진의 책임관리들은 우물우물하면서 늦게야 달량진부근에 나타났고 또 적극적으로 능동적으로 싸움을 하지도 못하였다. 왜적들이 우리측의 반격으로 궁지에 처했을 때에도 제때에 추격을 조직하지 않고 시간을 헛되이 보내는 사이에 적들은 로략질을 하고서는 멀리 제주도방향으로 달아날수 있었다. 그리하여 전기간에 걸쳐 적선 몇척밖에 소각, 격파할수 없었다.

다음으로 그것은 각종 화포 특히는 천자총통, 지자총통, 질려포 등 우수한 성능을 가진 무기들을 함선마다에 장비하지 않으면 잡을수 있는 적도 놓치고만다는것이다. 이것은 무기생산을 다그칠 대신에 빈말로만 해상방어의 강화에 대하여 론의하던 통치배들의 불성실한 립장과 시책상오유에서 오는것이였다.

다음으로 그것은 일본해적들의 동향을 제때에 탐지하고 있을수 있는 침범에 미리 대처할수 있게 준비되여있어야 한다는것을 보여주었다.

1555년 을묘왜변이 있은 후 봉건통치배들은 일정하게 교훈을 찾았다. 그들은 일본측에 대하여 강경한 립장을 취하였다. 쯔시마도주와 아시까가막부장군은 여러차례 을묘왜변관련자들을 붙잡아 목을 쳐서 보내오기도 하고 우리가 잃었던 물건을 되돌려보내기도 하면서 제포(냉이포)를 다시 개방해줄것을 요청하였으나 허용하지 않았으며 쯔시마도주에게 주던 쌀과 콩도 더 주지 않았다.[*1]

그리고 해상, 해안방어도 강화하고 해적선이 나타나면 제때에 쳐물리치도록 엄격한 지시를 떨구기도 하고 국왕이 새로 만든 전함을 시찰하기도 하였으며[*2] 함선건조, 군기(무기)제작, 성곽축조 등을 규정대로 하며[*3] 연해고을들에서 예비함선들을 건조하고 관리하게 하는 조치도 취하였다.[*4] 또한 경기 수사를 새로 두는 등 진관제의 기능을 높이기 위한 대책도 세웠다.[*5]

*¹, *², *³, *⁴, *⁵ 《명종실록》권22 12년 4월 갑신, 권18 10년 9월 무신, 권28 17년 11월 신묘, 권32 21년 4월 무인, 권20 11년 정월 갑자

을묘왜변이후 일본해적들은 명나라사람들로부터 빼앗은 큰 배를 리용하여 서해와 남해에 자주 출몰하였다. 이와 관련하여 리조정부는 함선들을 보다 대형화하고 견고하게 만들기 위한 대책도 세웠다.

1570년대에 판옥선, 박배선, 협선 등 새로운 이름을 가진 함선들이 기록들에 보이게 되는것도 종전의 전선, 맹선, 병선 등을 일정하게 개조한것과 관련된다고 인정된다. 《경국대전》에 규정된 배들도 여전히 만들면서 새로운 구조를 가진 함선들을 만들게 하기때문에 폐단이 많다고 한것은 그것을 실증하여준다. 함선수가 늘어나는것만큼 불가불 수군수도 늘여야 하였다.

그리하여 조졸(조세미운반선의 승무원)들로 하여금 함선을 타도록 하였는데 이때문에 조졸들은 1년 내내 배를 타는 2중의 역을 지지 않을수 없었다. (《선조실록》권5 4년 11월 정해)

그러나 이러한 대책들이 제때에 강하게 추진되고 또 합리적으로 변통된것은 아니였다. 그것은 그후에도 일본해적의 침습을 다 막아내지는 못한데서 찾아볼수 있다.

1556년 7월에는 제주도에 침공한 왜적선 2척을 나포하고 왜적 75명을 목베였다. 그 이듬해에도 충청도 서천앞바다에서 왜적선과의 전투가 있었으며 경상도 평산포부근에서도 2척의 왜적선을 질려포로 공격하여 그중 1척을 불태우고 18명의 적을 목베였다.

1557년 7월에는 제주도부근에 왜선 26척이 침입하였는데 그것들은 주로 명나라에 가서 해적행위를 하다가 돌아온것들이였다. 같은 달에 전라우수영산하 남도포진의 권관(종9품)은 150명이 탄 큰해적선 1척을 공격하여 불태워버리고 22명을 목베였다. (《명종실록》권21 11년 7월 신미, 권23 12년 7월 을묘, 병진, 무오)

1559년 6월에는 왜인들이 경상, 전라, 홍청(충청), 황해도 앞바다에 자주 출몰하였다. 그중 전라도 구조도에는 적들이 상륙하여

인민들을 살상하기까지 하였다. 또한 전라도 안마도앞바다에 해적선 17척이 나타났는데*¹ 이때 일본해적들이 탄 배(명나라배)는 크고 견고하였다. 우리의 전선을 보아도 적들은 별로 놀라는 기색도 없이 대항해나섰으며 천, 지, 현자총통을 쏘아도 깨뜨리기가 어려웠다고 한다. *²

1564년에는 경상도 울산앞바다에 침입하여 로략질을 일삼던 일본해적선(큰 배) 1척을 추격하여 나포하였으며*³ 1573년에는 전라도 락안 금오도부근에 침범한 왜적선과 싸웠다. *⁴

*¹, *², *³ 《명종실록》 권25 14년 6월 병오, 무신, 권30 19년 5월 기미
*⁴ 《선조실록》 권7 6년 6월 정사

1586년에도 전라도연해지방에 왜적들이 여러곳에 나타나 략탈행위를 감행하였고 그 이듬해에는 적선 18척이 흥양지경에 침습한것을 요격하여 싸우다가 록도권관 리대원이 전사하였다. 이 시기 전라도 가리포진산하의 병선 4척이 왜적들에게 략탈당하는 사건까지 발생하였다. (《선조실록》 권20 19년 10월 정묘, 권21 20년 2월 을유, 병술)

당시 우리 나라를 침범한 해적선들은 5도렬도에 있던자들이였다.

이 모든것은 해상방어를 더욱 강화하며 왜적에 대한 경각성을 더욱 높일것을 요구하였다.

2. 녀진인들의 침입을 막기 위한 투쟁

16세기에 들어와 녀진인들의 침입도 계속되였다.

녀진인들은 압록강, 두만강안쪽과 오늘의 중국동북지방에 널려져 살면서 이웃나라들과 주변지역에 대한 침략과 략탈을 자주 감행하였다.

녀진인들은 조선에도 자주 침입하여왔는데 그들은 륙지로뿐아니라 바다로도 빈번히 침입하여 략탈을 감행하였다.

리조봉건정부는 동북면일대의 국경경비를 강화하였고 때로는 호된 징벌을 가하였다. 바다로부터 쳐들어오는 적들을 막기 위하여서는 해안방비도 강화하였다. 16세기 중엽에 이응거도(두만강 하류의 임거도)에 수군기지(진)를 설치하였다. (《명종실록》 권13 7년 7월 정미)

이것은 녀진인들의 침입을 해상에서 막으며 쳐부시기 위한 적극적인 조치였다.

※ 동해는 넓은 바다이고 동해가의 우리 나라 해안선은 자질구레한 출입을 내놓고 크게 볼 때 서해안에 못지 않게 길다. 그러나 동해안은 당시까지 나라의 해안방비에서 부차적이였다. 그것은 주되는 해상침입이 일본으로부터 진행되였으며 일본침략세력은 주로 남해와 서해남부에 침입하였기때문이다.
또한 녀진인들의 침략은 일본해적들의 침입에 비하여 보잘것없는것이였다. 이런 조건에서 동해연해에 전면적인 해상봉쇄를 가할 필요도 없었고 또 그렇게 할 능력도 없었다. 동해의 해안방비에서 중요한 의의를 가지는 곳에 기지(진)를 몇개 꾸리고 일정한 싸움배를 배치하면 적을 능히 막을수 있었다.

이응거도에 수군기지를 꾸린것은 자연지리적 및 해구조건을 타산하고 녀진인들이 바다로 진출하는것을 막은것으로서 그것은 군사전략상 작전상 정확한 조치로 된다. 리조봉건정부는 이응거도에 싸움배들과 포들을 배속하여 요새로 꾸렸다.

1554년 5월 녀진인 400~500명이 조산보를 포위, 공격하였으나 그곳을 지키던 부대들에 의하여 목적을 이룩하지 못하고 쫓겨났다. (《명종실록》 권16 9년 6월 계유)

1587년 10월에 두만강대안의 시전평에 살고있던 녀진인들의 무리가 록둔도에 침입하여 략탈을 감행하였다. 이때에도 리조의 군대는 당시 조산만호로 있던 리순신장군의 지휘하에 강력한 반격을 가하여 침략자들에게 막대한 손실을 주고 쫓아버렸다. 이 방어전투들에서 수군도 일정한 역할을 담당하였다. (《선조실록》 권21 20년 10월 을축)

그러나 녀진인들의 침략은 계속 되였으며 그로 인한 물질적손실도 적지 않았다. 이런 조건에서 리조봉건정부는 녀진인들에 대한 대대적인 징벌을 안기기로 하고 1588년 1월 14일 녀진인들의 소굴을 들이치는 싸움을 조직하였다. 2 500여명(수군포함)의 아군은 불의에 시전평을 들이쳐서 적들의 소굴을 소탕해버리고 적 380여명을 살상한 후 개선하였다.

이 싸움에서 수군함선들은 군사들과 기자재수송, 도하임무, 상륙전엄호를 비롯하여 중요한 임무를 감당하였다.

이 싸움에서 되게 얻어맞은 녀진인들은 그후 얼마동안 침입해오지 못하였다.

× × ×

리조의 수군은 16세기에 남쪽에서 왜적의 침입을 기본적으로 물리쳤을뿐아니라 녀진족의 침입을 바다에서 막아내고 봉쇄해버림으로써 적은 수군력량을 가지고도 동해안을 믿음직하게 지켜냈다. 특히 함선을 개조하고 더 높은 성능을 가진 화포를 만들어 함선에 장비함으로써 그 전투력을 높여나간것은 그후 임진조국전쟁에서 수군의 승리를 가져오게 하는데 중요한 의의를 가졌다.

제2장. 임진조국전쟁시기의 수군

일본침략자들을 반대하는 1592~1598년의 임진조국전쟁은 우리 인민의 반침략조국방위전쟁에서 장기간에 걸쳐 큰 규모로 진행된 가장 중요한 전쟁의 하나였다. 그것은 특히 바다로부터 수백척의 함선들과 20여만의 대병력이 침입한 전쟁이였던만큼 가장 큰 규모의 해상전투들을 동반하였으며 따라서 우리 나라의 수군사에서 가장 빛나는 자리를 차지한 전쟁이였다.

임진조국전쟁은 크게 네개의 단계로 진행되였다.

첫째 단계는 1592년 4월 약 20만의 왜적들이 침공을 개시하여 국내깊이 침입하였던 때로부터 왜적에 대한 전면적인 반타격전이 개시되기 전인 1592년말까지이다.

이 단계에서 리조의 수군은 리순신장군의 지휘하에 한산도앞바다싸움을 비롯한 여러 전투들에서 련속적인 승리를 거듭함으로써 놈들의 수륙병진계획을 파탄시켰다.

둘째 단계는 1593년초 평양성탈환전투때부터 적들을 남해안의 좁은 지대로 압축한 1593년 8월경까지의 반공격작전단계이다.

이때 수군은 륙지에서의 반공격전에 발맞추어 적의 후방을 견제하면서 남해연안지방에서의 적 수군의 준동을 분쇄하는 투쟁을 진행하였다.

셋째 단계는 일정하게 전선이 고착된 1593년 9월부터 일본침략자들이 다시금 대대적인 침공을 감행하기 직전인 1597년 1월까지이다.

이 단계에서 조선수군은 일본침략자들의 재침준비에 대처하여 함선들을 재정비하고 더 만들어 수군력을 증강하는 동시에 새로운 무기들을 만들어 함대의 무장장비를 개선하였다. 이와 함께 전투준비와 전투훈련을 강화하여 수군의 전투력을 가일층 높임으로써 적의 재침준비에 대처하는 동시에 계속되는 도발책동을 견제하였다.

넷째 단계는 1597년 2월 일본침략자들이 또다시 14만 5 000명의 침략군을 증가하여 재침공을 감행한 때로부터 리순신장군이 지휘하는 조선련합함대가 도망치는 적들에게 섬멸적타격을 안기고 전쟁의 종국적인 승리를 이룩한 때까지이다.

이 단계에서 리조의 수군은 부패무능한 봉건통치배들의 파쟁과 비겁성으로 말미암아 수군함대가 와해된 어려운 형편에서도 수군군사들의 애국적헌신성과 리순신장군의 유능한 전투지휘에 의하여 적은 력량으로 수십배가 넘는 왜적함대를 섬멸함으로써 전쟁의 종국적 승리에 커다란 기여를 하였다.

제1절. 16세기말의 내외정세, 일본침략자들의 전쟁도발

16세기말에 안팎의 정세는 매우 복잡하였다.

그것은 왜적과 녀진인들의 침략위협이 증대되였으며 특히 일본해적들의 침공이 그칠새 없었기때문이였다.

봉건통치제도는 문란해지고 인민들에 대한 봉건적억압과 착취는 갈수록 더 심해졌다.

진관제는 빈 이름만 남았으며 군사들은 무예훈련을 받지 못하였고 병기들은 녹이 쓸어 쓸모가 없게 되였으나 통치배들은 그것을 아랑곳하지 않았으며 추악한 정권쟁탈전에만 골몰하고있었다.

이러한 복잡다단한 형편에서 외래침략을 받게 되면 나라를 지켜내기가 매우 어려울것이였다. 그리하여 나라의 운명을 걱정하는 애국적인민들과 일부 량반관료 및 학자들속에서는 국방을 강화하여야 한다는 주장들이 자주 나오게 되였다. (《선조수정실록》권16 15년 9월 병진)

이렇게 되자 리조봉건정부는 부득이 일련의 대책을 강구하지 않을수 없었다. 1588년 4월에 왜적들의 침입에 대처하기 위하여 하3도 (충청도, 전라도, 경상도)에 병마사를 임명하여 파견하였고 1588년 7월에는 하3도의 병영, 수영 기타 중요한 군사요충지들에 군사에 밝은 무관들을 파견하였다. 1591년 임진조국전쟁직전에 리순신장군이 전라좌도 수군절도사로 임명된것은 그러한 실례의 하나였다.

리조통치배들은 일본의 침략이 목전에 다달은 때에 와서 하3도의 성들을 보수하고 군기(무기무장)들을 정비하도록 지시하였으나 그것마저도 형식적인 미봉책으로 끝났다.

수군의 경우는 해적들의 침습이 계속되였던것만큼 륙군보다는 좀 나았으나 인적 및 물적예비원천은 거의나 없었다. 수사, 첨사, 만호, 권관 등의 착취가 강화되고 * 그 결과 많은 수군들이 뢰물을 바치거나 번상대가를 내고 정상적인 근무에서 유리되고있었다.

    * 《선조실록》권5 4년 8월 정미

      수군만호들은 흰 무늬놓은 자리, 개잘량, 누룩, 참기름, 까풀, 활과 활줄, 인정목(선사용무명), 공문종이값 등 필요한 모든것을 수군 령선두목을 통하여 수군군사들로부터 징수하였다.

그리하여 국방력은 전반적으로 매우 허술한 상태에 처해있었다.

16세기말에 이르러 일본에서는 백수십년동안 지속되던 전국시기가 끝나고 도요또미 히데요시가 1585년에 관백(최고실권자)으로 되였다.

그는 자신의 끝없는 권세욕을 채우는 동시에 일본각지의 봉건령주들의 령토욕과 치부욕을 충족시켜주며 상업자본의 해외팽창을 보장함으로써 국내에 조성된 모순을 완화하고 자기의 정권을 유지강화하려는 목적밑에 조선과 명나라에 대한 해외침략의 길로 나섰다.

1586년에 벌써 도요또미는 해외침략을 위하여 수십만의 군대와 2 000척의 함선들을 준비하게 하였으며* 조선에 대해서는 명나라를 치는데 길을 빌려달라는 엉뚱한 구실을 내걸었다.

* 《조선역수군사》우미또소라사 1942년, 3페지, 《임진조국전쟁시기 우리 수군의 투쟁》사회과학원출판사, 1964년, 46페지

오래동안 만단의 전쟁준비를 해오던 일본침략자들은 끝내 1592년 4월 13일 조선에 대한 무력침공을 개시하였다.

일본침략자들은 9진으로 편성된 15만 8 700명의 륙군과 수만명의 수군으로 편성된 방대한 침략무력을 들이밀었다. 그들의 후속부대까지 합치면 그 수는 무려 20만이 넘었다. 일본침략자들은 먼저 400여척의 함선에 침략군을 싣고 부산에 기여들었다.

당시 경상좌우도의 수군함대는 적지 않은 력량을 가지고있었다. 그 구체적인 수자는 알수 없으나 각각 100~150척의 함선들을 가지고있었다고 인정된다. 그러나 경상좌수사 박횡은 싸우지도 않고 달아났으며 경상우수사 원균은 100여척의 전선과 화포, 무기들을 바다에 처넣고 곤양방면으로 피신해버렸다. 일본침략자들은 바다에서는 별로 저항을 받지 않고 상륙할수 있었다. (《징비록》권1 임진 7월, 《선조수정실록》권26 25년 4월 경인, 14일)

적들이 달려들자 부산성과 동래성의 군대와 인민들은 결사전을 벌렸으나 수량상 엄청나게 많은 침략자들을 막아낼수 없었다. * 침략자들은 세 길로 갈라서 북쪽으로 깊이 침공하였다.

* 《선조수정실록》권26 25년 4월 14일, 《기재사초》하, 《임진일록》1, 《대동야승》권10, 《연려실기술》권15

한편 일본침략자들은 남해, 서해의 바다길로도 침공하여 《수륙병진》전략으로 나왔으며 먼저 경상우도의 여러 포구들을 침공하였다.

리조봉건정부는 4월 17일 일본의 침략소식을 듣고 《제승방략》에 따라 리일을 순변사로, 성응길을 좌방어사, 조경을 우방어사, 신립을 도순변사로 임명하여 막게 하였으나 평소에 훈련되지 못한 농민출신의 지방군으로는 오래동안 싸움판에서 무술을 익혔으며 신식무기인 조총으로 무장된 사무라이들을 당해낼수 없었다. 신립이 충주에서 패전했다는 소식을 들은 국왕을 비롯한 리조의 봉건통치배들은 나라의 운명과 인민의 안전에 대하여 먼저 생각할 대신에 비겁하게도 저들의 목숨만 건져보려고 달아나버렸다.

그리하여 전쟁이 개시되자 3개월도 못되는 사이에 변변히 싸워보지도 못하고 서쪽으로는 평양이남지역과 동쪽으로는 함경도의 일부 지방까지 침략자들에게 강점당하게 되었다.

만일 봉건통치배들이 제때에 애국적인민들과 군인들의 항전기세를 조직동원하였더라면 이러한 사태는 빚어지지 않았을것이였다.

제2절. 조선련합함대의 련속적인 승리, 적의 《수륙병진》계획의 파탄

1. 애국적장병들의 수군력 강화

애국명장 리순신장군이 지휘한 수군함대(전라도좌수영의 함대)는 전쟁의 첫시작부터 왜적함대가 조선서해로 진출하지 못하도록 전라도의 물목을 튼튼히 지켰을뿐아니라 한산대첩을 비롯하여 싸움마다에서 커다란 승리를 이룩함으로써 왜적들의 수륙병진계획을 파탄시키고 임진조국전쟁의 승리를 달성함에 있어서 결정적인 역할을 수행하였다.
　1591년 2월 리순신장군이 전라좌도 수군절도사로 임명되여갔을 때에 그곳의 수군력량은 보잘것없는것이였다.
　리순신장군은 긴장한 정세의 요구에 맞게 부임되자마자 인차 함대의 전투력을 강화하기 위한 대책을 세우고 수군장병들과 인민들을 동원하였다.
　그는 먼저 수군의 질서와 규률을 바로잡고 참모장격이던 우후를 비롯한 비장들과 관리들의 전투지휘능력을 높이는데 선차적인 관심을 돌리면서 전투훈련을 강화하였다. 한편 함선들의 보수정비와 무기 및 전투기술기재의 정비를 다그쳤으며 수군장병들로•하여금 그에 정통하도록 하였다.
　다음으로 수군장병들의 애국적열의와 인민들의 적극적인 지원밑에 함선들을 새로 무어내고 화약무기도 생산하여 배에 장비하며 군량을 확보하는 등 전투준비를 완성하기 위하여 정력적으로 투쟁하였다. 진들의 성을 보강하고 봉화대를 비롯한 시설물들을 보수정비하였으며 해상에 수중차단물을 설치하는 등 방어시설을 준비하였다.
　이 시기 수군력강화에서 중요한 의의를 가진것은 세계최초의 철갑선인 거북선을 완성한것이였다.

　리순신장군은 배무이기술자들과 수군군사들의 지혜와 기술을 동원하여 거북선을 완성하는데 성공하였다.
　거북선은 인민들과 기술자들이 외래침략자를 물리치는 싸움에 한결같이 떨쳐나서 풍부한 창조력과 탐구심, 재능을 다하여 완성한것으로서 그것은 위력한 세계최초의 철갑선이였다.
　이미 우에서 본바와 같이 거북선은 독특하고 위력있는 함선으로서 그 전투력은 비상히 높았다.

리순신장군은 또한 수군장병들의 전투훈련과 전투준비를 완성하는데 특별한 주의를 돌려 바다싸움조법과 사격술을 익히도록 훈련을 강화하였다.

그리하여 전라좌도의 수군함대의 전투력은 비상히 높아졌다.

일본침략자들은 조선수군의 이러한 준비상태와 전투력을 알지 못하였다. 더우기 력사적으로 침략해오면서 우리 인민에게 불행과 고통을 들씌운 철천지원쑤 일본침략자들에 대한 우리 군사들과 인민들의 불타는 적개심과 애국심을 보지 못하였다.

2. 조선련합함대의 제1차 출정, 옥포바다싸움의 승리

전라좌수영에서 일본침략자들의 침공소식을 접한것은 4월 16일이였고 경상도 관찰사의 지원요청을 받은것은 4월 20일이였다.

리순신장군은 관하 각 고을, 각 진포(수군기지)의 출전준비를 다그치도록 하고 4월 29일까지 각 진포의 함선들을 전라좌수영 앞바다에 모이게 하였다. (거리가 먼 보성, 록도 등은 제외)

당시 전라좌수영에서는 관하 여러 진포의 첨사, 만호, 권관들과 고을원들을 모아놓고 앞으로 경상도방면으로 진출하여 적을 칠데 대하여 론의하였다.

리순신은《적폐가 한창 뻗치고 나라가 위태로운 때 어찌 다른 도의 장수들에게 빙자하면서 물러나와 자기 지경만 지켜서야 되겠는가. 내가 이에 대하여 물어본것은 우선 여러 장수들이 뜻이 어떠한지 알아볼가 한것이다. 오늘의 일은 오직 나아가 죽기내기로 싸우는데 있을뿐이다. 진격해서는 안된다고 감히 말하는자는 마땅히 참형에 처해야 할것이다.》라고 하였다. 그의 이 결심은 바로 당시 광범한 애국적인민들과 수군군사들의 의사를 그대로 반영한것이였다. 그것은 모든 부대장병들이 스스로 떨쳐나서서 죽음을 무릅쓰고 싸운데서 력력히 표현되였다. (《리충무공전서》권9 행록 임진 4월 16일)

전라좌수영 산하의 함선들이 모인 바로 그날인 4월 29일 한낮에 경상우수사의 공문이 왔다. 그 내용은 왜적 500여척이 부산, 김해 명지도, 량산강 등지에 정박해있으면서 륙지에 올라 로략질을 하고있으며 연해지방의 고을, 진포, 병영, 수영이 거의다 함락되고 경상우수영도 함락되였으니 전라도함선들이 시급히 후원해달라는것이였다. 이 소식을 받은 리순신장군은 전투대오를 다음과 같이 편성하였다.

중위장　방답첨사 리순신(李純臣)
중위장　순천부사 권준
좌부장　락안군수 신호
전부장　홍양현감 배홍집
중부장　광양현감 어영담
유군장　발포가장(수영군관, 훈련봉사) 라대용
우부장　보성군수 김득광
후부장　록도만호 정운
좌척후장　려도권관 김인영
우척후장　사도첨사 김완
한후장　수영군관(급제) 최대성
참퇴장　수영군관(급제) 배응록
돌격장　수영군관 리언량

그러면서 4월 30일에 출발하겠으니 경상우도의 미조항, 상주포, 곡포, 평산포 및 거기에 가있는 현령, 첨사, 만호들이 다 함선들을 정비하고 대기하도록 련락을 취하였다.

그런데 그때에는 벌써 남해현성이 비고 경상우수영도 함락되였으며 현령, 첨사들이 피신하고 없었다. 이렇게 된 조건에서 전라좌수영산하의 30척미만의 함선으로써는 단독으로 행동하기 어렵게 되였다. 그리하여 전라우도 수사 리억기와 련계를 가지고 4월 30일에 떠나와서 5월 4일에 진격할것을 약속하였다.

전라우수영의 함대가 경상우수영의 남은 함선들과 협동하여 련합함대를 무어 적들과 싸우려고 계획한것은 수적으로 방대한 왜적함대를 상대로 하여 효과적으로 싸울수 있게 하는 좋은 전략전술이였다.

리순신장군은 이무렵 적들이 벌써 수도로 다가가고있다는 소식을 듣고 한시바삐 적의 후방을 들이침으로써 기울어진 전국을 만회하는것이 필요하다고 판단하였다. 그는 전라우수영의 함대가 오기 전에 단독공격을 개시할것을 결심하였다.

　5월 4일 새벽 3시에 판옥선 24척, 협선 15척, 포작선(고기잡이배) 46척으로 구성된 전라좌수영 함대는 순천(려수)을 떠나 경상우도 소비포 앞바다에서 하루밤을 결진(진을 치는것)하여 지내고 5일 아침에 다시 떠나 당포 앞바다에 도착하였다.

　여기서 경상우수영 함선들과 만나기로 약속되여있었으나 아직 도착하지 않았다.

　다시 련락을 띄워 하루를 더 기다리니 6일 오전 9시에 경상우수사 원균이 한산도에서 전선 1척을 가지고 당도하였으며 남해현령, 미조항첨사, 평산포 및 소비포 권관, 영등포, 지세포, 옥포, 사량 만호들이 판옥선 3척, 협선 2척을 가지고 합세하였다. 우리 수군 련합함대는 90척으로 늘어났다.

　수군련합함대는 거제도 송미포 앞바다에서 밤을 지내고 7일 새벽에 일제히 떠나 일본수군이 집결되여있다는 가덕도로 향하였다. 그런데 척후장으로부터 옥포앞바다에 적함선들이 있다는 신호(화약무기인 신기전을 쏜것)를 받고 대형을 지어 진격하니 적선 50여척이 옥포선창에 정박하였는데 큰 배는 4면에 각종 무늬를 그린 장막을 내려드리우고 숱한 장대에 붉고 흰 기발들을 휘날리고있었다. 적들은 포구에 들어가 방화략탈을 한창 하던 적들은 우리 함대를 발견하자 당황하여 벅쩍 떠들며 배에 올라타고 노를 저어 나오더니 6척이 먼저 기슭으로 빠져 달아나려고 하였다.

　아군함선의 장병들은 결사전을 각오하고 동서로 기동하면서 포를 쏘고 활을 쏘니 그 소리는 우뢰가 터지는듯 하였다. 적들은 총을 쏘며 응전하다고 힘이 진하게 되자 배안의 물건들을 다 집어던지고 달아나려고 하였다.

　리순신이 지휘하는 좌수영함대는 왜의 대선 13척, 중선 6척, 소선 2척, 경상도 우수영소속 함대는 5척 합계 26척을 들이받아 깨뜨리고 불을 질러 태워버리였다.

　옥포앞바다의 첫 해전에서의 빛나는 승리는 장병들이 원쑤들을 격멸하기 위하여 죽음을 두려워하지 않고 싸워나갈 때 적들을 여지없이 쳐부실수 있다는것을 똑똑히 보여주었으며 승리의 신심을 높여주었다. *1

　오후 5시쯤 해서 영등포(거제도 북단) 앞바다에서 정박, 숙영하려고 하던 우리 함대는 왜의 대선 5척이 지나가는것을 발견하고 추격전을 벌리니 바빠맞은 왜적들은 웅천땅 합포부근에서 배를 버리고 상륙하여 도망치므로 대선 4척, 소선 1척을 불화살로 쏘아 불태워버리였다. *²

그날 밤 아군함대는 창원땅 람포앞바다에서 진을 치고 지냈다. 8일 아침 진해현 고리량(古里梁)에 적선들이 있다는 기별을 받고 즉시 발선(배를 떠나보내는것)하여 섬들사이로 수색하던중 고성땅 적진포(통영군 광도면 적덕리)에서 왜의 대선, 중선 13척이 줄지어 정박하고있는것을 발견하였다.

왜적들은 여기서도 역시 마을을 습격하여 집들을 불사르고 로략질을 하다가 우리 함대의 위용을 보고 놀라서 산으로 올려뛰였다. 여기서 또 대선 10척, 중선 3척을 격파소각해버리였다. *³

*¹, *², *³《리충무공전서》권7 장계 옥포파왜병장. 여기서는 적진포해전에서 합계 11척을 소멸한것으로 되여있으나 그가운데는 2를 1로 쓴 오식이 있는것으로 본다.

우리 함대는 이 해전들에서 44척의 적선들을 격침소각하였고 수많은 적들을 살상하였다.

당시의 관례로는 전투에서 적의 목을 베거나 최소한 귀라도 베여서 보내야 실적을 인정하였다. 그러나 우선 적함선을 요정내는것이 보다 선차적인 임무였으므로 리순신장군은 목베는 일에 시간과 로력을 랑비하지 않도록 하였고 적선에 붙잡혀있던 인민들을 구원하는데 힘을 넣도록 지시하였다. 이것은 옳은 처사였다.

옥포를 비롯한 제1차 출정에서의 전투경험은 적들이 기슭가까이에서 행동함으로써 우리의 큰 함선을 피하려 한다는것과 급하면 상륙하여 달아나는 전술을 쓴다는것을 보여주었다. 이것은 앞으로 리순신함대의 전략전술적용에서 중요한 참고로 되였다.

제1차 출정에서의 승리는 거대한 의의를 가지였다. 그것은 임진조국전쟁개시후의 우리 군대들이 거둔 첫 큰 승리였으며 적들의《수륙병진》책을 파탄시킨데서 커다란 전략적의의가 있었다. 그것은 또한 우리 인민들과 군사들에게는 승리의 신심을 높여주었고 침략자들에게는 무서운 공포심을 안겨주었다는 점에서 매우 중요한 의의가 있었다. 옥포승리의 소식을 듣고 륙지에서는 이에 고무된 인민들의 의병투쟁이 급속히 확대, 앙양되였다.

3. 조선련합함대의 제2차 출정, 사천앞바다 싸움과 당포, 당항포바다싸움의 승리

첫 출정에서 승리하고 기지로 돌아온 함대들은 싸움배와 무기들을 수리정비하고 군량을 보충하면서 새로운 진격을 준비하고있었다.

수륙협동동작의 중요성을 인식하고있던 리순신장군은 적이 바다로 침입하는것은 수군이 막을수 있으나 륙지로 오면 전라도장병들이 군마가 없어서 곤난할것이라고 하면서 순천, 돌산도, 백야곶과 홍양 도양장의 목마가운데 쓸만 한 말을 많이 길들여 륙전에 쓰도록 할 것을 전라도 관찰사에게 주동적으로 제기하였다.

부산에 와있던 적들은 그사이 력량을 수습해가지고 점차 거제도 이서지방을 침범하면서 살인, 방화, 략탈을 일삼았다. 적들은 옥포 등지에서의 패배를 만회해보려고 하면서 전라도 좌수영을 공격해오려고 하였다. 이러한 형편에서 리순신장군은 전라우수사 리억기에게 6월 3일까지 좌수영앞바다로 와서 힘을 합쳐 적을 치자는것을 제의하였다. 그런데 5월 27일에 온 경상우수사의 공문에 의하면 왜적선 10여척이 이미 사천, 곤양 등지까지 왔기에 자기들은 남해현 로량앞으로 옮겼다는것이였다. 이번에도 리순신은 만일 6월 3일까지 기다리느라면 인민들이 더 많은 피해를 받을수 있다고 판단하고 자기 산하 함대만으로 앞당겨 출격할것을 결심하였다. 그래서 리억기에게는 다시 련락을 띄우고 5월 29일에 전선 23척을 이끌고 출발하였다. 하동 선창에 있던 원균휘하의 전선 3척이 와서 합류하였다.

이무렵 왜선 1척이 곤양에서 나와 사천으로 도망가는것을 발견한 리순신함대는 즉시 추격하여 이를 격침하였다. 당시 사천선창에는 다락집처럼 만든 왜의 큰 배 12척이 정박하고있었다. 그리고 왜병 400여명이 7~8리 되는 험준한 산에 진을 치고있었다.

우리 함대는 활과 화포를 쏘려고 하였으나 때마침 썰물이 시작되여 수심이 얕아진 관계로 판옥선으로써는 가까이 갈수가 없었다.

또한 적들은 선창뒤의 언덕에 진을 치고있었으므로 련합함대는 낮은 곳에서 높은 곳에 있는 적을 공격해야 하였다. 게다가 적들은 불리하면 륙지로 달아날것이기때문에 지형상으로도 불리하였다.

리순신장군은 이러한 지형조건과 적의 동태를 간파하고 왜적선들을 유인하여 끌어내다 소멸할 목적으로 허위퇴각을 하도록 명령하고 함대를 항구에서 빠져나오도록 하였다.

그러자 어리석은 왜적들은 언덕에서 내려와 절반가량은 배를 지키고 나머지 적들은 언덕아래에 모여서 총질을 하면서 우리 함대를 공격하였다. 전투과정에 시간은 흘러 날이 어두워지기 시작하였다. 더는 지체할수 없었다. 그런데 마침 저녁밀물이 시작되여 큰 배들의 기동이 자유로워졌다. 련합함대는 신속히 공격에로 이전하여 일제히 진격해들어가면서 화포와 총통의 일제사격을 퍼부었다. 돌격장이 타고 선봉에 섰던 거북선이 먼저 적선의 집결처에 육박하여 들어가 천자, 지자, 현자, 황자총통을 비롯한 화약무기의 일제사격을 들이대여 적함들을 파괴하고 불태워버렸으며 그뒤에서 함선들이 일제히 쳐들어가면서 맹렬한 공격을 들이댔다. 이 전투에서 련합함대는 적함 12척을 격침하고 수많은 적들을 살상하였다.*

  * 《리충무공전서》권2 당포파왜병장
   같은 책 권5 란중일기 임진 5월 29일조에는 13척으로 되여있다.

이때 작은 배 6척은 남겨둠으로써 앞으로 적들을 유인소멸하기로 하였다. 이 전투에서 리순신장군은 왼쪽어깨에 적탄을 맞아 발목까지 피가 흘러내렸으나 태연자약하게 끝까지 전투를 지휘하였다.

5월 29일 밤은 사천땅 모자랑포에서 지내고 이튿날(6월 1일) 낮에 고성땅 사량에 도착하여 밤을 보내였다. 6월 2일 아침 9시에 왜적들이 당포(통영군 산양면 삼덕리)선창에 모여있다는것을 탐지한 리순신함대는 즉시 당포앞바다로 진출하였다.

당포에는 적장 가메이(龜井琉球守) 등이 지휘하는 21척의 왜적선들이 머물러있었다.

그중 큰것은 우리의 판옥선만 하였는데 9척이였고 중선, 소선은 12척이였다. 적장이 탄 배는 2층 다락이 있는 큰 배였다. 왜적 300여명 가운데 절반은 성안에 들어가 로략질을 하였고 절반은 험한 지형을 리용하여 총을 쏘며 대항하여 나섰다.

리순신장군은 적들이 전투서렬을 짓기 전에 선손을 써서 소멸해 버릴것을 타산하고 거북선을 선봉으로 하여 일선형의 전투서렬을 짓게 하고 돌격하도록 명령하였다. 거북선은 적의 기함(지휘관이 탄 싸움배)을 들이받아 파괴하면서 아가리로부터 현자포탄을 쏘았으며 또 천자, 지자총통, 대장군전을 쏘아 그것을 짓부셔버리였다. 뒤따르던 함선들에서도 편전, 승자총통 등으로 일제사격을 진행하였다. 순식간에 적의 기함은 격침되고 적장도 꺼꾸러졌다. 기함을 잃은 적들은 갈팡질팡하다고 도망치기 시작하였다. 련합함대는 량익측에서 압축해들어가면서 적의 퇴로를 차단한 다음 총공격을 가하여 적함을 하나씩 소멸하였다.

그리하여 왜적선 21척을 모조리 격침하고 수많은 적들을 소멸하였다.

이때 왜의 대선 20여척과 수많은 작은 배들이 거제도로부터 온다는 척후선의 련락을 받고 큰 바다로 나가 싸우려고 하였으나 적들은 5리밖에서 우리 함대를 보고 정신없이 도망쳤다. 해가 저물어 어두워졌으므로 창신도(남해군 창선도)에서 자고 6월 3일에는 추도를 향해 가면서 부근의 섬들을 수색하였다. (《리충무공전서》권2 당포파왜병장, 권5 란중일기 임진 6월 2일)

6월 4일 아침 당포앞바다에서 함대는 리억기가 지휘하는 전라우수영의 전선 25척과 합류하여 왜적선들을 찾아 동쪽으로 진격을 계속하였다.

정찰을 통하여 왜적의 다른 함대가 고성 당항포에 기여들어 로략질을 한다는것을 확인한 련합함대는 곧 당항포에로 진격하였다. 이때 당항포에는 26척의 왜적선들이 소소강서쪽기슭에 선체를 대고있었다.

리순신장군은 먼저 몇몇 전선들을 들여보내여 지세를 알아보게 하고 적들이 추격해오면 못이기는체 하고 도로 나오도록 지시하였다. 먼저 갔던 함선들이 가자 바람으로 신기전을 쏘아 빨리 올것을 요구하자 전선 4척은 포구에 남겨 복병으로 삼고 노를 다그쳐 들어가니 소소강(고성군 마암면 두호리)좌우는 20여리나 되여 우리 함대의 기동에 그리 불편하지는 않았다. 우리 함대는 한줄로 종대를 지어서 쳐들어갔다. 적선들가운데 가장 큰 배는 배머리에 3층으로 된 나무판집을 만들고 흰 벽에 단청칠을 한것이 마치도 불교절간 같았고 검은색 비단장

막에 큰 흰꽃무늬를 나타낸것을 치고있었는데 그안에는 무수한 왜인들이 줄지어서있었다. 또 다른 대선 4척이 내포에서 나왔는데 모두 검은 번(드리우는 기발)에다 《남무묘법련화경》이라고 쓴것을 세웠다.

적들은 우리 함대를 보자 총탄을 우박같이 란사하면서 덤벼들었다. 그러나 우리 함대는 적을 포위하고 거북선으로 하여금 먼저 돌입하여 천자, 지자총통을 쏘아 큰 배에 구멍을 뚫었으며 련이어 여러 함선들이 엇바꾸어 드나들면서 총통과 화살로 집중사격을 가하였다.

적들이 형세가 궁해지면 배를 버리고 륙지로 도망갈 우려가 있으므로 짐짓 포위를 풀고 퇴각하는체 하자 아니나다를가 적의 다락배는 우리가 후퇴하는줄 알고 검은 돛을 달고 뒤쫓아나왔고 다른 적선들은 그 량쪽을 호위하면서 따라나오는것이였다. 우리 함선들은 다시 4면으로 포위하고 거북선이 앞장서 들어가면서 충집밑을 들이받고 총통을 올리쏘아 충집부터 파피하였다. 여러 함선들이 화전(불화살)으로 그 장막과 돛을 쏘니 불길이 세차게 일어났고 충집우에 앉았던 적장은 화살에 맞아 떨어졌다. 다른 왜선 4척은 이 틈을 타서 도망가려고 돛을 달고 달아나기 시작하였다. 우리 장병들은 뒤쫓아가면서 창검과 활로 43명의 머리를 베였다.

이 전투에서 리순신장군은 적함선 20척을 소멸하고 일부러 적선 1척을 남겨둔채 바다가운데 진을 치고 밤을 보내였다. 이튿날 6일 새벽에 방답첨사 리순신은 왜적들이 어제 남겨두었던 배 한척을 타고 도망가리라는것을 예견하고 당항포구밖에서 대기하고있었다. 이윽고 적선 1척에 100여명의 적병들이 타고 나오는것을 발견하고 먼저 지자, 현자총통을 쏘고 이어 장편전, 철환, 질려포, 대발화 등으로 쏘아대니 적들은 당황망조하여 도망치려고 하였다. 우리 수군군사들이 요구금(적선을 끌어당기는 갈구리)을 가지고 적선을 끌어당기니 적들가운데 절반은 물에 떨어져 빠져죽었다. 왜적들가운데 화려한 옷을 입은 장수 1명이 검을 짚고 부하 8명과 함께 끝까지 저항하므로 집중사격을 하였더니 10여대의 화살을 맞은 적장은 물속에 나가 떨어졌으며 즉시 목을 잘리웠다. 다른 8명도 화살에 맞고 칼에 맞아서 나가너부러졌다.

우리 수군은 적선을 불태우고 귀환하였다. 이 전투들에서 경상도 수군이 물에 빠진 적들의 목을 벤것이 50여개나 되였다.

왜의 수군이 옥포에서는 붉은기, 사천에서는 흰기, 당포에서는 누른기, 당항포에서는 검은기를 꽂고있는것으로 보아 필시 분견대별로 나뉘여 행동하는것이였다. 이날은 비가 내려 앞길을 내다보기 어려웠으므로 당항포앞바다에 가서 군사들을 휴식시키고 저녁녘에 고성땅 마을우장 앞바다에서 밤을 보내였다.

7일 이른아침에 웅천땅 시루섬 앞바다에서 진을 치고 가덕, 천성(가덕도에 있음)의 적들의 종적을 탐지하였다. 탐망선(정찰선)이 돌아와서 가덕앞바다에서 저항하는 적선 1척을 격침하였다고 보고하였다. 다시 그들을 떠나보내고 낮 12시에 영등포 앞바다에 이르니 왜적의 대선 5척, 중선 2척이 률포에서 나와 부산으로 달아나고있었다. 우리 함대를 본 적들은 배안의 물건들을 다 물속에 집어던지고 빠져 나가려고 꾀하였으나 우리 함대는 틈을 주지 않고 집중공격을 가하여 왜적함선 7척을 모조리 격파하고 불태워버렸으며 거기에 탔던 왜적들을 한명도 남김없이 소멸하였다. 실로 장쾌한 소탕전이였다.

이어 가덕, 천성, 몰운대(부산앞)까지 가면서 두 길로 나누어 수색토벌작전을 벌렸으나 혼비백산한 적들은 다 도망가고 그림자도 없었다.

초저녁에 거제 온천량, 송진포에서 묵고 8일에 창원 마산포, 안골포, 제포(냉이포), 웅천 등지에도 탐망선을 파견하였으나 적의 자취는 없었다.

9일에도 함대는 이른아침부터 떠나 웅천앞바다에 가있으면서 정찰선들을 부근포구들에 보내여 샅샅이 뒤졌으나 적선은 없었다. 그리하여 우리 련합함대는 되돌아와서 당포에서 묵고 10일에 미조항 앞바다에 와서 리순신, 원균, 리억기의 함대는 서로 헤여져 기지로 돌아갔다.

그것은 10여일동안 먼 길을 항행한데다가 여러차례의 전투를 겪었으므로 군량도 떨어지고 군사들도 극도로 피로하였기때문이였다. 피곤한 군사들을 내몰아 싸우는것은 좋은 방책이 아닌데다가 적들은 량산강(락동강하류)에 들어박혀서 나오지 않고 우리 함선은 선체가 커서 강으로는 들어설수 없었다.

5월말~6월 상순에 걸친 제2차 출정 역시 커다란 의의를 가지는 전투행동이였다.

그 의의는 첫째로, 사천앞바다에서 12척, 당포에서 21척, 당항포전투에서 26척, 률포앞바다 전투에서 7척 등 기타 합게 74척의 왜적함선을 격멸함으로써 왜적의 선봉함대를 전멸시킨것이다. 결과 큰 타격을 받은 일본수군은 초기의 수륙병진계획을 당분간 포기하는수 밖에 없게 되였다. 이것은 전쟁의 판국을 우리에게 유리하게 전변시키게 하는데 큰 작용을 놀았다.

의의는 둘째로, 우리의 수륙협동작전을 촉진시키였다는데 있다. 6월 5일 우리 함대가 당항포로 가는 도중 진해성밖에서는 아군의 기병 1 100명이 함안군수 류동인의 지휘밑에 적을 추격하고있었다. 이들은 진해성을 맹렬히 공격하여 거기에 있던 왜적들을 물리쳤다. 성에서 쫓겨난 왜적들은 바다로 도망치려 했으나 우리 함선들이 바다를 메우면서 오는것을 보고 질겁해서 큰 배는 버리고 작은 전마선을 타고 도망쳤던것이다.

이것은 수군의 승리적공세에 고무된 륙상부대들이 적들을 족치면서 성과적으로 싸우고있었다는것을 말해준다.

의의는 셋째로, 우리 인민들과 군인들의 사기를 북돋아주고 수군대렬을 보강하였다는데 있다. 전투과정에 수많은 인민들이 구원되였고 또 기뻐서 달려와 적정을 알려주었으며 수군에서 복무할것을 탄원하였다. 이 전투 당시 어민들로서 수군군영에 의탁하여온 사람만해도 200여명이나 되였다.

의의는 넷째로, 우리 수군장병들의 투지가 강렬하고 전투사기가 매우 높았다는것을 다시한번 시위하였다는데 있다. 특히 전사자 13명, 부상자 34명가운데 그 구성에서 사노(개인집 종), 내노(내수사소속 종), 포작(어민), 토병(지방군), 노군을 비롯한 하층인민들이 절대다수를 차지하고있었던 사실은 원쑤들을 반대하는 싸움에서 가장 용감하게 싸운것은 다름아닌 가난하고 천대받던 인민대중이였다는것을 똑똑히 보여주었다. (《리충무공전서》권2 당포파왜병장, 《선조수정실록》권26 25년 6월 기축)

의의는 다섯째로, 각종 전투서렬편성과 신속하고 능숙한 변형, 유인, 매복, 집중사격, 포위, 기만 등 기동전술의 여러가지 전투조법들을 창안적용함으로써 수군군사예술을 풍부히 하였으며 발전시켜 나갔다는데 있다.

두차례의 작전에서 우리 함대가 이룩한 중요한 성과는 조선남해에서의 제해권을 확고히 틀어쥐고 주동적으로 작전을 벌려나간것이며 적의 수륙병진계획의 실현을 지연시키고 파탄에 직면하게 함으로써 침략자들로 하여금 력량을 재편성하지 않을수 없게 한것이다.

4. 조선련합함대의 제3차 출정, 한산대첩과 안골포바다싸움의 승리

제2차 출정후 기지로 돌아와 출전준비를 다그치고있던 련합함대는 일본침략자들이 거듭되는 참패를 만회하고 수륙병진계획을 기어이 실현해보려고 책동하자 세번째 출정을 단행하였다.

일본침략자들의 륙군이 전라도 금산(錦山)지경에까지 침입하고 바다에서도 10~30여척씩 편대를 무어 가덕도, 거제도 앞바다로 출몰하고있다는 통보를 순찰사로부터 받은 리순신장군은 전라우수사 리억기, 경상우수사 원균과 약속하고 다시 왜적함대를 맞받아나가 치기로 하였다.

이것은 당시 치렬하게 전개되고있던 의령의 정진, 고령, 성주지방의 의병투쟁과 배합하여 적들의 뒤통수를 치고 적의 퇴로를 차단하기 위한 전략전술적목적을 추구한 출격이였다.

당시 일본침략자들의 우두머리 도요또미는 저들의 수륙병진작전이 파탄되고 지상군의 후방까지도 위협당하게 된 엄중한 전쟁형편에서 벗어나며 어떻게 하나 침략목적을 실현해보려고 모의를 거듭하였다.

그리하여 6월 23일 와끼사까에게 수군두목들은 구끼와 가또가 지휘하는 함대와 협동하여 하루속히 조선함대를 격파할것을 엄격히 지시하였다.

7월 1일 와끼사까가 이끄는 적함선 73척은 김해를 출발하여 서쪽으로 나왔고 그뒤로 구끼, 가또 등의 함대가 따랐다.

7월 4일에 전라우수영 함대들이 도착하자 리순신장군은 하루동안 협의와 전투준비를 하고 7월 6일에 전라좌수영을 출발하였다. 곤양, 남해 앞바다에서 경상우수영의 전선 3~4척이 합세하였다. 그리하여 아군은 전라좌수영의 전선 23척, 전라우수영의 전선 25척, 경상우수영의 전선 7척 합계 55척을 주력으로 하는 90여척으로 구성된 대함대로 되였다.

7월 6일 저녁에 창신도에 이르러 밤을 지내고 7일에는 새바람이 너무 심하여 항행을 할수 없으므로 고성 당포까지 가서 숙영준비를 하던 때에 경상도 목자(말먹이는 사람) 김천손이 달려와서 적선 70여척이 영등포앞바다에서 고성 견내량으로 나왔다는 소식을 전해왔다.

7월 8일 아침 우리 함대는 적을 맞받아 견내량으로 진격하였다. 왜의 대선 1척, 중선 1척이 먼저 나와서 우리의 대함대가 오는것을 보고 되돌아 들어갔다. 적의 수군은 대선 36척, 중선 24척, 소선 13척으로 구성되여있었다.

그런데 견내량은 해협의 너비가 500m밖에 되지 않았고 암초가 많아서 판옥선, 거북선과 같은 큰 싸움배들이 싸우기에는 불리하였고 기동도 제한되였다. 또한 전투과정에 정황이 불리하면 적들이 륙지에 기여오를수 있었다. 때문에 적들을 완전히 소멸하기에는 불리한 지점이였다.

리순신장군은 이러한 점들을 타산하고 적들을 한산도앞바다로 유인하여 소멸할것을 결심하고 전투계획을 세웠다.

한산도앞바다는 바다가 넓고 수심이 깊어서 련합함대의 작전에 매우 유리하였다. 또한 전투과정에 적들이 헤염쳐서 살아나기도 어렵고 설사 한산도나 부근의 섬들에 기여오른다고 해도 굶어죽을수밖에 없었다.

세계 중세해전사에 이름을 떨친 한산도앞바다싸움은 이렇게 시작되였다.

련합함대는 적을 유인하기 위하여 먼저 판옥선 5~6척을 파견하여 견내량에 공격해들어가는체 하다가 허위퇴각을 하면서 뒤로 물러섰다. 적들은 우리 함선이 적은것을 보고 다급히 뒤따라왔다.

리순신장군의 유인전술에 걸린 왜적함대가 견내량을 거의 벗어나 넓은 바다로 나왔을 때에 만단의 전투준비를 갖추고 대기하고있던 련합함대주력은 거북선을 선두로 학익진의 전투서렬을 짓고 적함들을 포위망에 잡아넣은 다음 지자총통, 현자총통, 승자총통을 비롯한 화약무기로 일제사격하여 먼저 3척을 격침시켰다. 벼락을 맞은 적들은 사기를 잃고 뿔뿔이 도망치려고 서둘렀다. 련합함대는 틈을 주지 않고 포위망을 좁히면서 련속공격을 들이대여 화전과 철환으로 쏘아 적선을 불태우고 적병을 사살하였다. 전투는 치렬하게 진행되였다. 순천부사 권준이 탄 배는 먼저 충각을 세운 대선 1척을 갈구리로 끌어당겨 뛰여올라 육박전을 전개함으로써 왜장이하 10여명의 목을 베고 우리 나라 사람 1명을 구출하였으며 광양현감 어영담은 역시 충각이 있는 왜의 대선 1척을 들이받아 깨뜨리는 동시에 왜선에 올라가 적장 1명을 사로잡아 기함으로 보내왔다.

적장은 이미 화살에 맞아 중상을 입은데다가 말은 통하지 않으므로 다른 왜병 11명과 함께 참형에 처하였다. 사도첨사 김완은 왜의 대선 1척을 공격하여 나포하고 왜장을 포함한 16명을 목베였다. 홍양현감 배흥립은 같은 방법으로 8명을 목베였으며 또 많은자들이 물에 빠져 죽게 하였다. 방답첨사 리순신은 적 대선을 나포한 다음 4명의 목을 잘랐으나 사살하는것을 기본으로 하였다. 그것은 그가 탄 전선앞에 2척의 적함선이 더 있었는데 그것들을 마저 쳐부셔야 하였기 때문이다. 그는 이 2척까지도 뒤쫓아가서 들이받아 깨뜨리고 또 총포를 쏘아서 다 불태워버렸다. 그밖에도 전라좌수영함대는 대선(충각 있는 큰 배 포함) 8척, 소선 2척을 소멸하였고 련합함대가 공동으로 소멸한것은 왜 대선 20척, 중선 17척, 소선 5척이였다.

적군으로서 칼에 맞아 목이 잘린자만 해도 90여명이였고 그밖에 화살에 맞거나 물에 빠져죽은자는 이루 다 헤아릴수 없었다. 왜군 400여명은 한산도로 기여올랐으며 왜 대선 1척, 중선 7척, 소선 6척 (계 14척)은 싸움이 시작될 때 슬그머니 뒤에 떨어져서 정황을 지켜보다가 자기 함대가 전멸되는것을 보고 부랴부랴 도망을 쳤다. 왜장 와끼사까는 간신히 도망침으로써 살아남았으나 그가 인솔한 약 1만명의 수군가운데서 살아남은것은 단 1 000명도 되지 않았다. (《리충무공전서》권3 둔문 피로인소고 왜정장)

한산도앞바다싸움에서 아군함대들은 일본수군의 대선 35척, 중선 17척, 소선 7척 합계 59척을 격멸함으로써 커다란 승리를 이룩하였다.

한산도앞바다전투에서 특징적인것은 적들의 함선을 불태워 소멸하는데 치중하였던 종전의 전법과는 달리 적함선에 바싹 다가가서 요구금으로 끌어당겨 련방 총포와 화살을 쏘면서 적함에 뛰여올라 적장이하 군사들의 목을 많이 자른것이다.

물론 당항포, 률포앞바다싸움에서도 그러한 전례는 더러 있었으나 이번처럼 9척이상이나 접현전, 함상전을 겸해서 소멸한 일은 없었다. 그것은 우리 수군병사들이 불타는 적개심을 가지고 직접 적들을 요정내려는 투지로 충만되여있었다는것 그리고 그사이 전투들을 통하여 육박전을 할수 있을만큼 그들의 전투능력도 더 늘어났다는것을 보여준다. 봉건통치배들이 전과평가에서 적의 목을 얼마나 잘랐는가를 중요기준의 하나로 삼고 수군들에게도 그렇게 할것을 요구하였던 사정도 작용하고있었다고 보인다.

한산도 앞바다싸움에서의 승리는 우리 중세력사에서 《한산대첩(대승리)》으로 널리 일러왔다.

진종일 전투가 계속된 결과 우리 수군장병들도 피로하였고 날도 저물었으므로 견내량 서쪽에서 진을 치고 휴식하였다. (《리충무공전서》권2 견내량파왜병장)

9일에 리순신은 탐방군으로부터 왜적함선 40여척이 안골포에 머물러있다는 적정보고를 받았다. 이자들은 구끼(九鬼)와 가또가 이끄는 적의 제2, 3함대들이였는데 와끼사까의 함대가 참패하였다는 급보를 받고 뒤쫓아오다가 우리 함대의 위용을 보고 안골포에 퇴각하였던자들이였다. (《조선역수군사》우미또소라사, 1942년, 96, 101~102페지)

안골포에 있는 적함대를 치기 위하여 리순신장군은 리억기, 원균 등과 협의하여 작전계획을 세웠다. 날이 이미 저물었는데다가 역풍(새바람)이 크게 불어오므로 거제 온천도앞에서 밤을 보내고 7월 10일 이른새벽에 떠났다. 경상우수영함대는 안골포밖의 가덕도부근에서 대기하다가 함대가 전투에 진입하면 지원하기로 하고 전라좌수영, 우수영함대가 먼저 학익진 대형을 짓고 안골포앞바다로 진출하였다. 선창에는 왜의 대선 12척, 중선 15척, 소선 6척이 와있었다. (그중 3층집을 올린 큰 배가 1척, 2층집을 올린 큰 배가 2척이였다.)

안골포는 지대가 좁고 수심이 얕아서 판옥선 같은 큰 배가 출입할수 없기에 두번, 세번씩 유인해내려고 하였으나 적들은 견내량-한산도에서 유인전술에 걸려 참패한 경험이 있는지라 끔쩍하지 않았다. 하는수없이 여러 지휘관들에게 엇바꾸어가면서 공격할것을 명령하였다. 여러 판옥선들은 련속 들어가면서 각종 총통, 장편전 등을 비발치듯 퍼부으니 큰 배에 탔던 적들은 거의나 소멸되고 배는 격파되였다. 남은 적들은 륙지에 올라 도망쳤다. 만일 적함선을 다 태워버리면 궁지에 빠진 적들이 산골에 있는 우리 피난민들에게 해를 미칠수 있었다. 그리하여 우리 함대는 1리쯤 후퇴하여 밤을 지새우고 11일 아침에 다시 포위하였다. 그런데 적들은 12개소에서 죽은자들의 시체를 불태우고 밤중에 가만히 달아나버리고 없었다.

이때 적들도 우리 거북선의 본을 따서 배에다 철판을 대고 물에 젖은 솜을 씌우는 등 우리 함선의 충격과 화포의 공격으로 배가 파괴되는것을 막으려고 하였다. 그러나 아군은 강력한 포화력으로 적함선 42척을 격파, 소각하고야말았다. (《리충무공전서》권9 행록 임진 7월 9일, 권수 년도).

한산도앞바다싸움과 그 연장인 안골포 선창 바다싸움에서 우리 함대는 도합 101척의 적함선을 격침, 소각하는 큰 전과를 올리였다.

한산도앞바다싸움에서 조선수군이 이처럼 빛나는 승리를 쟁취할수 있은것은 우선 정의의 조국방위전쟁에 떨쳐나선 수군장병들이 전투마다에서 애국적헌신성을 발휘하여 용감하게 싸웠으며 또 리순신장군의 능숙한 전투지휘로 하여 주도권을 튼튼히 틀어쥐고 싸울수 있었기때문이다.

우리 함대는 기술적인 면에서도 일본침략군의 함대보다 월등하였으며 특히 거북선, 화약무기와 같은 신형무장을 갖추고있어 그 위력이 강하였다. 이 역시 전투승리의 중요한 요인의 하나였다.

한산도바다싸움의 승리를 비롯하여 련합함대가 이룩한 빛나는 승리는 일본침략자들에게 심대한 타격을 주고 전쟁의 형편을 조선인민에게 유리하게 전변시키는데 실로 큰 의의를 가졌다.

련합함대가 조선남해를 대부분 틀어쥐고 일본침략군으로 하여금 경상도 부산일대의 좁은 해역을 벗어날수 없게 한것은 일본침략자들의 수륙병진계획을 파탄시키고 평양과 함경도일대에까지 기여들었던 일본침략자들의 륙군으로 하여금 더는 침공할수 없게 하였다.

조선남해에서의 련합함대의 련속적인 승리의 소식은 전국각지의 군인들과 의병들, 인민들에게 전쟁승리의 신심을 주었고 그들을 왜적격멸을 위한 정의의 싸움에 더욱 힘차게 불러일으켰다.

조선남해에서의 조선수군의 맹렬한 활동은 왜적들의 침공을 저지시키고 리조봉건정부로 하여금 시간적여유를 얻어 관군을 수습정비하고 군량을 마련하여 반공격을 준비할수 있는 유리한 조건을 지어주었다.

조선수군이 이룩한 승리는 나아가서 사무라이들의 명나라침략계획을 파탄시키는데 크게 이바지하였다.

한산도앞바다싸움에서 우리 수군이 거둔 승리가 가지는 의의에 대해서는 당시 리조정부의 정승이였고 도체찰사였던 류성룡이 저서 《징비록》에서 쓴 다음과 같은 글을 보아도 알수 있다.

《이에 앞서 적장 평행장(고니시 유끼나가)이 평양에 와서 글을 보내여 <일본해군 10여만이 또 서해로 해서 들어오겠는데 대왕은 이로부터 어디로 가겠는가?>라고 한 일이 있었는데 그것은 본래 저들의 륙해군이 협동하여 서쪽으로 들이밀려고 한것을 말한것이였다. 그러나 이 한싸움(한산도앞바다싸움)으로 하여 그만 적의 한팔이 끊어지게 되였다. 행장이 비록 평양을 점령하였으나 형세가 외롭게 되여 감히 더는 전진하지 못하였고 국가는 전라도, 충청도, 황해도, 평안도 등의 연해일대를 장악할수 있게 됨으로써 군량을 조달하고 명령을 전달하여 나라를 일으켜세울수 있었으며 또 료동의 금주, 복주, 해주, 개주 등과 천진 등 여러 지역이 소동을 면한것은 … 다 이 한싸움의 성과였다.》[《징비록》 권1(총론)]

이처럼 전쟁 첫 단계에서 리조수군이 거둔 빛나는 승리 특히는 한산도바다싸움의 승리는 일본침략자들의 침략계획수행을 파탄시키고 전쟁의 판국을 근본적으로 전환시키는데 커다란 작용을 하였다.

5. 조선련합함대의 제4차 출정, 부산앞바다싸움의 승리

한산도앞바다싸움과 리치전투 등에서 크게 패한 적들은 이미 차지한 계선에서 더는 전진하지 못하고 궁지에 빠지게 되였다.

리조의 수군과 애국적인민들의 의병투쟁에 의하여 련속적인 타격을 받은 일본침략자들은 이미 차지한 계선을 유지하면서 후방의 안전을 도모하려고 시도하였으며 더 나아가서는 시간을 얻어 본국으로부터 중원부대를 끌어들여보려고 시도하였다. 그러나 일본침략자들 내부에서는 패전의 책임을 둘러싸고 모순이 격화되고있었으며 병력을 더 증강할수도 없었다. 사기가 떨어진 왜적들가운데는 부산방면으로 물러가거나 저들의 소굴로 도망치는자들이 속출하였다. 그리고 침략군의 함대들도 한산도앞바다싸움에서 패배한 후에는 부산앞바다에 모여 우리 나라 함대와의 싸움을 회피하였다.

이러한 형편에서 리순신장군은 수세에 빠진 일본침략자들의 함대에 결정적인 타격을 주기 위하여 새 작전을 벌렸다.

반타격전은 부산앞바다에 있는 적에 대한 공격으로부터 시작되였다. 부산앞바다에는 왜적수군의 주력과 침략군을 수송한 배들이 거의나 몰켜있었다. 놈들은 여기서 량산, 김해 등지로 드나들면서 략탈한 물건을 실어가기도 하였다.

그러므로 부산앞바다에 있는 왜적선들을 모조리 소멸하는것은 미룰수 없는 당면전투과업으로 나서고있었다.

그것은 침략자들의 주력함대를 격멸하고 본국과의 배길을 끊어버림으로써 내륙깊이 침입한 륙군부대들을 완전히 고립시키며 적들의 해상진출을 허용하지 않음으로써 침략군을 섬멸구축하는데 결정적으로 유리한 조건을 조성할수 있었다.

8월 24일 련합함대의 제4차 출정이 시작되였다. 리순신장군은 전라 좌, 우수영의 함대(전선 74척, 협선 92척 계 166척)를 먼저 출항시켜 남해 관음포앞바다에서 하루밤을 묵고 다음날 사량앞바다에서 경상우수영의 함대와 합세하여 170여척의 큰 함대를 편성하여 가지고 진격하였다.

25일은 당포, 26일은 거제도, 27일은 녕이포뒤의 원포로 진출하였고 그 과정에 맞다드는 왜적선들을 모조리 소멸하면서 진격하였다.

28일에 경상도 륙전 체탐인(륙지전투에서의 정찰병)이 와서 고성, 진해, 창원병영 등지에 있던 왜군들이 이달 24~25일에 몽땅 도망쳤다고 알려주었다. 놈들은 우리 함대가 진격해오는것을 탐지하고 도망친것이 분명하였다. 28일 아침에 함대는 곧바로 김해, 량산강(락동강하류)을 향하여 떠나가는데 창원땅에 사는 어민이 와서 적들이 김해에서도 며칠동안 몰운대(부산서쪽)밖으로 도망갔다는것을 알려주었다. 리순신장군은 함대의 주력은 가덕도 서북에 감추어두고 일부는 가덕도 북쪽으로 나가 은페해있으면서 적정을 알아보도록 하였다. 그러나 하루종일 작은 배 4척이 부산으로 가는것밖에 발견하지 못하였다. 그날 밤을 가덕도 서남쪽 천성 선창에서 지낸 함대는 29일 이른새벽에 락동강 하구에 이르러 동래 장림포(부산시 사상) 앞에서 대선 4척, 소선 2척이 나오는것을 발견하였다. 적들은 우리의 대함대를 보고 기겁한 나머지 상륙하여 달아났다. 그리하여 이 배들은 경상우수영함대가 진공하여 다 깨뜨리고 불태워버렸고 전라좌수영 우후도 대선 1척을 충격, 격파하였다. 그런 다음 강어구로 들어가려고 하였으나 수심이 얕고 강이 좁아서 전투행동에 지장이 있으므로 도로 가덕도 북쪽에 와서 작전협의를 고쳐하고 곧바로 부산포를 향하여 진격하기로 하였다.

    9월 1일 함대는 때마침 불어오는 동풍으로 하여 사나워진 파도와 싸우면서 진격하였다. 도중에 화준포, 구미포에서 왜 대선 5척과 조우하고 다대포앞에서 대선 8척, 서평포에서 대선 9척, 절영도앞에서 대선 2척이 정박하고있는것을 발견하고 하나도 남김없이 격파, 소멸하였다. (계 24척) 앞으로 본격적인 대전투를 예견하는 조건에서 왜선에 실은 물품이나 무장 같은것을 로획하지 않고 다 불태워버리고서 절영도 안팎을 수색하였으나 적선은 없었다. 작은 척후선을 내보내여 부산포 앞바다에 가보게 하였더니 약 500여척이 선창동쪽 산아래(간만이포)에 줄지어 정박해있고 대선 4척이 초량쪽으로 나오고있다는것이였다.

    리순신장군은 적아간의 력량대비로 보아서는 우리에게 불리하지만 적의 소굴까지 와서 그냥 물러설수 없다는 단호한 결심을 내리고 돌진할것을 명령하였다.

    신속히 전투서렬을 지은 선봉편대는 거북선을 앞세우고 우리 척후선을 따라오던 적 대선 4척을 맞받아 공격하여 순식간에 소멸하였다.

    이어 련합함대는 일제히 부산포항구안으로 돌입하였다.

    불의의 습격을 받은 적들은 전투태세를 갖추지 못하고있던 배들을 버리고 언덕우로 올라 화살과 총탄을 마구 쏟아부으며 저항하였다. 적들은 총통과 활, 지어는 우리 무기인 편전으로 비발치듯 쏘아댔고 큰 철환과 큰 사발만 한 돌도 날려보내며 저항하였다. 전투는 매우 어렵게 되였다. 적들은 수적으로 많은데다가 지형상 유리한 지점을 차지하고 지상부대와 협동하여 저항하기때문에 좁은 항구안에서 싸운다는것은 매우 불리하였다.

그러나 적개심과 애국적충성에 불타는 수군장병들은 더욱 분노하여 항구안으로 돌격하였다. 아군은 천자, 지자총통, 장군전, 피령전, 장편전, 철환 등으로 일제사격을 퍼부으면서 적함들을 련이어 격침하고 불태웠다. 지난 여러차례의 싸움에서 단련되고 풍부한 경험을 소유한 수군장병들은 이 싸움에서 왜적선 100여척을 격침하고 수많은 적을 살상하였다. (《리충무공전서》권2 부산파왜병장)

부산포진격전에서 심대한 타격을 주었으나 적들이 륙지에 기여올라 수많은 륙상부대와 함께 부산성에 의지하여 저항하는 조건에서 나머지 적함들을 모조리 소멸하기 어려웠고 상륙하여 종심깊이 진격한다는것은 더욱 어려웠다. 또 그날의 심한 풍랑으로 우리 전선들이 손상을 많이 입고있었으므로 그것을 수리한 기초우에서 다시 수륙협동으로 적을 치는것이 상책이였다.

그리하여 그날밤 련합함대는 주동적으로 철수하여 가덕도에서 정박하였다.

부산앞바다전투에서 순천감목관 조정은 비분강개하여 스스로 배를 마련하고 목장의 목부들과 노비들까지 자원하여 싸움에 나서게 함으로써 수많은 왜적들을 사살하였다. 이것은 의병으로서 바다싸움에 참가한 첫 실례로 특기할만 한 사실이였다. 리순신장군은 매번 선두에 서서 싸우다가 총탄에 맞고 희생된 록포만호 정운을 비롯한 희생된 장병들의 장례를 잘 치르며 그 유가족들을 잘 돌보아주도록 하고 부상자들의 치료대책도 세워주었다. 또 군공이 있는자들에 대해서는 제때에 상급에 보고하여 해당한 표창을 받도록 하였다.

이처럼 전투총화때마다 군공을 정확히 평가한것은 중요한 의의가 있었다.

부산앞바다전투에서 다시한번 크게 승리한 련합함대는 9월 2일에 승리의 개가 드높이 귀환하였다.

부산포앞바다싸움의 승리는 실로 커다란 의의가 있었다. 그것은 당시 리순신장군이 부산앞바다싸움에 대하여 정부에 보고한 다음과 같은 글을 통해서도 짐작할수 있다.

《무릇 전후 네차례나 출정하여 열번 접전을 하는데서 매번 승리하였다고는 하나 장병들의 공로를 론한다면 이번 부산앞바다싸움보다 더 큰것이 없습니다. 전일 서로 싸울 때에는 적선의 수효가 많아야 기껏 70여척에 지나지 못하였으나 이번에는 큰적의 소굴에 400여척의 적선이 늘어선 가운데로 위풍당당하게 뚫고 들어가서 조금도 두려워하거나 기가 꺾임이 없이 온종일 공격하여 적선 100여척을 격파함으로써 적들로 하여금 간담을 서늘케 하였으며 겁에 질려 목을 움츠리게 하였으니 적의 목을 벤것은 없으나 힘써 싸운 공로는 이전보다 훨씬 초과한것입니다.》(《리충무공전서》권2 부산파왜병장)

부산포앞바다싸움의 승리가 가지는 의의는 우선 한산도앞바다싸움의 성과를 더욱 공고히 하였으며 일본침략자들에게 만회할수 없는 심대한 타격을 주었다는데 있다. 이 바다싸움의 패배로 적들의 《수륙병진》계획은 수포로 돌아가게 되였으며 남해에서의 제해권이 조선수군에게 장악됨으로써 침략자들의 생명선인 부산과 일본사이의 바다길이 위험을 받게 되였다.

의의는 또한 리조수군의 전투적위력과 수군장병들의 불굴의 투지와 용감성, 애국적헌신성을 유감없이 시위하였다는데 있다.

부산포앞바다싸움에서 심대한 타격을 받은 침략자들은 리조의 함선만 보아도 겁에 질려 륙지로 도망치고 감히 접어들지 못하였다. 한편 침략자들은 부산으로부터 웅천에 이르는 해안선의 방어를 강화하는데 급급하였다.

수군의 련속적인 승리에 커다란 힘을 얻은 애국적인민들과 군인들은 의병투쟁의 불길을 더욱 높여나가면서 력량을 수습하고 반공격에로 이행할 준비를 다그쳤다. 그리하여 전쟁의 새로운 국면이 열리게 되였다.

제3절. 전면적반공격작전시기 수군의 투쟁

1593년초에 이르러 아군은 각 전선에서 전면적인 반공격으로 이행하였다. 1월 8일 조명련합군에 의한 평양성탈환전투는 그 계기로 되였다.

그동안 전라좌수영함대는 함선을 수리하고 무기, 탄약, 식량을 마련하였다가 퇴각하는 적들의 길을 차단하며 일본땅에서 중원부대가 더 투입되지 못하도록 가로막는 과업을 담당수행하게 되였다.

이 목적을 위하여 1593년 2월 6일 리순신장군이 인솔하는 전라좌수영함대는 기지를 떠나 한산도앞바다로 나왔으며 여기서 경상도 수군과 합세하였고 2월 8일에는 전라도우수영의 함대와 견내량에서 합세하여 다시 련합함대를 편성하고 거제 온천도(溫川島)앞바다로 나아갔다.

2월 10일과 12일에 적함대가 웅천의 웅포에 정박하고있다는 정보에 접한 아군련합함대는 즉시 출동하였으나 우리의 거듭되는 유인전술에도 불구하고 적들은 우리 함대의 위력에 겁을 먹은 나머지 까딱하지 않고 포구안에 배겨있었다.

이런 형세에서 리순신장군은 경상우도 순찰사 김성일에게 우선 웅천의 적을 치고 다음 량산, 김해의 적을 쳐야 부산으로 나아가 적의 퇴각로를 완전히 차단할수 있다는것을 통지하는 동시에 그러자면 수륙이 협동하여 적을 쳐야 한다는것을 강조하고 빨리 해당한 대책을 세워줄것을 요구하였다. (《리충무공전서》권3 령수륙제장집도웅천장)

2월 17일에는 국왕이 파견한 선전관이 도착하여 적의 후방을 차단할것을 지시하였다.

2월 18일에 우리 함대는 다시 웅천앞바다로 나아갔으나 적들은 여전히 나오지 않았다. 우리가 작고빠른 배로 쫓아들어가고 적선은 더욱 깊은데로 숨어들어가는것이였다. 그 대신 동, 서의 산기슭에 보루를 쌓아두고 기발들을 수많이 세우고 조총을 비오듯 쏘면서 교만하게 굴었다. 우리 함선들은 대오를 편성하여 좌우에서 일제히 란사하면서 화포와 화전을 천지가 진동하도록 쏘았다. 이렇게 하루에도 여러차례 공격하여 수많은 적병을 사살하였다.

거북선을 탄 좌돌격장 등은 왜적선 3척을 끝까지 쫓아가서 거기에 탔던 100여명의 적장병을 거의다 소멸해버렸다. 그러나 수군만으로 상륙하여 싸우기는 어려웠으므로 다시 경상우도 순찰사에게 촉구하였더니 그는 명나라군대의 후방공급때문에 바빴고 남아있는 군대가 없다는 구실로 곽재우의병부대에 련락하여 먼저 창원을 치고 그다음 웅천으로 나가게 하겠다고 회답하여 왔다.

이러한 형편에서 리순신장군은 수군함대의 력량만으로 상륙전과 해상전을 배합할것을 결심하였다. *

> * 이보다 앞서 1592년 8~9월사이에 리순신장군은 전라도 방어를 위하여 부근 각 고을의 중들에게 호소한바 있었고 애국적인 중 400여명을 모집하여 요충지들에 파수를 세웠다. 한편 순천에서 사는 성응지가 의병을 일으키자 그에게도 순천고을성을 지킬 임무를 준바 있었다. 얼마후에는 승병장 삼혜, 의능과 의병장 성응지에게 전선을 주어 그들로 하여금 배를 타고 바다싸움을 할수 있도록 준비시켰었다.

2월 20일에 또다시 적을 전날과 같은 방식으로 공격하여 많은 적을 살상하였으나 깊이 들어가지는 못하였다.

드디어 리순신장군은 여러 장수들과 의논하고 륙전대를 상륙시키는 동시에 해상으로도 보다 깊이 쳐들어가서 결정적타격을 주기로 약속하고 2월 22일에는 10여척의 배에 나누어 탄 의병장들과 승병장들이 서쪽 냉이포해안에 상륙하고 전라우도와 3도의 용감한 사수들로 웅포 동쪽 안골포에 상륙하여 각각 진을 치도록 하였다. 그리고 3도 함대에서 각각 경완선(가볍고 빠르며 완전히 전투준비를 한 함선) 5척씩 내여 적선이 줄지어 정박한 곳으로 접근하여 지자, 현자총통을 쏘아 적선들을 한 절반 깨뜨리도록 하였다.

상륙한 승병, 의병부대들은 창검을 휘두르면서 또는 활과 포를 쏘면서 종일토록 돌격전을 벌려 무수한 적을 살상하였다.

적들에게 붙잡혀갔던 우리 사람들로부터 적정을 들은바에 의하면 적진속에서는 전염병이 돌아 죽은자들이 매우 많았다.

우리 수군은 웅천의 적들을 끝까지 소멸할 목표를 내세우고 2월 28일과 3월 6일에도 더욱 맹렬한 공격을 들이댔다. 이번에는 진천뢰를 산아래 적진에 쏘니 적병들속에 죽은자, 상한자가 헤아릴수없이 많았다. 너무도 혼비백산한 왜장 12명은 물에 빠져죽을 생각까지 했다고 한다.(《리충무공전서》권3 토적장, 등문 피로인 소고왜정장)

3월 16일에 함대는 칠천도앞바다로 왔으며 10일에는 사량으로 향했다.

우리 함대는 사량앞바다까지 일단 퇴진하였다가 상륙전을 하지 못하는 조건에서 화공작전을 준비하였었는데 배가 없으면 적들이 더 궁한 나머지 한사코 저항할것이므로 이 작전을 중지하였다.

련합함대는 우리 륙군이 빨리 남하할것을 고대하였으나 소식이 없었으므로 부득이 4월 3일에 전라도 수군은 자기 본영으로 일단 돌아왔다.

웅천바다싸움은 비록 적선들을 많이 침몰시키지는 못하였으나 그 대신 수많은 적들을 소탕함으로써 적들의 작전적기도에 큰 타격을 주고 우리 수군의 위력을 다시한번 시위하였다. 특히 이 전투에서 륙전대의 상륙에 의한 진공을 조직한것은 우리 나라 수군사에서 류례가 드문 일로서 수군군사예술발전에서 중요한 의의가 있었다. *

> * 이에 앞서 1593년 2월 12일 충청수사 정걸(丁傑)도 의병장 김천일, 관군의 권률, 병사 선거이 등이 지휘하는 여러 부대들과의 긴밀한 련계밑에 한성(서울)으로부터 도망치는 적들을 행주산성에서 거의다 전멸시키는 커다란 승리를 이룩한바 있었다. 이 역시 수륙협동작전의 우월성을 뚜렷이 중시하여주었다.

리순신장군은 수군력이 일정하게 장성하고 확대된데 기초하여 그리고 전쟁경험과 당시의 정세에 비추어 수군의 조직지휘체계를 개편하였다. 1593년 7월 남해의 수군지휘처를 려수로부터 한산도 두을포로 옮기였다. * 한산도는 거제도 서쪽 30리지점에 있는 섬이다. 한산도는 남해수군에 대한 통일적인 지휘를 보장하고 일본침략군의 수군을 견제하여 기동성있는 활동을 전개하기에 매우 유리하고 적합한 곳이였다. 당시 일본침략군이 경상도에 몰켜있고 그의 수군이 경상도앞바다에서 준동하고있던 형편에서 한산도에 지휘처를 옮긴것은 수군력을 적들에게 접근시킴으로써 보다 기동성있게 효과적으로 리용할수 있게 하며 적들의 조선남해와 조선서해에로의 진출을 성과적으로 막아낼수 있게 하였다.

> * 두을포의 포구는 반달형으로 되여있고 산으로 둘러싸여있으므로 함선들을 은페시키거나 태풍피해를 막기 위하여 대피시키는데서도 매우 유리하였으며 적선으로부터 불의의 침습을 받을 위험이 없는 그야말로 천연의 요새였다. 또한 수심이 깊어 큰 싸움배들의 기동에 저애를 받지 않았다.

두을포기지는 일본침략군의 수군이 서쪽으로 침범하지 못하게 하는데서 관문적위치에 있는 해상요충이였다.

1593년 8월에 리조정부는 리순신장군이 련합부대를 이끌고 능란한 령군술로 10여차의 대소전투들에서 큰 공적을 세운것을 높이 평가하는 동시에 경상우수사 원균의 리간행위, 태공행위가 계속되던 조건에서 조선수군에 대한 지휘통솔의 일원화, 군사기률의 강화의 필요성을 인정하고 리순신장군을 3도(경상, 전라, 충청)수군통제사로 임명하였다. *

* 이때 마땅히 3도수군통제사를 기본직무로 하고 전라좌수사를 겸임직으로 하여야 하였으나 그 반대로 전라좌수사로서 3도수군통제사를 겸임하게 하였기때문에 다른 무관들이나 감사들과의 관계에서 대등하지 못하고 따라서 통제사의 군령이 제대로 집행되지 않는 현상이 생기였다. 그러므로 후에 정식으로 3도수군통제사 겸 전라좌수사라는 직함으로 고치였다.

때늦은감은 있었으나 리순신이 3도수군통제사로 된것은 수군함대들을 통일적으로 지휘하고 편대를 강화하는데서 중요한 의의가 있었다.

그것은 지난 시기에 수영들이 각각 독립적으로 존재하면서 통일적 지휘밑에서가 아니라 횡적련계만을 가지고 전투행동을 벌리던 부족점을 제거하고 통일적인 지휘체계를 확립하였으며 작전에서의 산만성을 극복하고 통일적인 전투행동을 원만히 보장할수 있게 하였다.

리순신장군은 1592년 전쟁개시후 얼마 안되던 시기부터 특히는 9~10월이후부터 륙지에서 아군부대들이 적을 밀고 내려와서 수륙협동작전을 벌릴수 있게 될 때까지 수군을 강화하며 후방을 안정시키기 위하여 여러 대책을 취하는 한편 적의 동태를 수시로 살피면서 적들로 하여금 감히 서쪽으로 더 침범해올수 없게 하기 위하여 백방으로 노력하였다.

1592년 가을과 겨울이후 전쟁 제2계단의 전기간 리순신장군은 그러한 대책의 하나로서 우선 일부 군인들을 고향에 보내여 농사를 짓게 하고 앓는 군인들이 치료를 받도록 하였다.

또한 령남지방의 수많은 피난민들이 전라좌수영으로 찾아온 형편에서 그들이 먹고 살아갈 식량을 대주기가 어려웠던만큼 여러 섬들 가운데 피난도 할수 있고 논밭이 많아서 경작할수도 있는 곳을 골라서 둔전을 경영하여 인민들의 생활도 보장하고 군량도 보충할수 있게 하였다. 또한 전라좌수영을 비롯한 수군소속 고을(주사속읍)원들과 수영소속 진, 포의 만호, 권관들을 전적으로 수군에 소속시켜줄 것을 제기하였다.

그것은 당시 좌수영 속읍의 하나였던 홍양현의 현감 배홍립을 륙지전을 맡은 순찰사가 데려갔고 록도만호 송여종은 군량운반차로 보내고 없었으며 그밖에도 감사, 병사, 방어사, 조방장 등이 제가끔 고을원들과 만호들을 륙군부대의 지휘관으로 임명하거나 륙전부대의 일을 보장하도록 숱한 명령, 지시를 떨굼으로써 어느령을 따라야 할지 모를 지경에 이르고있는 실정이였기때문이다. 수군의 전투력을 확보하자면 이들을 전적으로 수영에 소속시키고 오직 수영의 명령지시에 따라 움직이도록 해야 하였다. (《리충무공전서》 권3 청주사속읍수영전속수전장)

또한 리순신장군은 광양현감 어영담에게 자기 직무를 그대로 보도록 해줄것을 제기한것을 비롯하여 의병장 이전만호 배경남 등 수군지휘관으로 될만 한 인재들을 등용하도록 노력하였다.

어영담은 전쟁개시이래로 수군에 참가하여 많은 전공을 세웠으며 전시의 어려운 환경에서 고을안의 질서를 바로잡는데도 공로가 있었으나 그가 없는 시기에 쓴 관청곡식의 지출명세가 잘 작성되여있지 않아 량곡잔액이 맞지 않았다. 독운어사가 와서 검열해보고 부족액은 현감이 사사로이 소모했다고 함으로써 파직당하게 되였던것이다. 그가 죄없는 사람이고 유능한 군사지휘관인것만큼 리순신은 이런 사람들을 보호하였고 그후 어영담은 조방장으로서 계속 수군에 복무하게 되였다. *

   * 《리충무공전서》 권3 청광양현감어영담잉임장, 권4 청이어영담
    위조방장장

한편 리순신은 자기의 기본임무인 해상방어와 해상진격으로 적을 소멸할 방도에 대해서도 여러가지 대책을 세웠는데 우선 적정을 료해한데 기초하여 륙군과의 협동작전을 빨리 실현할것과 수군무력 강화를 위하여 충청도 수영의 함대를 증파할것을 제기하였다. *

   * 충청수사 정걸은 1593년 6월초에 도착하여 리순신과 만났다.

한편 우수한 성능을 가진 전선을 더 많이 무어내고 무기를 제작하는데도 힘을 돌렸다. 여러차례의 출정을 통하여 숱한 화약을 소모한것만큼 그 보충방도를 탐구하는것은 초미의 문제였다. 리순신장군의 군관으로 있던 리봉수는 염초(화약)제조의 묘리를 연구하여 3개월사이에 염초 1 000근을 제조하였다. 그런데 수영부근에는 석류황이 없었기때문에 그것만은 정부에서 100여근쯤 보내줄것을 요청하였다.(《리충무공전서》권3 청사류황장)

리순신장군이 제기한 대책들은 부분적으로 실현되는데 그쳤으나 수군함대전투력의 보존과 증강에 일정한 기여를 하였다.

제4절. 일본침략자들의 재침준비에 대처한 국방력강화조치

일본침략자들은 1593년 여름 이후 련이어 패배하여 퇴각을 계속하다가 경상도 남해안의 좁은 지역에로 쫓겨 그곳에 들어박히게 되였다. 적들은 부산, 김해, 웅천, 거제도의 영등포, 장목포 등지에 둥지를 틀고있으면서 재침의 기회를 노리였다.

그해 9월이후 적들은 궁지에 빠지자 조선에 원군으로 온 명나라측의 대표와의 사이에 《화친》교섭을 가장하여나섰고 크게 볼 때 전쟁은 일시적휴전상태에 들어서게 되였다.

《화친》교섭에서 일본침략자들은 우리가 접수할수 없는 엉터리없는 조건을 내놓음으로써 시간을 끌면서 재침야망을 달성하기 위한 준비를 다그치려고 하였다. 이러한 조건에서 애초에 《화친》교섭을 반대하는 립장에 서있던 관리들 특히는 의병들은 침략자와의 투쟁을 멈추지 않았으며 《화친》교섭기간에도 적아간에는 여러차례의 큰 공방전이 벌어졌다.

이 시기 리조의 수군은 왜적들의 재침에 대처하기 위하여 전투력을 더욱 강화하기에 힘쓰는 한편 왜적들의 략탈행위에 대해서는 제때에 응당한 징벌을 가하였다.

1. 1593년 가을~1594년 봄 수군강화를 위한 제반 대책의 수립

　　1593년 10월 9일에 리순신장군은 3도수군통제사로 임명되였다는것과 3도의 장병들을 두 교대로 나누어 집으로 보내서 휴식시키는 동시에 옷과 식량을 준비하게 하라는 국왕의 지시를 전달받았다.
　　경상도는 적들의 침입을 많이 받았고 사공과 노군들의 징발이 규정대로 되지 못한 점이 많았으나 수군함대가 진을 친 곳에서 멀지 않았으므로 련방 교대하면서 휴가를 줄수 있었다. 전라좌도 역시 그닥지 멀지 않은 고장들에서 온 군사들이므로 계속 교대를 조직할수 있었다. 그러나 전라우도는 거리가 멀고 한번 오가는데 자칫하면 10여일~한달씩 시간이 걸리였다. 이런 조건에서 전라우수사에게는 자기 소속전선 31척을 이끌고 11월 1일에 우수영으로 가서 설전에 전투준비를 고치하고 함선도 더 만들며 수군과 림시수군으로 모집된 장정들도 하나하나 점검하여 이듬해 정월 15일전까지 돌아오도록 지시하였다.
　　좌수영에서는 전선 50여척으로 늘 대기태세에 있도록 하였다. 그런데 이 시기에 와서는 수군으로서 제 고장을 뜨고 없는자들이 10에 8~9명이나 되였으므로 번을 서는 군사는 열에 한두명밖에 없었다. 그 결과 한번 배를 탄 수군병사들은 그 대부분이 교대도 없이 근무하는 형편이였다. 또한 전쟁의 후과로 전염병마저 돌아서 죽은 사람이 많았다. 이렇게 어려운 조건에서도 리순신장군은 장병들의 사기를 북돋아주기 위하여 상벌제도를 엄격히 세우고*1 부하장병들에게 파수를 잘 서며 경계를 늦추지 않을데 대하여 거듭 신칙하였다. *2

　　*1 실례로 1593년말에는 과거시험을 수영안에서 실시할수 있도록 요청하여 정부의 승인을 받았고 1594년 4월에 실지로 실시하였다.
　　*2 《리충무공전서》 권3 환영장(還營狀)

　　1592년 가을에는 전선을 많이 무어내도록 할것을 제기하였다.
　　즉 전라좌도에서 수영소속 5판(고을), 5포(수군기지)로 하여금 60척을, 전라우도에서 15판, 12포로 하여금 90척을, 경상우도에서 40여척을, 충청도에서 60척(합계 250여척)을 건조하여 이미 있는 함선들에 추가한다면 그리고 수영소속 고을들의 장정(군정), 군량을 다 전적으로 수영에 소속시키고 총통의 예비도 보내준다면 왜적을 해상에서 격파할수 있다는것을 국왕에게 보고하고 그해 12월말까지 전선을 건조할데 대하여 승인을 받았다. *

> *《리충무공전서》권3 조진수륙전사장. 이 전선건조수가 승인되였다는것을 충청수사를 빨리 보내줄데 대한 요청서(권4)의 내용을 보면 알수 있다. 또 250여척은 순전한 전선수이고 이밖에 그만한 수의 사협선(사후선과 협선)을 함께 만들어야 하였다. (권3 청연해군병량기전속주사장)

이러한 대책들은 제대로 실현되지는 못하였으나 그래도 수군의 위력을 강화하는데 일정한 도움으로 되였다.

2. 1594년 3월 진해-당항포바다싸움의 승리

1593년 여름에 일본침략자들은 휴전교섭의 미명하에 수군무력을 대대적으로 증강하였고 륙지에서는 함안계선으로 나왔으며 해상에서는 거제도, 영등포, 송진포, 장문포, 하청, 가리포 등지에까지 침입하였다. 우리 수군함대가 한산도일대를 지키고 견내량에 파수를 서고있었던만큼 적들은 감히 그 일대로 나오지는 못하였다. 적들의 수군증강책동에 대응하여 리순신장군이 제기한 함선건조대책은 그 집행과정에서 일정한 장애에 부딪치게 되였다. 그것은 당시 정부에서 파견한 관리들이 여러가지 명색으로 장정들을 징발해가지고 량곡을 조달해가기때문이였다.[1]

리순신장군은 그에 대한 타개책으로 수영소속 고을로 지정된 곳에서만이라도 군정, 군량, 무기를 다 수영에 전속시켜줄것을 재삼 정부에 요청하였다.[2] 그는 어려운 조건에서도 전선건조를 내미는 한편 자체로 군량을 해결하기 위해 돌산도외에 홍양, 도양장, 해남 황원고, 강진 화이도 등지에 둔전을 더 설치하고 이에 필요한 보습, 따비 등 농기구들을 보장하도록 하였다.[3] 소금구이, 질그릇구이, 물고기잡이 등도 조직하여 군량을 마련하였다.[4] 이를 위하여 소금가마들을 주조하였다.[5]

*¹, *², *³, *⁴, *⁵ 《리충무공전서》권3 청주사소속읍물지륙군장, 청연해군병량기 물령체이장, 권4 청개차홍양목관장, 권3 년표 계사년 9월, 권6 란중일기 갑오년 5월 19일, 24일

1594년초까지에 전라좌수영소속 고을들에서 건조한 전선수는 순천 10척, 홍양 10척, 보성 8척, 광양 4척, 락안 3척 계 35척이였다. 원래의 계획은 60척이였으나 그 60%가 건조된것이였다. 그러나 수군병사들을 채우지 못하였다. 리순신장군은 그중 우선 18척을 인솔하고 1594년 1월 17일에 한산도로 갔으며 나머지는 인차 뒤따라오도록 지시하였다. 전라우수사 리억기에게도 1월 25일까지, 충청수사 구사직에게는 2월 5일까지 대오를 이끌고 일제히 도착하도록 명령하였다. (《리충무공전서》권4 청충청수군절도사최촉도진장)

전라우수사도 수군병사가 없어서 먼저 전선 22척(원래 계획은 90척을 건조하게 되여있었다.)만 거느리고 2월 17일에야 도착하였다. 충청수사는 2월 5일이후 한달이 지났으나 아직 도착하지 않았다.

이처럼 조선수군련합함대 앞에는 여러가지 애로와 난관이 조성되고있었으나 당시 전쟁형세는 우리 수군함대들이 빨리 나아가 왜적의 침략기도를 쳐부시고 경상도 동남연해져방에서 진지를 강화하여 장기전으로 넘어가려는 적들의 책동을 파탄시킬것을 요구하고있었다.

바로 이러한 때인 1594년 3월 3일에 적들이 대선 10척, 중선 14척, 소선 7척으로 영등포에서 나와 21척은 고성지경 당황포로 향하고 7척은 진해 오리량에로, 3척은 저도에로 향한다는 소식에 접하였다. 리순신장군은 즉시 원균, 리억기 등에게 련락하여 출전준비를 시키고 한쪽으로는 순변사 리빈에게 공문을 띄워 이전에 약속한것처럼 륙상부대를 내보내여 협력하도록 한 다음 밤중에 떠나 11시에는 거제도안쪽 지도(紙島) 앞바다에서 밤을 지냈다. 4일 새벽에는 우리 전선 20여척이 견내량에 머물면서 불의의 사태에 대처하게 한 다음 경쾌한 함선을 뽑아 조방장 어영담의 총지휘하에 당항포와 오리량으로 가게 하였다.

한편 리순신장군은 함대주력을 이끌고 영등포, 장문포 앞바다의 시루섬부근에서 학익진을 펴고 앞에서는 우리 군세를 시위하고 뒤에서는 적의 퇴로를 막았다.

왜선 10척이 진해선창에서 나와 기슭을 따라 도망치려 하자 어영담이 인솔하는 선봉함대는 좌우로 협동하여 들어갔다. 바빠맞은 적들은 함선 6척을 진해읍앞바다에서, 2척은 고성 어선포에서, 2척은 진해 시굿포에 각각 버리고 륙지에 올라 도망쳤다. 우리 수군은 적함선 10척을 몽땅 짓부시고 불태워버렸다.

당항포에 들어간 왜선 21척에 탔던 적들은 바다우에서 불길이 치솟고 연기가 자욱한것을 보고 넋을 잃고 륙지에 올라가서 진을 쳤다. 우리 수군은 곧 륙군에 련락하고 그날 밤은 포구를 봉쇄하였다.

5일 아침에 적들은 다 도망가고 기와, 왕죽을 가득 실은 배만 남겨두었으므로 모조리 소멸하였다. 수륙협동작전이 제때에 실현되지 못하여 적들이 도망갈 틈을 준것은 유감스러운 일이였으나 우리 수군은 적함선 31척을 소멸하는 큰 전과를 거두었다. 그뿐아니라 우리 수군련합함대가 합세하여 쏘며 진영을 바꾸어가면서 위력을 시위하였더니 영등포, 장문포, 제포, 웅천, 안골포, 가덕, 천성 등지에 박혀있던 적들도 자기들을 공격해올가봐 장막을 쳤던것을 스스로 불사르고 숨어버리는것이였다.

일본침략군이 진해-당항포앞바다싸움을 보고 얼마나 기절초풍하였는가 하는것은 이 한가지 사실만 가지고도 잘 알수 있다.

이처럼 1594년 3월 4~5일 진해-당항포앞바다싸움은 우리 수군의 커다란 승리로 끝났다. * 그것은 이후 당분간 왜적의 해상침략을 미연에 방지하는데서 큰 의의가 있었다.

> * 이 전투에서 전라좌수영 함대는 대선 7척, 중선 8척, 소선 4척 계 19척을 소멸하였고 경상우수영 함대는 대선 5척, 중선 6척 계 11척을 소멸하였다.

1594년 3월 6일에 우리 함대가 고성 아차음포에서 떠나 거제도 앞바다로 향하는데 왜적들은 련락인원을 태운 작은 배 1척을 고성 건너편으로 내보냈다. 여기에는 명나라사람 2명과 왜적 8명이 타고있었다. 명나라사람은 선유도사부의 담종인이란자가 쓴 《왜적을 토벌하기를 금지한다》는 패문(공문쪽지)을 가지고왔다. 그 기본내용인즉 전해 11월에 강화교섭차로 웅천에 와있었는데 그곳 왜인들이 조선수군의 계속되는 공격을 막아달라고 애걸하고있으니 강화교섭기간에 싸우지 말라는것이였다.

리순신장군은 그것이 교활한 왜적들의 작간이라는것을 모르지 않았으나 우리측도 채 준비가 안된 실정에서 또 상급과의 련계를 취해보기 위하여 좀더 기다리기로 하였다. 그러나 담종인이란자가 일본의 장수들이 다 명나라에 귀순할 생각이 있고 무기를 걷어가지고 제 나라로 가겠다고 하니 조선수군도 각각 일본인들의 영채(보루)에 가까이 오지 말고 본래의 장소로 되돌아가서 충돌을 피하라고 한데 대해서는 준렬히 규탄하였다. 그는 왜인들이 둔을 치고있는 거제, 웅천, 김해, 동래 등지는 다 우리 땅인데 나더러 일본영채에 가까이 왔다는것은 무슨 소리인가, 나에게 빨리 본고장으로 돌아가라고 하는데 본고장이란 어디인지 알기나 하고 그러는가, 싸움을 일으킨것은 우리가 아니라 왜이다, 일본인들이란 온갖 사기를 일삼는자로서 예로부터 신용을 지키는 의리가 있다는것을 듣지 못하였다, 흉악하고 교활한 무리들이 아직 나쁜짓을 그만두지 않고 바다가에 배겨있으면서 한해가 지나도록 물러가지 않고있으며 메돼지처럼 각지로 싸다니면서 겁탈과 로략질을 전날보다 곱절이나 더 심하게 하고있으니 무기를 거두고 바다를 건너간다는 뜻이 과연 어디에 있는가, 지금 강화를 한다는것은 참으로 사기와 허위의 행동이다라고 공박하였다. (《리충무공전서》권4 진왜정장)

리순신장군은 이처럼 왜적의 책동의 본질을 잘 알고있었다. 그러나 동맹군인 명나라측의 공문이 온것만큼 확인해보지 않을수 없었으며 또 중요한것은 우리의 함선수가 아직도 상대적으로 적은것이였다. 그리하여 함대는 3월 7일에 일단 한산도앞바다로 돌아왔다.

3. 1594년 9~10월 장목포-영등포전투

3월초의 진해-당항포해전이 있은 이후에도 적들은 계속 재침준비를 서두르고있었다.

리순신장군은 함대들의 량적, 물질적개선을 위하여 관하부대들을 자주 순시, 검열하였고 본래 건조하기로 된 전선들을 빨리 만들어 보내도록 독촉하였으며[1] 또 륙군과의 협동작전을 실현하기 위하여 계속 노력하였다. 그리고 명나라수군과의 협동작전에도 주의를 돌리였다.

*¹ 실례로 1594년 3월 16일에 충청수사가 11척의 전선을 이끌고 도착하였다. 그런데 충청도에서는 본래의 예정된 60척보다 줄어든 40척의 전선도 다 만들지 못하였다. 그러므로 나머지 29척은 빨리 건조할것을 요구하였다.

*² 1594년 7월 19일에는 명나라장수 장학유가 5척의 함선을 이끌고왔다. 그는 다음해 봄에는 많은 함선들이 제주도로 도착할것이라고 하였다.

8월 14일에는 춘원포에 와있던 적선 1척을 빼앗았다.

9월초에 수륙군이 적을 진공적으로 칠데 대한 비밀명령이 하달된것을 계기로 아군의 새로운 공격작전이 시작되였다. 이번에는 원수 권률의 지시로 9월 25일 륙군 670명이 오고 이튿날은 의병장 곽재우, 김덕령 등이 견내량에 도착하여 련락을 보내왔으며 27일에는 병사 선거이가 도착하였다.

9월 27일에 우리 함대는 륙군과의 협동작전으로 적을 치기 위하여 다시 진격의 길에 올랐다.

9월 29일에 우리 함대는 장문포앞바다로 돌입하였다. 그러나 적들은 륙지의 높은 곳에서 방어하면서 나오려고 하지 않기때문에 먼저 적선 2척을 격파하여 불태우고 도로 칠천도앞에 나왔다. 10월 1일에는 충청수사와 수군 선봉장들이 영등포항구로 쳐들어갔으나 이번에도 적들은 종시 나오지 않았다. 10월 2~3일에도 장문포를 정찰하게 하고 종일토록 총포를 쏘면서 싸움을 걸었으나 적들은 성안에 들어박혀 나오지 않았다.

이렇게 되자 수륙협동으로 공격작전을 벌리기로 하였다. 10월 4일 곽재우, 김덕령의병부대 가운데서 수백명을 선발하여 장문포에 상륙시키고 이와 동시에 수군도 공격하니 적들이 당황하여 어쩔줄을 몰랐다. 우리 륙군, 의병부대들은 육박전에 익숙하지 못하여 깊이 쳐들어가지 못하고 되돌아왔으나 이것은 전쟁개시이후 관군, 의병의 륙군부대와의 첫 공동행동으로서 중요한 의의가 있었다.

우리 수군은 10월 6일, 8일에도 장문포의 적소굴을 위협하였다. 그러나 왜적들은 나오지 않으므로 10월 8일에 우리 함대는 일단 한산도로 되돌아왔다.

4. 수군무력의 가일층 강화

 거듭되는 참패에도 불구하고 왜적들은 제 소굴로 물러가지 않고 경상도 남해 동부지방의 좁은 연해지역에 계속 있으면서 재침준비를 서둘렀다.
 한편 일본에서는 재침준비에 모든 힘을 넣고있었다.
 적들은 수군력을 강화하기 위하여 바다가사람들을 총동원하였으며 싸움배들을 대대적으로 무어냈다. 이와 함께 왜적들은 경상도 울산 서생포로부터 거제도에 이르는 해안요소마다에 성을 쌓고 진지를 꾸려 기지들을 강화함으로써 바다로부터의 공격에 대처하였다.
 일본침략군의 재침준비가 강화되고 침략행위가 계속되는 정세하에서 리조봉건정부는 국방력 특히는 수군력을 강화하기 위한 일련의 대책을 강구하지 않을수가 없었다.
 무엇보다도 새로운 무기를 발명제작하여 군대의 무장장비를 개선함으로써 그의 전투력을 일층 강화하였다. 군기시의 기술자들과 지방의 무기제조수공업자들은 창조적지혜와 애국적인 열의를 발휘하여 천자포, 불랑기, 비격진천뢰* 등 여러가지의 포무기들을 창안 또는 개량제작하였으며 화약, 포탄, 탄환(총탄)생산도 늘였다.

> * 비격진천뢰는 새로운 포탄으로서 대완구포로 발사하여 600~700m를 날아가며 그 내부에서 저절로 불이 일어나 폭발하게 된 폭발탄이였다. 비격진천뢰는 한발로서 한곳에 집결되여있는 적 200명을 소멸할수 있는 위력을 가지고있었다.

 저격무기생산에서 중요한 성과는 새롭게 개량발전시킨 조총을 다량 생산하게 된것이였다.
 재능있는 화포장들은 불타는 적개심과 고도의 창발성을 발휘하여 자체로 조총을 만들어 시험하였다. 특히 수군지휘관 정사준은 병사 리필종, 노비들인 안생, 어복 등과 함께 종래의 조총보다 정교하고 위력한 저격무기를 만들어내기 위하여 탐구와 실험을 거듭하여 끝내 정철(강철)로 우수한 조총을 만들어냈다. (《리충무공전서》권3 장계봉진화포장, 권5 란중일기 계사년 5월 12일, 9월 14일)

이 조총은 종래의것보다 사거리도 길고 명중률도 높았다. 그러므로 리순신은 견본 5정을 만들어 올려보내면서 인차 대량생산에 넘어갈것을 제기하였다. 그후 이 조총은 각 부대들에 공급되여 보병들과 수군들이 무장함으로써 그의 전투력이 일층 높아졌다.

1593년 12월 황해도, 평안도, 전라도의 무기제조기술자들과 수공업자들은 세알배기 총통과 탄환을 만들어냈다. (《선조실록》 권46 26년 12월 신해)

또한 화포제작에서도 새로운 성과가 이룩되였다. 1593년부터 도입하기 시작한 자모포를 다시 개량하여 호준포를 만들었다. 이 시기 화포들을 기술적으로 개량하였을뿐아니라 량적으로 많이 생산하여 포화력장비를 늘이게 된것은 군대의 전투력을 더욱 강화시켰다. * 리순신함대에서만도 250여척의 함선에 화포를 장비하고 300문이나 예비를 가지고있게 되였다.

* 《군문등록》 병신년 6월 23일
《리충무공전서》 권3 청하남철공문겸사류황장. 여기서는 화포제작에 필요한 구리를 얻기 위하여 중을 내세워 모집하기도 하고 상직이나 면천, 면역증명서를 발급하여 구리를 자진하여 바치도록 할것을 제기하였다.

화포를 비롯한 화약무기생산의 증대는 화약생산을 그에 따라세울것을 요구하였다. 이에 따라 리조정부는 개인이 화약만드는것을 허용하였으며 지방에 화약생산과제를 부과하였다. 그리고 화약생산을 적극 늘이기 위하여 국가에서는 화약생산자들을 표창하는 제도까지 내오게 하였다.

리순신함대에서도 자체로 화약을 만들어냄으로써 화약에 대한 수요를 대체로 자체해결하였다.

이와 같이 새로운 무기와 화약생산이 늘어남에 따라 군대의 무장장비는 개선되고 전투력이 강화되였다.

전쟁의 경험과 새로운 무장장비의 출현, 조직편제의 변화는 해상전투조법에서 변화를 가져오게 하여 수군군사예술발전에서도 새로운 전진이 이룩되였다.

우선 전투서렬편성에서 종전의 병진밀집대형대신에 아직은 밀집대형의 테두리를 완전히 벗어나지는 못하였으나 소산대형으로 점차 넘어가기 시작하였으며 전투조법에서 육박전보다 포격전, 총격전이 중대되였으며 그것이 보급되고 완성되여갔다. 이로부터 전투서렬편성에서 학익진, 일선형, 제대식(물결식 또는 파도식)서렬이 주되는것으로 되였다. 특히 리순신장군에 의한 해상륙전대의 준비와 전투에서의 적용은 지난 시기에 볼수 없었던 새로운 전투조법이였으며 그것은 수군대렬에서 새로운 조직의 출현을 의미하였다.

또한 전시의 조건에서 수군의 지휘통솔체계를 바로잡기 위한 일련의 대책도 세웠다. 1595년 8월에 직속함선이 없거나 적은 경상우도의 일부 수군진영들을 통합한것은 그러한 대표적인 실례이다. 이때 곡포는 평산포에, 상주포는 미조항에, 적량은 삼천포에, 소비포는 사량에, 가배량은 당포에, 지세포는 조라포에, 제포는 웅천포에, 률포는 옥포에, 안골포는 가덕진에 각각 통합하였다. 이렇게 함으로써 필요이상 많은 장수들이 있어서 도리여 함대지휘에 지장을 받던 현상을 없애고 함대의 기동력을 가일층 높이였다.

리순신장군은 한산도에 통제사영을 설치하고 운주당다락집을 짓고 작전계획을 토의하군 하였다. 애국충정을 누를길이 없던 그는 언제나 나라의 운명에 대하여 생각하면서 멸적의 방도를 탐구하였다.

휴전기간에도 리순신장군은 군사들의 훈련, 군량의 확보, 전선의 수리, 건조 등을 추진시키면서 적들의 동향에 대한 탐지, 경계를 게을리 하지 않고 강화하였으며 적이 나타나면 곧 나가서 족치도록 하였다.

1595년 4월 10일에는 적선 3척이 구화(仇火)역전에 왔다는것을 듣고 곧 15척의 함선을 견내량에 보냈다. 그런데 적선은 이미 도망간 뒤였다. (《리충무공전서》권6 란중일기 갑오 4월 10일-12일)

1596년 정월에도 왜적선 14척이 거제도 금이포(金伊浦)에 왔다는 통지를 받고 경상도 수사를 파견하여 알아보게 했으며 8월 11일에는 견내량에 나타난 왜선 1척을 나포하였다.

1596년말까지 리순신함대가 마련한 군량은 9 900여석, 화약은 4 000근, 총통은 400자루나 되였다. (《리충무공전서》권10 행장)

휴전기간에 취해진 대책과 애국적인 군인들과 인민들의 창조적 로동에 의하여 수군력은 더욱더 강화발전하였다.

제5절. 울돌, 로량바다싸움의 승리, 일본침략군의 종국적구축

1. 일본침략군의 재침공, 리조수군력의 약화

오래동안 재침준비를 진행하여오던 일본침략자들은 《강화》담판을 결렬시키고 1597년 1월부터 또다시 대규모적인 무력침공을 감행하였다.

일본침략자들은 600여척의 함선에 14만 1 500명의 병력을 실어 부산으로 들이밀었다. 놈들의 계획은 먼저 경상도와 전라도를 완전히 장악한 다음 충청도를 거쳐 한성에 쳐들어가는것이였다.

왜적들은 경상도와 전라도의 륙지와 해안선 그리고 바다를 통제하는데 힘을 넣으면서 침공해왔다.

애국적인 군인들과 인민들은 또다시 일본침략자들의 침공을 분쇄하기 위한 싸움에 떨쳐나섰다.

그러나 일본침략군의 재침공을 물리치기 위한 전쟁의 초기에 아군에게는 일시적인 난국이 조성되였다. 그것은 리조봉건통치배들의 추악한 파벌싸움의 후과로 리순신장군이 3도수군통제사의 직에서 해임되고 그후 리조수군이 칠천도바다싸움에서 크게 실패함으로써 리조의 수군력이 크게 약화된것이였다.

부패무능한 봉건통치배들은 지난 시기의 경험에서 교훈을 찾고 전쟁의 상처를 가시며 일본침략군의 재침에 대처할 준비를 착실히 하기 위하여 노력할 대신 파쟁에 눈이 어두워 나라의 안전에는 관계없이 자파세력의 리익만 내세우면서 유능한 수군지휘관이던 리순신장군을 부당하게 해임시키고 무능한 원균을 그 자리에 올려놓았다.

첫 침략에서 제놈들의 침략계획을 파란시킨 리조의 수군을 그대로 두고서는 이번에도 실패를 면치 못하리라는것을 깨달은 일본침략군은 리조수군을 와해시키려고 갖은 음모책동을 다하였다. 적장 고니시 유끼나가는 간첩 요시라를 경상우병사 김응서에게 보내여 가토 기요마사가 바다를 건너오니 조선수군이 제때에 그를 치라는 허위정보를 보냈다. 그런데 그가 요시라를 보낸것은 이미 가토가 바다를 건너온 뒤였다. 이것은 고니시와 가토사이의 관계가 나쁘고 서로 반목질

시한다는것을 아는 조선측에서 고니시의 말을 믿고 수군을 내보내면 그 기회에 조선수군을 포위섬멸하려는 놈들의 음흉한 술책이였다.

봉건정부는 리순신에게 출격할것을 명령하였으나 리순신장군은 적들의 음모를 알아차리고 명령을 집행하지 않았다. 봉건정부안에서는 리순신을 참형에 처해야 한다는 론의를 하는자들이 생겨나고 이전 경상도 우수사였던 원균(그는 1595년 3월에 경상수사직에서 해임되고 충청병사로 되였다.)은 리순신을 모해하는 허위날조를 일삼았다. 끝내 통치배들은 리순신을 《명령위반》죄로 몰아 파면하고 잡아갔으며 그 대신 무능하고 용렬한 원균을 3도수군통제사로 임명하였다.

인민들은 리순신장군이 억울하게 죄를 입는데 대하여 분해하였으며 일부 관료들도 필시 명장인 리순신에게 그럴만 한 타산이 있어서 그렇게 한것이겠으므로 그를 죽이지 말고 후날 공을 세우도록 하자고 제기하였다. 그리하여 그는 처형을 면하고 백의종군(벼슬이 없이 전투에 참가하는것)을 하게 되였다. (1597년 4월)

리순신을 3도수군통제사직에서 해임한것은 리조통치배들이 범한 가장 큰 죄행이였으며 수군력을 와해상태에 빠뜨린 계기로 되였다.

3도수군통제사로 된 원균은 안일과 향락에 물젖어 방탕한 생활만 하면서 군무에 성실할 대신에 오히려 지휘체계와 군률을 문란시키고 리순신장군이 애써 키운 공로있는 유능한 수군지휘관들을 배척하였으며 장병들을 함부로 처벌하는 망동을 부렸다. 또한 훈련과 전투준비에도 무관심하여 함대의 전투력은 전반적으로 약화되였다.

원균은 적아의 력량관계와 조성된 정세를 료해판단하지도 않고 침략군의 함대가 바다길을 차단한다고 하여 함대를 마구 내몰았다가 그해 6월 안골포*와 7월초 웅포에서 많은 손실을 당하였다. 그리하여 도원수 권률로부터 호된 추궁을 받았다.

* 《선조실록》 권89 30년 6월 정해, 무자

이에 불만을 품은 원균은 아무런 타산과 충분한 준비도 없이 7월 15일에 함대를 부산앞바다에 진출시키는 망동을 부리였다. 리조함대는 절영도앞바다에까지 진출하였다가 날이 어두워지기 시작한데다가 군사들이 지쳤기때문에 공격하기가 불리하여 거제도 북쪽의 칠천포로 되돌아왔다. (7월 16일) 이때 일본침략자들은 우리 함대의 이동에 앞질러 칠천포에 50여척의 함선을 은폐시켜 대기하고있었다. 조선함대를 먼저 발견한 왜적함대는 먼저 전투서렬을 지은 다음 포위진을 치면서 공격하여왔다. 이때 전라우수사 리억기가 칠천포는 바다가 얕고 좁기때문에 우리의 싸움배들의 기동이 곤난하니 진지를 옮겨가지고 싸우자고 제기하였으나 무능한 원균은 말을 듣지 않고 고집을 세웠다. 그리하여 리조함대는 일본침략군의 함대에 포위되였다. 우리의 수군장병들은 용감하게 싸웠으나 원균의 모험적이며 졸렬한 지휘로 하여 대부분의 함선들이 침몰되고 전라우수사 리억기, 충청수사 최호를 비롯한 수많은 장병들이 장렬한 최후를 마쳤다. 원균은 비겁하게 달아나 거제도에 기여올랐다가 놈들의 손에 잡혀 개죽음을 당하였다.

. 칠천도바다싸움에서 리조수군의 패전은 봉건통치배들의 더러운 파쟁이 빚어낸 죄악의 후과였으며 무능한 지휘관의 어리석은 행동이 얼마나 큰 재난을 가져오는가를 똑똑히 보여주었다. *

  * 《선조실록》권90 30년 7월
    리순신장군은 초계(경상남도 합천군 초계면)에서 이 소식을 듣고 격분을 금치 못해 하였다.

주력함대가 녹아남으로써 그처럼 이름떨치던 조선수군은 빛을 잃고 보잘것없게 되였으며 남해에서의 력량관계는 근본적으로 변화되여 적들의 진출을 막아내기 어렵게 되였다. 그리하여 우리 나라는 또다시 엄중한 위기에 처하게 되였다.

이렇게 되자 왜적의 수군은 칠천도바다싸움이후 전면적인 공세에로 이행하였다. 침략군이 륙지와 바다에서 전면적으로 공격해옴으로써 전선의 형편은 매우 어렵게 되였다.

어찌할수 없게 된 리조봉건정부는 이해 8월초 리순신을 다시금 3도수군통제사로 임명하고 그에게 수군을 재건할 과업을 맡기지 않을수 없었다.

리순신은 곡성, 남원, 옥과, 순천, 락안, 장흥 등지를 거쳐 회령포에 도착하였다. 이때 경상도, 전라도의 접경지대 고을들은 우리 수군의 패보를 듣고 미리 대피하는 소동을 일으키고있었다. 그런 조건에서 8월 18일에 경상우수사 배설로부터 전선 8척을 인계받았고 또 록도만호가 탄 전선 1척 등을 소속시켰다.

2. 울돌바다싸움과 로량바다싸움에서의 승리, 일본침략군의 종국적구축

조선수군의 실패이후 적들은 륙지에서는 운봉-남원방향, 경주-대구-전주방향, 밀양-현풍-전라도방향으로 대거하여 침입하는 한편 수군을 조선서해로 진출시키려는 계책을 꾸미면서 《수륙병진》을 더욱 적극적으로 내밀려고 덤비였다.

당시 적의 수군은 칠천도바다싸움이후 리조수군이 약화된 기회를 리용하여 서해쪽으로 에돌아 륙군과 합세하려고 기도하였다. 만약 침략군의 수군이 서해에 진출하여 륙군과 협동작전을 실현하게 되면 당시 리조의 후방공급기지이며 전초기지였던 전라도와 충청도가 수륙량면의 공격을 당하게 될뿐아니라 전반적인 전선형편이 매우 어렵게 될것이였다.

그러므로 수군을 시급히 재건하는 문제는 전반적전쟁의 국면을 호전시키며 나아가서는 전쟁의 승리를 앞당기는데서 중요한 고리의 하나였다.

리순신장군은 이러한 형편을 료해하고 곧 수군을 수습, 재건하는데 정력을 기울였다.

당시 일부 수군지휘관들과 봉건관료들속에서는 불과 10여척밖에 없는 수군함대로 적의 침공을 막는다는것은 불가능한 일이라고 하면서 수군페기론을 들고 나오는자들도 있었다. 그러나 반드시 바다를 지켜야 한다는것을 잘 아는 리순신장군은 락심하지 않고 모여온 장병들과 함께 나라를 위해 결사전을 할 각오를 다지였다. *

* 《리충무공전서》권8 란중일기 정유 8월 18일, 권9 행록, 권10 행장, 권11 충민사기

리순신장군은 급히 정부에 글을 보내여 임진년에 적의 수군이 전라도와 충청도에 진출하지 못한것은 수군이 물목을 막았기때문이라는것과 수군을 없애버리는것은 적들이 바라는바라고 하면서 비록 수군은 배가 12척밖에 되지 않으나 결사적으로 싸울것이라는 굳은 결의를 표시하였다. (《리충무공전서》권9 행록 선조 30년 9월)

리순신장군은 12척의 전선을 모체로 애국적인민들의 열의에 의

거하여 함선들을 수리보수하고 새로 무으면서 무기와 군량도 마련하였다. 그리하여 8월말~9월초에 이르러 부대는 적의 수군과 싸움을 할수 있는 정도에 이르렀다.

리순신장군은 리진, 어란포 등을 돌아보면서 한편으로 력량을 수습하고 다른 한편으로는 왜적선들과 싸웠다. 8월 28일에 적선 8척이 어란포앞바다에 침입하였을 때 리순신은 단연코 싸울 기세로 놈들을 추격하여 갈포까지 나왔으며 이튿날에는 벽파진(진도)에 도착하였다.

9월 7일에 적선 55척이 서쪽으로 침입하였으며 그중 13척은 어란포앞바다에 왔다는 탐망군의 보고를 받은 리순신장군은 이번에도 즉시 반격을 명령하여 적을 추격하니 왜적선들은 겁을 먹고 도망쳐버렸다. 그날 밤 적선이 다시 벽파진가까이에서 포를 쏘면서 위협하였으나 우리측에서도 큰 대포를 쏘니 적함선들은 감히 접어들지 못하고 달아났다. 이 전투들은 리조의 수군은 건재하며 싸우고있다는 것을 시위하고 왜적들을 공포에 떨게 하였다.

9일에도 적선 2척이 감보(甘甫)도에 정찰하러 왔으나 우리의 추격을 받고 달아났다.

이렇게 몇차례의 전초전을 해본 일본수군은 드디여 9월 14일에 200여척의 함선으로 남해로부터 서해쪽으로 침공하여왔다.

일본침략자들은 리조의 수군이 추서기 전에 하루속히 조선서해에 진출하여 수륙병진계획을 실현하며 침략계획을 성사시켜보려고 서둘렀던것이다. 적의 함대중 55척은 먼저 어란포앞바다에까지 들어왔다. 적들이 결전을 시도하는 조건에서 우리 수군이 울돌앞바다에 있어서는 형세가 불리할것이므로 리순신장군은 적아의 력량대비가 심한 조건에서 자연지리적조건을 리용하여 적을 칠 계획을 가지고 울돌해협을 잘 리용하기 위하여 9월 15일 아침에 함대를 이끌어 우수영(전라남도 해남)의 앞바다로 진을 옮기였다. 왜적함대가 서해에로 진출하자면 반드시 진도의 벽파정앞에 있는 울돌해협*을 거치지 않으면 안되였다. 이것은 바다물의 흐름이 매우 세고 빠르기때문에 그곳을 잘 리용하면 적은 력량으로 많은 적을 잡을수 있었다.

* 울돌해협의 길이는 2km 남짓하고 폭은 가장 넓은 곳이 400~

500m이고 좁은데는 300m가량 된다. 이 해협은 조선서해와 남해를 련결하는 지점에 있으므로 밀물과 썰물의 차가 심한 서해쪽과 그렇지 않은 남해쪽의 바다물이 밀물때와 썰물때에 심한 수위의 차이로 하여 맹렬한 급류를 이루어 흐르게 된다. 바로 이 해협의 이름도 이처럼 바다물이 언제나 소용돌이치며 높은 소리를 내면서 빨리 흐른다는 뜻에서 지어진것이다. 물살이 어찌나 센지 썰물때에는 수천t, 지어 만t급의 배들도 항해하기 어려운 물목이다.

싸움을 앞두고 리순신장군은 수병들에게 이번 바다싸움의 중요성을 강조하고 모두가 결사적으로 싸우며 명령을 엄격히 지킬것을 지시하였다. * 그리고 이 해협의 특성과 밀물을 따라 침공하는 적과 싸우다가 썰물이 빠지는 유리한 조건을 리용하여 공격하는 싸움방법도 알려주었으며 다른편으로는 전투준비를 철저히 갖추었다. 함선수가 적은것을 고려하여 물고기잡이배를 싸움배로 위장시켜 함대의 뒤에 배치하였으며 상륙하는 적을 소멸할수 있도록 군대를 조직하여 해협연안에 배치하였다. 또한 싸움배들에 화포를 증강하는 한편 연안의 요소들에도 화포들을 배치하였다. 그리고 적함대에 집중사격을 가할수 있도록 화력조직과 협동작전조직을 면밀하게 하였다.

> * 이때 리순신장군은 여러 장수들을 모아놓고 《병법에 이르기를 필사적으로 싸우면 살고 반드시 살겠다고 하면 죽는다고 하였다. 또 한사람이 길목을 막으면 1 000사람을 두렵게 할수 있다고 하였으니 이것이 지금 우리를 두고 하는 말이다. 너희 장수들은 살려는 생각을 하지 말라. 조금이라도 명령을 어기면 곧 군률을 적용할것이다.》고 다짐을 두었다. (《리충무공전서》권8 란중일기 정유 9월 15일 계묘)

16일 아침 드디여 도또(藤堂), 구루시마(來島) 등이 지휘하는 330여척의 왜적의 대함대가 최대의 만조기에 순류를 따라 리조함대가 대기하고있는 울돌해협으로 기여들었다. 적아간의 접전이 시작되였다. 리조의 수군군사들은 근 30배가 넘는 적들과 싸우는 어려운 조건에서도 당황함이 없이 명령이 하달되자 일선형의 전투서렬을 짓고 기함을 따라 나섰다. 전투가 시작되자 전라우수사 김억추 등 일부 지휘관들이 적선의 수가 많은데 겁을 먹고 얼마간 뒤로 물러서게 됨으로써 싸움은 더 어렵게 되였다. 그리하여 기함이 적선들의 포위에 빠질 위험에 처했다.

그러나 리순신장군은 노젓기를 다그쳐 돌진하면서 지자, 현자총통 등을 란사하였고 군인들은 배전에 서서 적에게 집중사격을 퍼부었다. 뒤따르는 함선이 없어서 그의 기함은 몇겹이나 되는 적의 포위속에 들어가게 되였다. 리순신은 즉시 중군장 미조항첨사 김응함과 거제현령 안위의 배를 불러 빨리 싸우도록 독촉하였다. 그랬더니 그들이 적선을 향하여 돌진하였다. 적들이 안위의 배에 오르자 아군장병들은 죽기내기로 싸웠다. 리순신은 즉시 그를 구원하여 사격을 집중함으로써 적선 3척을 소탕해버리였다. 록도만호, 평산포대장(代將) 등이 탄 배가 뒤이어 와서 적을 치고 그전에 안골포에 있던 적선의 장수 마다시란자를 목베여죽이니 적은 크게 기가 꺾이였다. 때마침 썰물이 시작되여 적선은 더 전진할수 없고 바다물에 밀려 퇴각하게 되였다. 이때를 리용하여 아군이 일제히 북을 치면서 전진하여 총포와 활을 쏘았다. 우리 수군은 이 싸움에서 적 함선 30척을 깨뜨리였다. 적들은 드디여 패주하였다.

이 전투를 력사에서 《명량대첩(울돌대승리)》이라고 일러왔다.

이 전투가 있은 다음 해남현 각지에 상륙했던 적들도 모조리 도망갔다. 그리하여 침략자들의 조선서해에로의 진출은 좌절되고 수륙병진계획은 파탄되였다.

울돌바다싸움에서 리순신함대가 근 30배나 되는 우세한 왜적함대와 싸워이긴것은 당시의 해전력사에서 찾아보기 힘든것이였다. 이 승리는 오직 리순신장군을 비롯한 수군장병들의 불타는 애국심과 희생적인 투쟁에 의하여 이룩될수 있었다. 그것은 또한 리순신장군의 령활하고 대담한 전투지휘에 의하여 달성된것이였으며 수적으로 우세한 적을 전술기술적우세, 정신도덕적우세로 타승한 본보기로 된다.* 실로 울돌바다싸움의 빛나는 승리는 리조수군함대의 위력을 시위하고 조선남해의 제해권을 장악할수 있게 한 커다란 승리였다. 이 바다싸움이후 전쟁의 전반적국면이 새롭게 전환되였다.

* 로일전쟁때(1904년-1905년) 짜리로씨야의 발트함대를 조선남해에서 격파한것으로 하여 일본에서 군신(군사를 귀신처럼 잘 알고 적용하는 인물이라는 뜻)으로 떠받들리운 도고 헤이하찌로는 어느 한 기자회견에서 1805년 트라팔가르해전에서 프랑스-에스빠냐 련합함대를 격파하여 명장으로 알려진 영국의 해군제독 넬슨에 대비할만 한 인물이라는 칭찬을 받자 《칭찬을 받아서 고마우나 나로서 말한다면 넬

슨이란 그리 대단한 인물이 아니다. 진짜 군신이란 칭호를 받을만 한 제독이 있다면 그것은 리순신쯤으로 될것이다. 리순신에 비한다면 나는 하사관축에도 들지 못하는 사람이다.》라고 말하였다. (《일조 중 삼국인민련대성의 력사와 리론》 조선연구소, 1964년, 6~7페지)

1905년 5월에 일본의 련합함대가 짜리로씨야의 원정함대를 크게 격파하고 승리한 해전은 세계해전사에서 유명한 해전의 하나였다. 그러나 그것은 쌍방의 력량이 비슷한데다가 로씨야함선들의 흘수선이하부분이 태평양의 높은 염도로 하여 수면으로 드러나 좋은 사격목표로 되였던 불리한 조건에서 진행된 전투였다. 따라서 그것과 1598년의 울돌바다싸움은 대비가 되지 않는다.

더우기 리순신장군은 한산도앞바다싸움, 로량바다싸움을 비롯한 수많은 해전들에서 련전련승한 명장이였던것만큼 도고의 말은 타당성있는 솔직한 말이였다고 할수 있다.

지상에서는 직산전투에서 승리하고 바다에서는 울돌바다싸움에서 승리하자 리조의 군대는 전면적인 반공격에로 이행하였다.

울돌바다싸움에서 승리한 후에 리순신장군은 한시바삐 강력한 수군을 재건하는 일에 온갖 심혈을 다 기울였다. 그는 싸움배무이를 다그치고 군량과 군기를 마련하는데 힘을 넣었다.

울돌해전후 5개월사이에 수군의 병력수는 8 000명으로 장성하였다. 리순신장군은 전투이후 전라, 충청도의 포구들을 돌아본 다음 라주의 보화도에 통제사영을 두고있다가 1598년 2월 17일에 강진 남쪽 30리의 고금도에로 진영을 옮기였다. 고금도는 완도와 함께 남해 가운데 비교적 큰 섬으로서 경지가 많아서 군량을 마련하기에도 좋고 많은 피난민들이 와서 살기도 좋은 곳이였다. 또한 그곳은 일본수군의 침공을 미리 막고 우리가 적을 치는데도 더 유리한 지리적요충지였다.

이무렵 왜장 고니시는 순천 왜다리에 와있었는데 그곳은 조선수군의 선봉이 있는 곳에서 100여리밖에 되지 않았다.

1598년 7월 16일 명나라 수군도독 진린이 거느린 대소 수백척의 함선을 탄 5 000명의 수군이 고금도에 당도하였다.

명나라수군의 지원은 우리 수군의 력량이 아직도 회복되지 못하고있었던 실정에서 왜적함대와의 싸움을 보다 성과적으로 밀고나갈 수 있게 하였다.

우리 수군은 전투력이 강화됨에 따라 해상작전을 적극적으로 벌려나갔다. 이것은 리조의 수군이 방어상태로부터 공세로 이행하였다는것을 보여준다.

리순신함대가 1598년 7월 18일 록도앞바다에 왜적선 100여척이 침입하였다는것을 알고 진린의 함대와 함께 금당도앞바다로 가자 2척의 적선이 남아있다가 도망쳤다. 만호 송여종은 절이도(전라남도 보성군)에서 매복하고있다가 적을 격파하고 적선 6척을 나포하였으며 71명을 소멸하였다. 8월초에는 또다시 고금도에 침입해오는 적함대를 맞받아나가면서 포위공격을 들이대여 50여척의 적함을 소각침몰시켰다. *

* 《리충무공전서》 권9 행록 무술 7월 18일, 24일, 《선조실록》 권105 31년 10월 병진, 《선조수정실록》 권32 31년 8월 갑인

재침략계획마저 파탄되고 남해안일대에 쫓겨나 압축된 상태에서 헤매던 왜적들은 1598년 8월 일본침략자들의 피수 도요또미 히데요시가 죽자 더욱 와해되여 싸움을 계속할수가 없게 되였다.

조선군대의 전면적인 공세에 의하여 일본침략군은 드디여 쫓겨났다.

11월에 이르러 경상도의 사천과 울산의 도산성에 있던 왜적들이 쫓겨남으로써 일본침략군은 경상도에서 완전히 구축되였다. 다만 전라도 순천 예(왜)다리의 침략군만이 리조수군의 강력한 봉쇄로 말미암아 빠져나가지 못하고 포위상태에 든채 남아있었다.

리순신장군은 일본침략군을 종국적으로 구축하기 위한 최후섬멸전을 벌리였다.

리순신장군의 지휘하에 리조함대와 명나라함대는 9월 15일에 고금도를 떠나서 라로도에 도착하고 18일에는 방답에, 19일에는 좌수영(려수) 앞에 이르렀다. 20일에는 순천 예다리로 진출하였고 21일에는 상륙하여 적 8명을 죽였다. 이날 명나라 륙군제독 류정이 또한 예다리의 북쪽에 진출하여 공격하였다. 9월 21~22일에도 전투는 계속되였다. 9월 30일에 명나라수군이 100여척의 배를 타고 더 도착하였다. 최후결전을 앞둔 때에 이 증원군의 도착은 조명수군의 사기를 한층 돋구어주었다. 10월 2~3일에 수륙협동으로 공격하기로 하였으나 류정이 응하지 않음으로 하여 명나라수군이 일정한 손실을 보았다. 10월 4일에도 종일토록 전투를 하였는데 륙지에서 류정이 잠시 퇴각한다고 통지하여왔으므로 우리 수군도 다시 좌수영, 라로도로 나왔다.

11월 8일에 적들이 퇴각할 기미가 있다는 련락이 오자 11월 9일부터 우리 수군은 다시 출동하여 해상을 봉쇄하였으며 련합함대는 9~11일사이에 백서량, 좌수영 앞바다, 유도앞바다에 각각 진을 치고 적을 대기하였다.

　　11월 13일에 왜적선 13척이 노루섬(獐島)에 나타났다는 소식을 접한 우리 수군은 곧 추격하였으나 적들은 진종을 나오지 않았다. 이날 우리 수군함대는 순천 예다리가 지척으로 바라보이는 노루섬앞에서 진을 치고 대기하였다.

　　사면포위속에 든 적들은 뢰물로써 도망칠 길을 열어보려고 어리석게 시도하였다. 11월 14일 왜적선 2척이 먼저 도독진린을 찾아와서 술과 안주를 주었으며 15~16일에도 말과 창검 등 물건을 주면서 저들의 퇴로를 열어달라고 애걸하였다.

　　명나라장수들은 적들의 술책에 넘어갈번 하다가 리순신의 충고를 받고 중지하였다. 적장 고니시가 리순신장군에게 총, 검 등을 주면서 길을 내달라고 하였을 때 리순신장군은《임진년이래 무수한 적을 잡았으니 우리가 얻은 총검은 산더미 같다.》고 하면서 놈들의 간계를 단호히 물리쳤다. 한편 우리의 복병장들은 군량을 가득 싣고 남해에서 떠나가는 왜선 1척을 추격하여 한산도앞바다에서 나포하였다. 적장 고니시는 할수없이 경상도앞바다에 있던 저들의 수군함대에 구원을 요청하였다. 그리하여 11월 19일 적장 시마즈가 지휘하는 사천과 고성, 남해 앞바다에 머물러있던 왜적선 500여척이 순천의 고니시부대를 구출하기 위하여 로량과 엄목포로 진격하여 왔다. 이리하여 7년동안 계속된 임진조국전쟁의 마지막을 장식한 로량앞바다싸움이 벌어지게 되였다.

　　리순신장군은 적들의 기도를 간파하고 적들보다 앞질러 밤 10시에 출발하여 함대의 주력을 로량에 진출시켜 유리한 진지를 차지하고 대기하였다. 리순신장군의 지휘하에 조선함대는 왜적들이 로량에로 밀려들자 좌, 우군으로 편성하여 왜적함대의 량익에서 불의에 공격하였다. 리조함대는 왜적함대의 전투서렬에 돌입하여 적선들을 까부시고 불태워버렸으며 왜병들에게 무리죽음을 안기였다. 호되게 얻어맞은 왜적함대는 더는 싸울수 없어 관음포로 퇴각하기 시작하였다. 리조함대는 포위망을 좁히면서 적들을 무자비하게 족쳤다. 전투가 거의 끝날무렵 한몸의 위험을 무릅쓰고 전투를 지휘하던 리순신장군이 적탄에 치명상을 입고 장렬한 최후를 마치게 되였다. 그는 전사하면서 마지막 힘을 모아 손에 쥐고있던 지휘기를 옆에 있던 조카 리완에게 넘겨주면서 《지금 싸움이 한창 고비이니 내가 죽은것을 숨기고 대신 지휘하라.》라는 유언을 남기고 숨을 거두었다. 이때 그가 전사한것을 안 사람은 조카와 아들, 종 금이 단 3명밖에 없었다. 그는 최후순간에도 원쑤를 철저히 격멸할것을 당부하였다. 그의 유언대로 리완은 지휘기를 힘있게 휘두르면서 장병들을 최후섬멸전에로 불렀다. *

* 이때 명나라도독이 탄 배는 적의 포위에 들어 위기에 처하였다. 지휘기의 신호에 따라 우리 수군함선들이 달려가면서 호준포를 쏘아 적선을 깨뜨리고 그를 위기에서 구원하였다. 전투가 끝난 다음 진린 도독은 통제사에게 감사를 전하려고 하였으나 이미 리순신장군이 전사하였다는것을 알고 대성통곡하면서 《죽은 다음에도 나를 살려주다니》하고 가슴을 쳤다. (《리충무공전서》 권9 행록)

로량바다싸움에서 우리 수군은 적함선 200여척을 격침, 격파하고 근 2만명의 적을 소멸하는 커다란 승리를 거두었다. 그리하여 포위된 침략군을 건져보려던 놈들의 기도는 파탄되고 섬멸적인 타격을 당하였다. 드디어 일본침략군은 완전히 쫓겨나고말았다.

로량바다싸움은 임진조국전쟁시기 가장 가렬했던 바다싸움으로서 그 승리는 일본침략군을 종국적으로 몰아내는 마지막전투를 빛나게 장식한 력사적인 승리였다. 이 싸움에서 우리의 수군장병들은 높은 적개심과 자기 희생성, 용맹성을 다시한번 크게 시위하였다.

참으로 임진조국전쟁에서 수군이 이룩한 빛나는 승리는 우리 나라 수군의 위력을 시위하고 수군장병들의 불굴의 기상을 보여주었을뿐아니라 수군군사예술을 완성하고 새로 창조한것으로 하여 세계해전사를 빛나게 장식한 력사적사변으로 되였다.

× × ×

임진조국전쟁의 7년간 리조의 수군은 애국명장 리순신장군의 지휘밑에 전쟁의 첫 시기부터 일제침략군의 수군을 견제하고 련속적인 타격을 가함으로써 놈들의 수륙병진계획을 파탄시키고 전쟁승리에 크게 기여 하였다.

리순신장군의 지휘밑에 조선함대가 이룩한 승리는 지상부대의 전투와 인민들의 의병투쟁을 힘있게 고무하여 침략자를 반대하는 투쟁에 불러일으켰다.

부패무능한 리조봉건통치배들의 추악한 파쟁의 후과로 리순신장군이 3도수군통제사의 직책에서 철직되고 수군이 와해되다싶이 한 어려운 환경속에서도 수군장병들은 굴함없이 싸워나갔다. 리조의 수군은 다시 리순신장군의 지휘를 받게 되면서 력량을 수습하고 불과 10여척의 싸움배로 근 30배에 달하는 왜적함대를 울돌해협에서 격파하여 놈들의 서해에로의 진출을 저지시켰으며 로량바다싸움에서의 대승리를 이룩하여 일본침략자들을 종국적으로 구축하고 임진조국전쟁의 승리를 빛나게 장식하였다.

실로 임진조국전쟁에서 리조의 수군은 리순신장군의 지휘하에 중세의 수군군사예술을 종합적으로 적용한 모범을 보여주었다. 특히 세계최초의 철갑선인 거북선을 선봉으로 한 공격 및 방어전투조법, 화약무기와 포를 장비한 함선들에 의거한 해상기동전술의 완성, 수군에 의한 륙전대의 조직과 그와 협동하여 항만에 집결한 적에 대한 공격전투조법의 창조와 그 적용, 학익진, 일선형, 제대형 등 다양한 전투서렬의 편성 등 풍부한 전법들은 수군군사예술을 새롭게 발전시켰다.

참으로 임진조국전쟁에서 리조수군의 활동은 우리 나라의 중세수군사와 수군군사예술사에 있어서 가장 빛나는 자리를 차지한다.

제3장. 리조 후기의 수군

임진조국전쟁에서 승리를 이룩한 이후 19세기 중엽까지 륙지에서는 후금(청)의 2차에 걸친 대규모침공이 있었다. 그런것만큼 리조봉건정부는 전쟁에서 입은 피해를 하루빨리 가시는 동시에 국방력을 강화하여야 하겠으나 저들의 안전에 위험이 조성되면 한때 국방을 강화한다고 떠들썩하다가도 외래침략의 위험이 감소되면 다시 일신의 안일과 향락을 추구하는데만 급급하였다. 그리하여 륙군무력도 약화되고 수군무력도 응당한 수준에서 강화되지 못하였다. 오직 애국적인민들과 기술자들, 일부 진보적관료들과 실학자들에 의하여 수군함선의 개조, 무기무장의 개량을 위한 노력과 연구가 계속되여 일련의 성과들이 달성되였을뿐이였다.

그리하여 이 시기는 우리 나라 수군이 점차 쇠퇴된 시기로서 전반적으로 볼 때 수군무력의 발전, 해상방위 등 여러 면에서 빛나는 업적을 찾아보기 힘들다.

제1절. 수군무력의 복구, 보존대책

임진조국전쟁이 우리 인민의 빛나는 승리로 끝난 이후 나라안 팎의 정세는 의연히 긴장하고 복잡하였다. 일본측과는 그들의 거듭되는 사과와 평화회복요청으로 1609년에 기유약조를 체결하여 종전보다도 더 엄격한 제재를 가한 기초우에서 평화적관계를 회복하였다. 북쪽에서는 16세기말부터 건주위녀진이 급속히 강화되여 명나라와 대결하고있었고 명나라의 지원요청으로 조선측에서 군대를 파견하였으며 명나라장수 모문룡이 평안도 서북변의 가도(피도) 등지를 중심으로 오래동안 후금(청나라)와 싸움을 계속한것 등으로 하여 1627년, 1636년에 각각 청군의 대규모침공을 입었다.

후금사람들이 그전과는 달리 말타기하는것처럼 배를 잘 몰고다니는 조건에서 청나라군대가 해상으로 침입할 가능성도 중대되였다.(《광해군일기》 권15 원년 4월 신유)

또한 해랑적(명, 청의 해적으로서 조선서해를 침범하던자들)과 황당선(명나라, 청나라의 일부 고기배, 상선 등을 이르던 말)의 출몰이 더욱 심해지고있었다. 이 모든것은 수군무력을 빠른 시일안으로 재건할것을 요구하고있었다.

나라의 내외정세가 안정되여있지 못한 환경에서도 임진조국전쟁 때의 쓰라린 경험과 교훈을 살려 수군무력을 재건하고 강화할 필요성을 인식하고있었던 봉건통치배들은 일련의 대책을 세우느라고 하였다. 그리하여 17~18세기에 수군의 배치, 지휘통솔체계를 재정비하며 수군군정들을 확보하고 함선들을 건조하며 무기무장을 개선하고 수군에 대한 군사훈련을 강화하는 등의 일들이 일정하게 추진되였다.

1. 진관제의 정비, 개편

전후에 취해진 수군재건강화대책의 하나로서 우선 진관제를 다시 정비한것을 들수 있다.

1595년에 경상도의 곡포를 비롯한 9개 진을 다른 진들에 통합하였던것을 다시 분리하여 독립시켰으며 일부 진들의 위치를 이동시키고 진관소속도 개편하였으며 그에 따라 진들의 등급도 조절하였다. 또한 수영소속 고을들의 수효를 늘여 수군인원의 확보와 함선의 건조 및 관리의 부담을 골고루 지도록 하는 조치를 취하였다.

진관제 정비강화대책의 하나는 1607년 3도수군통제사의 지위를 높여주고 1627년에 새로 3도수군통어영을 설치한것이였다.

종전에 통제사는 전라좌수사 또는 경상우수사의 겸임직으로 되여있어서 그 격이 관찰사나 순변사, 순찰사보다 낮았고 그들이 통제사의 명령지시와는 다른 조치를 취해도 직접 대항할수가 없었다. 그러므로 1607년에 통제사를 기본직무로, 수사는 그의 겸임직으로 만드는 조치를 취하였다. (《선조실록》권211 40년 5월 무진, 《숙종실록》권3 원년 3월 정묘)

1627년에 후금과의 관계가 악화된것과 관련하여 수도를 비롯한 서해중부의 방어를 강화하기 위하여 경기, 충청, 황해 3도의 수군을 통일적으로 지휘통솔하는 3도통어사를 새로 내왔다. 3도통어영은 처음 경기 화량진에 설치하였다가 1629년에 교동으로 옮기였다. *

* 《증보문헌비고》권120 병고 주사
이렇게 되면 3도통제사와 3도통어사가 각각 충청도수군을 통솔하는것으로 되는데 충청도 어느 진포와 어느 고을이 각각 통제영과 통어영에 소속되는지는 잘 알수 없다.

통어영설치이전에도 경강(서울 한강)에 수도방위를 위한 수군이 있었고 그것은 주사청의 관할하에 있었다고 인정된다. 주사청은 전국의 함선건조를 비롯하여 경강의 방어와 강화도의 방어도 겸하여 보았다. 1619년에 그 편제를 고친 일이 있었으며 인조반정(1623년)이후 한때 폐지되였다가 통어영의 형태로 복구확장된것이였다.

《인조실록》권27 10년 9월 갑인조에 의하면 1632년에 경기수사로 하여금 통어사의 이름을 띠고 공청(충청)도, 황해도의 수군을 아울러 통솔하게 한것으로 되여있으며 통어사는 바람이 불지 않는 시기에는 강화도에 나가서 경계임무를 수행하는것으로 되여있다.

1778년에 통어사는 늘 강화도에 나가있게 되였고 1779년에는 강화류수(진무사)가 3도통어사를 겸임하는것으로 되였다. 10년후인 1789년에 통어사는 다시 독립관직이 되여 교동에 가있게 되였다.

한편 1556년에 새로 두었던 경기수사는 1611년에 수원방어사가 생기면서 일단 없어졌다. 1629년 교동현을 교동부로 승격시키고 경기수사를 화량에서 교동으로 옮겨 가있게 하였다. * 이로 보아 1629년 이전에 경기수사를 다시 임명하였다는것을 알수 있다.

* 《인조실록》권20 7년 2월 기해, 이 변동과 관련하여 화량진을 새로 내오고 그 대신 월곶진을 폐지하였다.

이 시기 진관제에서 중요한 변화의 하나는 무엇보다도 통어영소속의 수군진포의 일부가 어영청으로 이관소속되였다는것이다. 실례로 영종진 만호는 1680년에 어영청(1624년에 설치)의 파총(把摠)을 겸임하게 되면서 통어영에서 떨어져나왔고 다시 1690년에 방어사 겸 첨사로 승직되였다. 1758년에 독진(독립적인 진)으로서 그 첨사가 어영청의 천총을 겸하게 되였으며[1] 그후 1779년에 독진임을 그만두고 다시 통어영에 소속되였다. [2] 이때 교동, 영종방어사는 좌, 우해방장으로 되였다.

[1] 《만기요람》(군정편) 4 주사, 영종진이 어영청에 속한것은 수군의 통일적지휘에는 지장을 주는 현상이였다.
[2] 《증보문헌비고》권117 병고 기보병, 《대전통편》권4 병전

이 시기 종전의 군사제도에서 보기 드문 사실의 하나는 방어영이 각지에 많이 설치된것이다. 1611년에는 수원방어영, 1681년에 광량진(평안도)방어영, 1690년에 영종진방어영, 1691년에 광주방어영, 1693년에 강변좌우방어영(창성, 강계)이 설치되였으며 1711년에 태안방어영이 안홍진방어영으로 되였고 1722년에 선천(평안도)방어영이 수군에서 륙군으로 이관되였다. *

* 《광해군일기》권41 3년 5월 신유, 《증보문헌비고》권120 병고 주사, 《숙종실록》권23 17년 10월 정유, 19년 7월 기미, 권50 37년

5월 병진, 《경종실록》권6 2년 3월 무술

이것은 우선 륙군의 군사체도가 문란해지고 무맥해지자 1624～1626년에 어영청, 총융청, 수어청을 둠으로써 왕정호위를 강화한것을 비롯하여 지방에서도 진영장제도를 도입하여 군사제도를 수습정리해 보려고 하던것과 상통하는것으로서 방어영을 각지에 설치하여 그 부근에서 일어날수 있는 사변에 대처한다는 림시적이며 고식적인 대책의 하나였다. 아무튼 방어영가운데는 수군의 방어영도 있었고 또 수, 륙을 겸한 방어영들도 있었는데 이것은 해당 지방의 해상방어를 강화한다고 하여 설치한것이였다. 제주목사가·방어사를 겸임한것은 본래 15세기에 제주목사가 병마수군절제사를 겸한것을 대신한것으로 볼수 있다. 이것은 제주도안에 있던 여러 무관들을 통일적으로 지휘하기 위한 조치였다고 인정된다.

방어영은 진관제의 주진보다는 작고 거진보다는 큰 의의를 부여한 방어체계의 한 부분이였다. 그것은 진관제의 한 부분이였거나 진관제와 긴밀한 관계속에 있었다.

진관제에서 생긴 중요한 변화의 하나는 다음으로 첨사(종3품)아래에 동첨절제사(종4품), 만호(종4품)아래에 권관(종9품), 별장(종9품) 등이 주재하는 진들이 많이 생겨난것이다.

전에 없던 동첨절제사벼슬이 생겨난것은 전쟁과정에 공로가 있는 만호의 대우를 높여 첨사로 올려주었던것과 많은 관련이 있는것 같다. 그리고 권관이나 별장은 만호를 파견하기에는 그 지위와 역할이 덜한 진들에 낮은 급의 무관을 보내게 되면서 생겨난것으로 볼수 있다. 별장진은 1624년에 고군산도에 둔것으로 보아 17세기초부터는 설치한것으로 보인다. 권관은 임진조국전쟁시기부터 있었다. 그리고 소모진(召募鎭)이라 하여 봉건국가가 비용이 부족하고 또 군사들을 보내기 어려운 요충지들에 민간에서 자원하여 배와 장정들을 모아 방어하게 하던 진이 있었는데 그것이 후에 정식으로 진관제소속진으로 되는 경우도 있었다. 이것도 그 기원이 임진조국전쟁때 의병장들이 진장으로 되여 지킨 곳들이 후에 소모진으로 된데 있는것으로 볼수 있다. *

* 《증보문헌비고》권31 여지고 관방 해방 기장(機張) 전선 창조에는 1631년에 울산 소모진을 없애고 그 싸움배들을 기장현에 보낸

것과 관련하여 기장현 전선창이 생겨났다는것이 기록되여있다.

《속대전》(1744년)에 실려있는 도별수군소속 읍진들과 소속함선수 그 변동정형의 일부를 보면 표 23~25와 같다.

경기에서(표 23)《경국대전》과의 차이점은 수군절도사(수사)가 따로 나오고 그후 3도통어사가 수사를 겸임하던가 또는 독립하던가 한것이다. 본래 월곶진첨사아래 영종포만호, 초지량만호, 제물량만호, 정포만호, 교동량만호(현감겸임)가 있었던것이 1629년에 월곶진이 없어지고 화량진을 두었으며 교동현은 교동부로 승격되여 경기수사의 주둔지로 되였다.

1614년에 덕포진이 신설되고 1740년에 덕적진이 설치되였으며 1689~1734년전에 장봉도, 주문진에 진이 설치되였다. 처음에는 이 두 섬에 별장들을 두려고 하다가 동첨사, 만호를 두게 되였다.

표 23 **경기**

진의 구분	진 및 속진, 속읍	장관명	소속 진관	현지명	전선	방선	병선	구선	사후선	탐선	거도선	급수선	계
주진	통어영겸 수영	통어사 겸 수사		경기도 교동도	2	1	4	1	8			3	19
거진	영종진 방어영겸 첨사진	방어사 겸 첨사		옹진군(남) 영종면	2	2				1	2		7
	덕적진	첨사		옹진군(남) 덕전면			2		1				3
	덕포진	첨사		경기도 김포시 대곶면	2	1			3				6
제진	화량진	동첨사	덕포 진관	경기도 화성시 송산면	1	1	1		1		1		5
	주문도진	동첨사	덕포 진관	옹진군(남) 서도면 주문진	1	1			2		1	2	7
	장봉도진	만호	덕포 진관	옹진군(남) 서도면 장봉도		3			1		1	1	6
	계				4	10	10	1	16		3	9	53

1665년에 정포(井浦), 월곶, 화진, 초지(량)는 륙군으로 이관
되였다. 이무렵 제물량도 륙군으로 이관되였다. 또 1666년에는 철
곶진이 풍덕으로 옮겼다. 1707년에는 강화 선두포진을 설치하였고
1655년에 연미도와 갑곶에 진을 설치하였다.
　　이러한 변화들속에는 구체적으로 언제 설치, 페지되였는지 잘
알수 없는것들도 있으며《속대전》편찬때에는 도로 없어진것들도 들
어있다.

표 24 **충청도**

진의 구분	진 및 속 진 속읍	장관명	진관 소속	현지명	전선	방선	병선	구선	사후선	탐선	거도선	급수선	계
주진	수군절도 사영	수사		보령군	2	1	2	1	7				13
거진	안흥진	첨사		서산시 근흥면	1	1	1		3				6
	소근포	첨사		서산시 소원면	1	1	1		3				6
	마량진	첨사		서천군 서면	1	1	1		3				6
	평신진	첨사		서산시 대산면		2	1		2				5
제진	서천포	만호	마량 진관	서천군 장항읍	1	2	1		2				6
속읍	1. 홍주			홍성군	1	1	1		3				6
	2. 태안			서산시 태안면	1		1		2				4
	3. 서산			서산시 인지면	1	1	1		3				6
	4. 한산			서천군 한산면		2	1		2				5
	5. 림천			부여군 림천면		2	1		2				5
	6. 해미			서산시 해미면		1	1		1				3
	7. 결성			홍성군 결성면		1	1		1				3
	8. 면천			당진군 면천면		1	1		1				3
	9. 보령			보령시 보령면		1	1		1				3
	10. 람포			보령시 람포면		1	1		1				3
	11. 비인			서천군 비인면		1	1		1				3
	12. 당진			당진군		1	1		1				3
	13. 서천			서천시 서천면		1	1		2				3
계					9	21	20	1	41				92

이밖에 1678년에 강화도방어를 위하여 49개소의 돈대(포대)를 축조하였다. 돈대는 손돌목, 휴암, 월곶, 룡진, 덕진, 광성, 초지, 선두, 정포, 인화, 철곶 등지에 쌓고 해안포의 역할을 할수 있게 한것으로서 수군의 관할하에 있었으며 후에 외래침략을 반대하는 투쟁에서 일정한 실효를 거두기도 하였다.

충청도에서 (표 24) 15세기(《경국대전》)에 비하여 18세기 중엽(《속대전》)에 달라진것은 소근포진관의 당진포 만호와 파지도 만호가 없어지고 안흥진(첨사진), 평신진(첨사진)이 새로 생겨난것이다.

당진포, 파지도만호는 16세기초이후에 없어지고 안흥진은 1653년(효종 4년)에 화정도로 옮겼다가 1663년경부터 성을 쌓고 새 진을 꾸렸으며 1669년(현종 10년)에 본영으로 옮겼다. 1683년에 비변사에서 제기하여 무관이 태안군수 겸 방어사가 되면서 안흥진에 거점을 두었다. 이 방어사는 그의 위치로 보아 수군에 속하는 방어사였다. 태안방어사는 1683년이전부터 있던것이 그 주재지점을 옮긴것인데 동시에 수군방어진으로 된것이라고 볼수 있다.

평신진은 1711년에 항금진(杭金鎭)을 평신에 옮기면서 첨사를 둔것이다. 항금진은 언제 설치되였는지 분명치 않다.

충청도의 수군구성에서는 수영소속으로 13개 고을이 있다. 이 속읍들은 임진조국전쟁이전시기부터 부분적으로 있던것인데 전쟁 과정에 수군의 후방 특히는 함선들의 건조와 수군인원의 보장의 필요성이 증대되여 고을들을 수영소속, 병영소속으로 가르는 조치가 있었던것과 관련된다. 면천읍 같은것은 1636년 《병자호란》이 있은 다음 수영소속 고을로 전환되였던것이다. 수영속읍들에는 싸움배창고, 배창고라는 수군기지가 새로 마련되기도 하였으며 일부 고을은 싸움배창고를 둘만 한 적당한 포구가 없어서 다른 고을의 땅을 빌려쓰는 때도 있었다.

속읍의 함선들은 해당 수영의 군사훈련, 경계근무 등을 일정하게 맡아 수행하였던것만큼 그것은 그만한 수의 준수군기지를 더 설정한것으로 된다. 그러나 속읍의 대부분 선창들은 함선들을 매 놓는 계선장 등 간단한 시설이 있었을뿐이다. 다른 도들의 수영산하 속읍들도 다 비슷한 형편에 처해있었다.

15세기~18세기 중엽에 경상도에서 (표 25) 일어난 변화는 해운포, 오포, 염포만호진들이 없어지고 서평포, 장목포, 천성포,

표 25 경상도

진의 구분	진 및 속진, 속입	장관명	소속 진관	현지명	전선	방선	병선	구선	사후선	탑선	계
좌도 주진	좌수사영	수사		부산시 동래구 수영	3		5	1	12		21
우도 주진	우수사영	수사		경상남도 통영시	3		7	3	21	2	36
거진	부산진	첨사		부산시 부산진구	1		2	1	4		8
제진	두모포	만호	부산진관	부산시 부산진구	1		1		2		4
	서생포	동첨사	부산진관	량산시 서생포	1		1		2		4
	개운포	만호	부산진관	부산시 부산진구	1		1		2		4
	포이포	만호	부산진관	부산시 부산진구	1		1		2		4
	칠포	만호	부산진관	경상북도 포항시 의창읍	1		1		2		4
	축산포	만호	부산진관	경상북도 영덕군 축산면	1		1		2		4
	서평포	만호	부산진관	부산시 서구	1		1		2		4
	감포	만호		경상북도 경주시 감포	1		1		2		4
	다대포진	첨사		부산시 서구	1		2	1	4		8
거진	가덕진	첨사	가덕진관	경상남도 창원시 가덕도	1		2	1	4		8
제진	안골포	만호	가덕진관	경상남도 창원시 웅동면	1		1		2		4

표계속

진의 구분	진 및 속진, 속입	장관명	소속 진관	현지명	전선	방선	병선	구선	사후선	탑선	계
	제 포	만호	가덕 진관	경상남도 진해시 웅천	1		1		2		4
	장목포	별장	가덕 진관	경상남도 거제시 장목면	1		1		2		4
	옥 포	만호	가덕 진관	경상남도 거제시 장승포 읍	1		1		2		4
	지세포	만호	가덕 진관	경상남도 거제시 일운면	1		1		2		4
	조라포	만호	가덕 진관	경상남도 거제시 장목면	1		1		2		4
	천성포	만호	가덕 진관	경상남도 창원시 가덕도	1		1		2		4
	구산포	만호	가덕 진관	경상남도 창원시 구산면	1		1		2		4
	가배포	만호	가덕 진관	경상남도 거제시 동부면	1		1		2		4
	풍덕포	별장	가덕 진관	경상남도 진해시	1		1		2		4
	신 문	별장	가덕 진관	경상남도 창원시 웅동면	1		1		2		4
	청 천	별장	가덕 진관	경상남도 창원시 웅동면	1		1		2		4
	률 포	권관	가덕 진관	경상남도 거제시 일운면	1		1		2		4
거진	미조항진	첨사	가덕 진관	경상남도 남해군 삼동면	1		1		2		4

표계속

진의 구분	진 및 속진, 속읍	장관명	소속 진관	현지명	전선	방선	병선	구선	사후선	탑선	계
제진	영등포	만호	미조항진관	경상남도 거제시 둔덕면	1		1		2		4
	당포	만호	미조항진관	경상남도 통영시 산양면	1		1		2		4
	사량	만호	미조항진관	경상남도 통영시 사량면	1		1		2		4
	평산포	만호	미조항진관	경상남도 남해군 남면	1		1		2		4
	적량	만호	미조항진관	경상남도 남해군 창선면	1		1		2		4
	소비포	권관	미조항진관	경상남도 거제시 동부면	1		1		2		4
	삼천포	권관	미조항진관	경상남도 통영시 미륵도	1		1		2		4
	상주포	권관	미조항진관	경상남도 남해군 이동면	1		1		2		4
	곡포	권관	미조항진관	남해군	1		1		2		4
	구소비포	권관	미조항진관	경상남도 고성군 하이면	1		1		2		4
	남촌	권관	미조항진관	고성군 거류면	1		1		2		4
	섬진	별장	미조항진관	경상남도 하동군 고진면			2		2		4
속읍	1. 진주			(선창)경상남도 사천시 주동면	1		2	1	4		8
	2. 창원			경상남도 마산시	1		1		2		4
	3. 김해			경상남도 김해시 김해읍	1		1		2		4

표계속

진의 구분	진 및 속진, 속읍	장관명	소속 진관	현지명	전선	방선	병선	구선	사후선	탑선	계
속읍	4. 하동			경상남도 하동군 고진면	1		1		2		4
	5. 거제			경상남도 거제시 거제읍	1		2	1	4		8
	6. 웅천			경상남도 진해시	1		1		2		4
	7. 사천			경상남도 사천시 룡진면	1		1		2		4
	8. 곤양			경상남도 사천시 곤양면	1		1		2		4
	9. 진해			경상남도 창원시 진전면	1		1		2		4
	10. 남해			경상남도 남해군 남해읍	1		1		2		4
	11. 고성			경상남도 고성군 고성읍	1		1		2		4
	12. 울산			울산시	1		1		2		4
	13. 기장			경상남도 량산시 일광면	1		1		2		4
계					55	2	66	9	143	2	277

가덕진, 구산포, 가배량, 풍덕포, 신문, 청천, 률포, 미조항, 소비포, 구소비포, 삼천포, 남촌, 섬진 등의 진들이 더 생겨난것이다. 그 가운데서 16세기말 임진조국전쟁이전시기에 설치된것으로서는 이미 본바와 같이 미조항첨사진(1506년), 가덕첨사진, 천성포만호진(이상 1544년), 곡포권관진(1522년)이 있었다.

임진조국전쟁이후시기에도 여러 진들이 새로 설치되거나 자리를 바꾸고 급이 오르내리거나 폐지되였으며 일부는 다시 설치되기도 하는 복잡한 경위들을 밟았다.

《증보문헌비고》에 의하면 축산포(녕해), 칠포(흥해), 두모포(기장), 개운포(울산), 포이포(장기), 감포(경주) 등은 1592년에 각각 부산부근으로 옮긴것으로 되여있으나 다른 자료들은 선조통치년간에 그렇게 한것으로 되여있다. 임진조국전쟁이 개시된 때 경상좌수영산하 함선들이 부산부근에 집결되여있었다고 볼 근거는 별로 없으므로 이러한 위치변동, 수군력량의 집결은 1598년 전쟁이 끝난 직후에 있었던것으로 볼수 있다.*¹ 혹은 바다물결이 변했기때문에 이러한 진들의 대량적이동이 있었다고 한다.*²

그중에서도 축산포는 1636년에 간만이포(부산시 부산진구)로 옮겼다가 1652년에 그 부근으로 다시 이동하였으며 1754년에 폐지되였다.*³

*¹ 《증보문헌비고》 권31 여지고 19, 관방7, 해방1
*² 《숙종실록》 권27 20년 11월 경오, 수종(水宗) 또는 수지(水旨)가 바뀐다는것은 바다물흐름의 마루(중심)가 달라진다는것을 의미하며 배들이 그에 따라 항행하는 일이 많기때문에 수종이 달라지면 왜적선의 침공로도 달라진다는것이다.
*³ 《영조실록》 권73 27년 1월 을묘, 이때 축산포는 감포, 칠포, 풍덕포, 상주포, 곡포, 영등포와 함께 폐지되였다. 그 리유는 왜의 침공위험이 없는 조건에서 그렇게 촘촘히 진을 배치하지 않아도 된다고 본데 있었다.

구산포(칠원)는 1614년에 첨사진을 두었다가 1668년에 폐지하고 싸움배들은 가덕진에 이관하였다. 그러다가 1675년에 다시 설치하였다.

3도수군통제사영은 처음 한산도에 두었다가 원균의 실패후 전라우수영자리(해남)로, 다음 고금도로, 다음 거제남쪽으로, 1602년에 고성으로 이동하였다. 이때 거제는 행영으로 되였으며 1604년에 고성고을 남쪽 50리 지점인 두룡포로 옮겼다. 임진조국전쟁이후에는 통제사가 경상우수사를 겸임하였다.

남촌별장진은 1614년에 고성면 남쪽 도선촌에 소모진으로 두었던것인데 1619년에 그것을 적진포로 옮기면서 남촌별장이라 불렀다.

소비(소을비)포 권관진은 1604년에 거제의 옛 수영자리로 옮겼는데 본래의 소비(소을비)포에는 1606년에 다시 소모진을 두면서 구소비(구소을비)포별장진이라고 하였다.

제포(냉이포)는 임진조국전쟁이후 안골포에로 옮겼다가 1625년에 본래자리로 돌아왔는데 첨사진으로부터 만호진으로 강격되였다. 가배량만호진은 본래 거제 남쪽 40리 지점에 있었다. 거제 남쪽 20리 지점은 본래 경상우수사영이 있었던 자리가(통제사 겸 우수사영이 고성 두룡포로 옮긴것과 관련하여) 비게 되였으므로 거기에다 가배량진을 옮겼다.

이밖에 삼천포, 영등포, 조라포, 률포, 평산포 등 그 위치를 움직인것이 적지 않았는데 대체로 19세기 중엽까지는 그래도 옮길만 한 리유 즉 전술적견지에서 적을 감시, 요격하기에 편리하고 아군사이에 협동작전을 더 민활히 할수 있도록 한다든가 적정의 변화에 따라 증설 또는 감소한다든가, 봉건국가의 재정이 곤난해서 일부를 축소한다든가 하는 리유들이 있어서 그러한 변동들이 실현되였다고 말할 수 있다. 그러나 19세기이후 진관의 변동은 많은 경우 그 어떤 실제적효과성도 없는 이동, 승격놀음에 지나지 않았다.

15세기 중엽~18세기 중엽에 전라도에서는(표 26) 달량진이 없어진 대신 가리포첨사진, 위도첨사진과 임자도첨사진, 고금도첨사진, 지도만호진, 리진만호진, 명월포만호진이 신설되였다.

그중 임진조국전쟁이전에 설치된것으로는 이미 본바와 같이 1538년에 돌산도에 방답첨사진을 1522년에 가리포첨사진을 둔것을 들수 있다. 달량은 1555년 을묘왜란때에 성이 함락된 후 다시는 진으로 되지 않았다고 보인다.

위도첨사진은 1681년에 처음 만호를 두었다가 1682년에 격을 높여 첨사진으로 하고 그아래에 두어개 진을 소속시킨 거진으로 하였다. (《숙종실록》 권12 7년 8월 정유)

고금도 동첨사진은 1598년에 리순신장군이 통제사영을 두었던 곳으로서 1691년에 첨사진을 두었던것인데 후에 동첨사진으로 강격되였다. 신지도에는 1681년에 만호진을 두었고 임자도에는 1711년에 첨사진을 두었다. (《숙종실록》 권50 37년 7월 을미)

방답진을 두기 전의 돌산포는 려수서남에 있었던것인데 그후 여기에는 고돌산별장진이 설치되였다.

표 26 전라도

진의 구분	진 및 속진, 속읍	장관명	진관소속	현지명	전선	방선	병선	구선	사후선	해괄선	계
전라좌도 주진	좌수사영	수사		전라남도 려수시	3		5	1	11		20
전라우도 주진	우수사영	수사		전라남도 해남군 문내면	3	1	4	1	8		17
거진	사도진	첨사		전라남도 고흥군 포두면	2		2		4		8
제진	방답	동첨사	사도진관	전라남도 려수시 포산면	2		2		4		8
	려도	만호	사도진관	전라남도 고흥군 과역면	1		1		2	1	5
	발포	만호	사도진관	전라남도 고흥군 도화면	1		1		2		4
	록도	만호	사도진관	전라남도 고흥군 도양면	1		1		2		4
	회령포	만호	사도진관	전라남도 장흥군 관산면	1		1		2		4
	마도	만호	사도진관	전라남도 장흥군 대덕면	1	1	1		2		5
	금갑도	만호	사도진관	전라남도 진도군 내귀면	1	1	1		2		5
거진	림치도진	첨사		전라남도 무안군 해제면	1	1	1		2		5

표계속

진의 구분	진 및 속진, 속읍	장관명	진관소속	현지명	전선	방선	병선	구선	사후선	해골선	계
제진	남도포	만호	림치진관	전라남도 진도군 림피면	1	1	1		2		5
	목포	만호	림치진관	전라남도 목포시	1	1	1		2		5
	다경포	만호	림치진관	전라남도 무안군 망운면	1	1	1		2		5
	검모포	만호	림치진관	전라남도 무안군 산내면	1	1	1		2		5
	지도	만호	림치진관	전라남도 신안군 지도면	1		1		2		4
	임자도	동첨사	림치진관	전라남도 신안군 임자면	1		1		2		4
거진	가리포진	첨사	림치진관	전라남도 완도군 완도읍	1	1	2	1	4		9
제진	어란포	만호	가리포진관	전라남도 해남군 송지면	1	1	1		2		5
	고금도	동첨사	가리포진관	전라남도 완도군 고금면	1		1		2		4
	리진	만호	가리포진관	전라남도 해남군 부평면	1		1		2		4
	신지도	만호	가리포진관	전라남도 완도군 신지면	1		1		2		4
거진	위도진	첨사		전라북도 부안군 위도면	1		1		2		4
제진	고군산	동첨사	위도진관	전라북도 군산시	1		1		2		4

표계속

진의 구분	진 및 속진, 속읍	장관명	진관소속	현지명	전선	방선	병선	구선	사후선	해골선	계
	군산도	동첨사	위도진관	전라북도 군산시	1		1		2		4
	법성포	동첨사	위도진관	전라남도 령광군 법성면	1	1	1		2		5
	고돌산	별장	가리포진관	전라남도 려수시 화양면	1		1		2		4
	명월포	만호	제주진관	제주시 한림읍							
속읍	1. 라주			전라남도 라주시 동강면	2		2		2		6
	2. 령암			(선창)전라남도 령암군 덕지면	1		1		2		4
	3. 령광			전라남도 령광군 령광읍	1		1		2		4
	4. 순천			전라남도 순천시	1		1		2		4
	5. 락안			전라남도 순천시 락안면(?)	1		1		2		4
	6. 광양			전라남도 광양시 전상면	1		1		2		4
	7. 흥양			전라남도 고흥군 도화면	1		1		2		4
	8. 보성			전라남도 보성군 득량면	1		1		2		4
	9. 장흥			전라남도 장흥군 안량면	1		1		2		4
	10. 진도			전라남도 진도군 의신면	1		1		2		4

표계속

진의 구분	진 및 속진, 속읍	장관명	진관소속	현지명	전선	방선	병선	구선	사후선	해골선	계
속읍	11. 함평			전라남도 함평군 함평읍	1		1		2		4
	12. 해남			전라남도 해남군 화산면	1		1		2		4
	13. 무안			전라남도 무안군 몽탄면	1		1		2		4
계					47	11	51	3	101	1	

지도, 리진에 만호진을 언제 두었는지는 아직 잘 알수 없다.

제주도 명월포에 만호진을 둔것은 1764년의 일이였고 그 이전은 조방장이였다. 제주도의 방어를 목사가 책임지는 조건에서 그의 실질적대리인으로서 만호급의 무관이 필요했던것과 관련되였을것이다. (《비변사등록》 영조 40년 3월 5일)

전라도의 수영소속 고을은 임진조국전쟁당시 관찰사 리정암이 전라도연해의 19개 고을에서 9개 고을을 륙군장수들에게 이관한것을 리순신장군이 도로 돌려달라고 제기한바 있었고 1602년 당시에는 수영속읍이 24개였다. 그후 다시 줄어서 13개 고을로 된것인데 이것은 수군무력강화에 그만큼 힘을 적게 돌리게 되였다는것을 의미한다. (《선조실록》 권146 35년 2월 을축)

황해도에서는(표 27) 15세기에 비하여 광암량, 아랑포, 가을포만호진들이 없어지고 백령첨사진, 등산곶, 룡매량, 초도동첨사진, 조니포만호진, 금사사진이 새로 생겨났다.

소강진은 본시 첨사진이였으나 1704년 당시에는 수군방어영으로 되여있었다. 1719년에 황해수사 겸 옹진부사의 직제를 두고 3월부터 8월까지 바람이 잔잔할 때에는 소강행영에 나가서 지키도록 하고 9월부터 2월까지 바람이 세찰 때에는 옹진의 본영에 와서 있도록 규정하였다.

초도에는 1702년에 서해방어를 위하여 첨사진을 두었다.

백령진은 임진왜란이후 대체로 1618년경까지에 광암진, 아랑진을 통합해서 큰 진(당상관이 파견되는)으로 만들자는 리항복의 제기에 의하여 설치된것으로 보이며 1705년에 대청도에 옮겨진 일이 있었다. (《숙종실록》 권40 30년 12월 갑오, 권37 28년 6월 경자, 권42 31년 7월 임신,《증보문헌비고》 권33 해방)

표 27 황해도

진의 구분	진 및 속진, 속읍	장관명	소속진관	현지명	전선	방선	병선	사후선	소맹선	거도선	급수선	협선	범소선	추포선	계
주진	수사영(소강진)	수사		황해남도 옹진군 련봉리	1	3	1		1	5		2		10	23
거진	백령진	첨사		황해남도 옹진군 백령도	1	1	2			4					8
제진	허사포	동첨사		황해남도 과일군 월사리		2	1			3				2	8
	오차포	동첨사		황해남도 룡연군 오차진리		2	1			3					6
	등산(곶)	동첨사		황해남도 강령군 동암리		2	1			3			1		7
	룡매량	동첨사		황해남도 청단군 룡매도		2	1			2		1			6
	초도	동첨사		황해남도 과일군 초도리		1	2	4				1			8
	조니포	만호	백령진관	황해남도 룡연군 몽금포리		1		1				1		1	4
	금사사			황해남도 룡연군 순계리							1			5	6
속읍	1. 해주			황해남도 해주시 룡당동		2						1	2	1	6

표계속

진의 구분	진 및 속진, 속읍	장관명	소속진관	현지명	전선	방선	병선	사후선	소맹선	거도선	급수선	협선	범소선	추포선	계
속읍	2. 풍천			황해남도 과일군 과일읍	2						1	2		1	6
	3. 안악			황해남도 안악군 굴산리(?)	2							1			3
	4. 배천			황해남도 배천군	1						1				2
	5. 연안			황해남도 연안군 라진포리	1							1			2
	6. 장련			황해남도 은률군 금복리	1							1			2
	7. 장연			황해남도 장연군 백촌리	1							1	2	1	5
	8. 은률			황해남도 은률군 삼리	1							2	1		2
	9. 강령			황해남도 강령군 부포	1				1			1		2	2
	10. 옹진			황해남도 옹진군 남해리(?)	1						2				6
	계				2	27	9	5	1	21	6	17	1	23	112

조니포진과 금사사진은 중국배들이 우리 연해에 침범해들어오는 일이 많기때문에 설치한것이고 뒤의것은 승군을 두어 경비를 서게 한 곳이였다.

등산곶진은 18세기 초엽에 가을포진을 등산곶으로 옮기면서 설치되였다.

만호진으로서 1645년 당시에 있었던 룡매진은 1804년에 오차포진과 함께 동첨절제사진으로 승격하였다.

15세기 중엽과 다른 점은 평안도(표 28) 수사를 관찰사와 병사가 겸임하던 제도가 없어지고 평안도에는 근본적으로 수사를 두지 않고 그 대신 선천 수군방어영, 광량(후에 삼화)방어영을 둔것이다.

표 28 평안도

진의 구분	진 및 속진, 속읍	장관명	소속 진관	현지명	방선	병선	사후선	거도선	급수선	함선	계
	선사포	첨사		평안북도 철산군 기봉리	2	1	6				9
	광량진	첨사		남포시 와우도구역 령남리	2	2			3		7
	로강진	첨사		평안남도 문덕군 서호리	1	1	3				5
	미곶진	첨사		평안북도 염주군	1	1	1		1		4
	선천방어영	방어사 겸수사		평안북도 선천군			2	1		1	4
계					6	5	12	1	4	1	29

　1681년에 광량진에 방어영을 두고 수군관계도 맡아보게 하였으며 1686년에는 삼화부로 방어영을 옮기고 광량, 로강의 두 진을 관할하게 하였다.[*1] 또한 1722년에는 선천수군방어영을 륙군으로 옮겨 소속시켰으나 1752년에는 다시 선천방어사가 수군을 겸해서 보도록 하였으며[*2] 봉건통치배들자신이 선천방어사인즉 곧 평안도의 수사라고 하였다.[*3] 룡천, 미곶에 첨사진을 둔것도 청나라사람들의 국경침범행위가 잦은데로부터 그 방어대책으로 둔것이다. 설치년대는 알수 없으나 가도문제가 복잡하게 제기되였던 17세기 중엽이후시기에 해당할것이다. 이것은 1808년에 신도첨사로 개칭되였다.

　　[*1] 《중보문헌비고》 권120 병고 주사 숙종 7년
　　[*2] 《경종실록》 권6 2년 3월 무술, 《영조실록》 권73 28년 6월 기해
　　[*3] 《비변사등록》 영조 34년 10월 19일

　이밖에 옥강진(의주)은 압록강을 따라 내륙으로 상당히 깊이 들어간데 있지만 후금(청나라)과의 관계에서는 강을 건너다니는 길목에 있는것만큼 배들을 두고 경비를 세웠다.
　강원도에서는 본래 있었던 수군만호 4명(안인포, 고성포, 울진

포, 월송포만호들)이 다 없어지고 삼척에 진영장이 있었을뿐인데 후에 월송포만호는 삼척진관소속 수군만호로서 복구되였다. 강원도의 수군진영이 거의다 폐지된것은 강원도 연해지역으로 침범하는 적들이 없는 조건에서 따로 수군을 두지 않게 된것이였다.

함경도에서도 남도의 랑성포만호, 도안포만호는 폐지되고 북도의 조산포만호만이 남았다. 이것도 전문적인 수군만호가 아니지만 녀진인의 해상침입을 막으며 우리 나라 사람들의 국경밖출입을 단속하는 임무를 맡고있었다. 서수라포에도 권관진이 있었는데 역시 전문적인 수군기지가 아니지만 수군의 기능도 동시에 수행하였을것이다. [《만기요람》(군정편) 4 주사]

1701년에 성진에 방어영을 두고 1749년에도 성진첨사가 방수장(防守將)을 겸임하였는데 이 역시 수군을 관할하였을것이다. 그러나 함경도에는 정식으로 수군편제에 속하는 함선들이 없었다.

18세기말~19세기 중엽에도 우에서 언급한 통어영, 강화진무영의 변천과정을 포함하여 수군기지들에 일련의 변화가 있었다.

1808년에 미곶진 첨사진을 신도로 옮기면서 신도첨사진으로 한것이라든가 흑산도에 별장을 둔것, 강화도의 정포진을 다시 내온것, 경기수사를 따로 내온것, 경상도의 포항, 신문, 청천, 구소이포 진들을 없앤것, 1691년에 설치한 격포진(전라도)을 다시 없앤것과 일부 소속관계를 조절한 사실 등이 있었으나 큰 변화는 없었다.

2. 함선의 건조, 개량

임진조국전쟁직후 리조수군의 함선보유량은 보잘것없었다. 1602년 리덕형의 보고에 의하면 하3도에는 전선이 80척밖에 없었다.

함선들을 빨리 건조하기 위하여 리조봉건정부는 수군의 각급 진영, 각 도 수군수속 고을들에 지시하여 자체로 만들게 하는 한편 주사청에서 장공인들을 모아 자기 비용으로 배들을 무어내기도 하였다. 이리하여 몇해안에 전라도에서는 전선 40여척을 건조하였고 장비, 비품도 정밀하게 잘 만들었으며 다른 도들에서도 전쟁전수준으로 전선수가 늘어났으나 수군군사들을 채우기가 어려운 실정이였다.

　　북방정세가 긴장된 조건에서 강화도와 수도의 방어를 강화하기 위하여서도 함선들을 많이 만들어야 하였다. 주사청에서는 많은 함선들을 따로 건조하였고 각 도 수영들에서도 룡선(임금이 타는 배) 등을 건조하게 하였다. (《선조실록》권146 35년 2월 을축, 《광해군일기》권80 6년 7월 정사, 권136 11년 정월 경술, 권144 11년 9월 무자)

　　그러나 태풍으로 인한 피해가 자주 있었고 또 벌레들의 피해로 하여 함선들을 부단히 보수하거나 새로 만들어야 하였다. 《경국대전》 4 병전, 병선조에는 일반적으로 모든 함선들은 무어낸지 8년에 한번 보수하고 그후 6년만에 다시 보수하며 다시 6년이 지나면 한만선(기한이 만료된 배)이 되므로 새로 무어내는것으로 되여있었다. 또한 달마다 그믐날과 보름날에 연기로 선체를 그슬려서 벌레와 조개를 죽이게 되여있었다. (경상좌도, 강원도, 함경도는 연기에 그슬리지 않고 10년에 한번 보수하고 다시 10년 지나면 버리고 새로 무어내는것으로 되여있었다.)

　　그러던것이 18세기말까지 지방별로 실정에 맞게 그 기한을 고쳐 정했다. 실례로 경상우도의 전선, 방선, 병선들은 8년 4개월(100개월), 좌우도는 9년만에 각각 개조(새로 배를 만드는것)하기로 하였다. * 경상도에서는 쇠못을 썼기때문에 중간에 대보수(개작)하지 않았다.

　　　* 《속대전》4 병전 병선, 《대전통편》4 병전 병선, 《비변사등록》 정조 11년 4월 3일, 《만기요람》(군정편) 4 전선개조 개작년한에서는 전라도에서도 쇠못을 쓰게 되여 대보수없이 84개월을 쓰는것으로 되였다.

　　충청도에서는 전선은 30개월마다 대보수하여 세번 대보수한 다음에 (계 90개월~7년 6개월) 버리고 새것으로 교체하며 방선은 36개월(3년)만에 대보수하고 108개월(9년)만에 새것으로 교체하며 병선은 36개월만에 한번씩 대보수하여 144개월(12년)만에 교체하게 되였다. 경기수영에서는 크고작은 배들이 다 대보수기한이 따로 없고 선체가 상하면 제때에 보수, 건조하는것으로 되였다. *

　　　* 《만기요람》에서는 경기의 전선, 병선은 5년만에 첫 대보수를 하고 그후 4년마다 대보수를 한번씩 하며 17년이 지나야 새것으로 교체하며 병선은 제정된 기한없이 상처가 생기면 보수하며 여러차례

보수하다가 배전체가 썩게 되면 비로소 개조하는것으로 되였다.

황해도의 전선, 방선, 병선은 2년마다 한번씩 대보수를 하고 12년을 기한으로 하며 평안도의 방선, 병선은 10년을 기한으로 하였다.*

> *《만기요람》에서는 황해도 전선, 방선, 병선은 5년만에 첫 대보수를 하고 8년, 11년만에 2~3차 대보수를 하며 14년만에 완전히 고쳐만드는것으로 되여있다.

총체적으로 보면《경국대전》의 규정에서 후퇴한것 같지만 대보수의 주기와 배건조의 기한을 합리적으로 조절하며 쇠못으로써 대보수과정을 없애려고 한 좋은 점도 있었다.

함선건조에 가장 알맞는 목재는 소나무였으므로 일정한 지역에 채벌금지구역을 설정하고 그것을 감시관리하는 일들도 수군진영들에서 맡아하도록 하였다.

수영소속 고을들에서는 자기 힘으로 건조하지 못할 때 쌀, 천, 돈을 인민들에게서 거두어가지고 수영소속 장공인들 또는 선박건조업자들에게 위임하여 만들었다. 이 과정에 수사, 첨사, 만호들이 뢰물을 받아먹는 현상, 민결에서 그 비용을 거두게 되거나 수군군사들에게 거두게 되면서 고을원들과 아전들이 착취량을 증가하는 현상 등 부정적현상들이 많았다. 그러나 18세기 중엽이후에 오면서 수군군역도 무명 1~2필이나 돈을 내게 된 다음부터는 그것이 선박수공업분야에서의 자본주의적생산의 침투, 보급과정을 다소간 촉진시키는 작용도 하였다. (《광해군일기》권9 즉위년 10월 무진)

리조시기 배무이수공업도 고려시기 못지 않게 발전되여있었다. 그것은 수군군사들이 모자라서 수군을 확장할수 없었을뿐 크게 볼 때 배를 만들지 못해서 지장을 받은 일이 없었던데서도 찾아볼수 있다.

1631년에 명나라에서 은을 보내와서 전선을 구입하려고 하였을 때 그들이 요구하는 배의 치수와는 다소 달랐으나 우리 나라에서 전선 40척을 보내준 일도 있었다. (《인조실록》권25 9년 7월 을해)

《속대전》,《대전통편》에는 전국의 함선총수가 776척이고 《만기요람》에는 799척으로서 《경국대전》 편찬 당시보다 함선수가 40~60척 늘어난것으로 되며 전투함선의 구성에서도 전선, 거북선 등 전투력이 강한 배들이 많아지게 되였다. 그러나 200여년이 지나는 사이에 그만큼 발전한것이 큰 성과로 될수 없다.

함선가운데서 전선, 거북선 등은 시간이 갈수록 점차 그 체계규모가 커지는것이 하나의 경향이였다. 1618년 당시만 하더라도 임진조국전쟁 참가자들이 생존해있음으로 하여 리순신장군이 만들게 한 거북선, 전선을 그대로 본따서 만들수 있었다. *¹ 그리고 1630년대에도 리조수군의 전선들은 크고 웅장하고 견고, 치밀하여 다른 나라 사람들이 보고 감탄하는 정도였다. *²

임진조국전쟁 당시 거북선의 정원은 125명(실지는 이보다 더 많은 때도 있었다.)이였다. *³

그러나 1704년 리정청의 보고에 의하면 전선은 164명, 거북선은 148명, 정탐선은 79명이 정원이였다. *⁴ 1653년에 제주도에 표착했던 네데를란드사람 핸드리크 하멜의 《조선국기》에 의하면 조선의 큰 배는 노가 30~32개(한쪽에 15~16개)씩 달려있고 돛은 2개이며 승무원은 300명가량 된다고 하였다.

*¹ 《증보문헌비고》 권120 병고 주사 광해군 10년
*² 《인조실록》 권23 8년 7월 갑진
*³, *⁴ 《선조실록》 권206 36년 12월 무자, 《숙종실록》 권40 30년 12월 갑오. 당시 보통 전선의 규모도 이와 비슷하였다. 《만기요람》(군정편) 4 주사분방법조에 의하면 전선에는 노가 좌우에 10개씩 있으며 노 하나에 4명의 노군이 붙는다고 하였다. 이밖에 사공, 선원, 사수, 포수 합하여 120여명이였다. 그러나 이것은 평상시의 일이고 전시에는 훨씬 많은 인원이 필요하였다. 《숙종실록》 권12 7년 8월 무술조에도 대략 같은 내용이 씌여있다.

1750년에는 전선 1척에 근무하는 군인수가 800여명이였다. 이것은 립역하는 수군과 그 보인 3명을 합산한 수자일것이다. 그렇다고 보더라도 전선 1척에 200명씩 탑승하는것으로 된다. 또 거북선의 좌우 포혈이 종전에는 6개이던것이 8개로 되였다고 하였다. (《영조실록》 권72 26년 11월 임술, 권73 27년 2월 기축)

전선이 너무 커서 노군 80명이 없이는 움직일수 없고 또 민첩하지 못하여 실용적이 못된다는 의견이 제기되여 그것을 좀 작은 배로 개조하는 일도 여러차례 있었다. 실례로 1691년에도 그런 론의가 있었으며 1714~1715년에도 황해도 오차포, 허사포, 등산곶의 전선과

맹선을 모두 방선으로 개조하였고 홍청도 서천, 한산, 림천, 평신진의 전선을 방선으로 개조하였다.(전선 1척으로 방선 2척을 만들수 있었다.)*¹ 1716년 당시 전국적으로 121척의 전선과 5척의 구선이 있었는데 전선을 방패선으로 개조한것은 12척(전라도 2척, 충청도 4척, 경기와 황해도는 각각 3척)이였다. *²

*¹ 《만기요람》(군정편) 4 주사, 《증보문헌비고》권120 병고 주사 숙종 11년, 41년

*² 《숙종실록》권58 42년 8월 신해, 《비변사등록》숙종 42년 9월 20일, 정조 21년 3월 1일

방선(방패선), 병선은 500섬정도 실을수 있는 배이고 전선은 2 000섬을 실을수 있는 배였다.

1735년에 윤필은의 제기에 의하여 전선을 개조하게 하였다. 전선은 배갑판우에 2~3층의 판옥을 만들었으므로 바람받는 면적이 넓고 조종하기 어려우니 웃층의 방패는 따로 만들어서 눕혔다 세웠다 할수 있게 하며(바람에 따라 눕히고 세우는 각도를 조절할수 있게 한다.) 또 배머리에는 굽은 나무로 오리대가리보다는 좀 비죽하게 만들어 붙이면 류선형이 되여 풍랑이 있어도 빨리 뚫고나갈수 있으며 암초에 부딪쳐도 굽은 나무부터 먼저 파괴되니 매우 편리하다는것이였다. (《영조실록》권40 11년 정월 신묘)

1740년에는 전라좌수영에서 해골선을 만들었는데 자그마하면서도 매우 빨랐으며 바람에 뒤집힐 우려가 없다고 하여 통제영과 수영들에서 만들어 쓰게 하였다.(《영조실록》권51 16년 윤6월 정사)

해골선은 이물이 낮고 고물이 높으며 앞은 크고 뒤는 작은것이 마치 갈매기와 같이 생겼다고 하여 붙인 이름이였다. 배전 좌우에는 부판(浮板)을 붙여서 날개처럼 펴지게 하였으므로 바람을 만나도 뒤집힐 념려가 없고 또 매우 빠르며 안에서는 바깥을 내다볼수 있으나 바깥에서는 안을 들여다볼수 없고 노군, 사수들이 다 몸을 은폐할수 있는 매우 편리하고 실효성이 높은 함선이였다. [《만기요람》(군정편) 4 주사 영종 경신]

1744년에는 황해수사 박문수가 청나라배들을 잡기 위한 비선(飛船) 20척을 만들겠다고 제의한 일이 있었다. 그후 동지사 리천구는 비선의 규모에 대하여 언급하면서 그 우월성을 다음과 같이 강조하였다.

《즉 본판(밑판)은 세잎으로 하되 길이는 7파(1파는 약 1.6～1.8m)로 하며 협판에는 5개 도리를 설치하고 배우에 기둥을 세워 판옥을 만들며 그안에 10개의 노를 설치하고 고물에는 대포를 장치하되 대포앞에는 열고닫는 문을 만든다. 홀수선은 두자정도밖에 안되니 얕은데라도 임의로 갈수 있고 바다에 나가다닐 때 풍파가 아무리 심해도 뒤질힐 우려가 전혀 없다는것이다.》(《영조실록》 권59 20년 2월 을해 3월 병오, 권95 36년 정월 무진)

그러나 그들의 이러한 진보적인 견해와 대책들은 무능한 통치배들에게 접수되지 못하였으며 실지로 국방에 도움을 주지 못하였다.

1791년에 경상좌수사 최동악은 루선(전선)이 거북선만큼 빠르지 못한데다가 좌수영관하에 거북선이 적으니 루선 10척안에서 3척을 거북선으로 개조할것을 제기하여 실현하였다.

배의 추진력을 높이기 위하여 륜차를 리용하는 륜선은 이미 1550년대에 안현에 의하여 고안되였으며 1700년에 강화도사람 권탁은 자그마한 륜선을 시험삼아 만들었는데 속도가 매우 빨랐다. 당시 호조 판서였던 김구의 제의에 의하여 통영이나 전라수영에서 좀 크게 만들어보도록 하였다.[《숙종실록》 권34(상) 26년 7월 병진]

또 유집일이 황해감사로 있을 때 륜선을 창안제작하였다. 이 륜선은 배의 앞뒤에 각각 륜차를 설치하고 앞뒤에 키를 단것이였다. 그리하여 속도가 빠를뿐아니라 전진과 후퇴를 마음대로 할수 있었으며 밀물과 썰물때에도 다른 배들처럼 그 영향을 많이 받는 일이 없었다고 한다. [《증보문헌비고》 권120 병고 주사, 《만기요람》(군정편) 4 주사]

19세기 초엽에 전라좌수사 리민수는 배의 량쪽에 륜차를 설치하되 앞의것은 배머리가까이에, 뒤의것은 배꼬리가까이에 설치하고 바깥은 방패로서 가리운 다음 건장한 군정 4명으로 하여금 각각 한바퀴씩 달아 밟게 하였더니 속도가 빠르고 진퇴를 마음대로 할수 있었으며 배를 회전시키는것도 키가 없이 앞바퀴의 왼쪽과 뒤바퀴의 오른쪽을 밟아 돌리기만 해도 되였다, 좌우에 륜차를 설치하였으므로 뒤집힐 우려도 없었다, 함선의 돛은 적의 불화살을 맞으면 영낙없이 타버리는것만큼 전투용으로는 륜선이 제일이다라고 하였다. 그는 또한 배안에 물이 새들어오지 못하게 유회(油灰)를 바를것을 제기하였고 자신이 그것을 실천하였다.

그러나 이 륜선들도 한번 시제품으로 만들었을뿐 통치배들의 무관심성으로 하여 더 이상 발전되지 못하고말았다.

이밖에도 리익, 정약용, 리규경 등 실학자들은 세면이 바다로 둘러싸인 우리 나라에서 해상방어가 가지는 중요성을 강조하면서 함선들과 무기들을 실정에 맞게 개조할데 대하여 연구하고 주장하였다. *

> * 《성호새설》권5 기용문 차선, 《여유당전서》권109 전선책, 《오주서종》신기화법, 《오주연문장전산고》권34 수륙차변증설

실학자들가운데 국방력강화의 한 방도로서의 수군함선 개조문제에 대하여 특히 함선의 구조형식에 대하여 가장 깊은 연구를 한 사람은 신경준이였다.

그는 배의 속도는 판재가 두껍고 얇은데 관계되는것이 아니라 배의 형태와 관련된다고 하면서 앞이 무겁고 뒤가 가벼워야 하며 앞이 낮고 뒤가 높아야 한다고 하였다. 또한 그는 배가 앞이 둥글면 회전하기는 쉬우나 전진하기는 어렵고 선체가 수척하여 앞이 길면 전진하기는 쉬우나 회전하기는 어려우니 그 두가지를 다 알맞춤하게 리용하여야 한다고 하였다.

그는 또 선형, 선도를 잘 그렸다. 즉 선체를 길이에 따라 5개의 획선으로써 절단하고 해당한 획선에서의 너비(좌표)를 주고있으며 룡골선에 대해서는 땅(기미)으로부터 얼마라는 높이에 해당한 좌표를 주고있다. 그뿐아니라 측면투영과 평면투영이 일치되게 작도하였다. 이것은 현대선박공학의 견지에서 볼 때에도 손색이 없는 선형선도이다.

신경준은 이밖에도 선박을 규격화하며 크기에 따라—호수(번호)를 붙여야 한다고 주장하였으며 선창의 습기를 방지하기 위하여 배 안에 온돌난방시설을 할것을 주장하였다. *1 그의 이러한 주장들은 현대선박리론의 견지에서도 타당한것이고 또 우리 인민의 민족적 기호와 체질에도 알맞는 내용을 담고있는것으로 하여 높이 평가되고 있다. *2

> *1 《려암전서》권18 론선차비어, 론병차, 화차제비어지구
> *2 《조선기술발전사자료집》제1집 고등교육도서출판사, 1963년, 202~204페지

3. 수군군정의 확보와 습조(훈련)

　수군을 강화하려면 수군기지와 함선을 강화하는 동시에 함선을 타고 싸울 사람—수군병사들이 보장되고 그들의 훈련상태가 좋아야 한다. 이 면에서도 임진조국전쟁이후 리조봉건정부는 대책을 세우느라고 하였다.
　함선 하나에 수십명, 수백명이 타는 조건에서 전선(1척에 164명) 177척, 거북선(1척에 148명) 14척에 필요한 인원수만 하여도 수만명이 넘는데 그 뒤바라지를 해야 할 보인들까지 합하면 8만여명의 수군이 있어야 한다. 그런데 1716년 당시의 수군총수는 7만 9 776명이였다. 또 《만기요람》에 기록된 수군총수는 지상근무성원까지 합해서 14만 9 863명(약 15만)이였다.(《비변사등록》숙종 42년 10월 21일)
　임진조국전쟁때에는 수군군정을 채우기 위하여 립번(번상)하는 군사들뿐아니라 하번(휴식)하는 군사들까지도 또 그들이 없으면 그 일가까지도 징발하였고 륙군군정의 적지 않은 부분을 수군으로 돌리기도 하였으며 각사(여러 관청)노비, 내노(내수사소속 노비), 지어는 사노(개인노비)까지도 동원하였다. 그러나 전쟁후에는 본래 수군이 아닌 사람들은 고역이며 천역인 수군살이를 하려고 하지 않았으며 공사의 노비들은 다 자기 상전에게 부림을 당하게 되였으므로 수군의 원천을 확보할수가 없었다. 그런 조건에서 아무리 함선을 건조한다 하여도 그것은 쓸데없는것으로 되였다.
　게다가 수군의 군역이 힘들므로 산간고을에 있는 수군들은 이미 오래전부터 무명을 내고 바다가의 딴사람을 대신 근무하게 하는 급가대립이 관례로 되여있었고 각급 수군진영의 상관들이 수군근무를 면제해주고 무명을 받아서 비용으로 쓰고 사복을 채우는것도 례사로운것으로 되고있었다. 1704년에 작성된《수군변통절목》,《해서수군절목》에 의하면 당시 수군으로 등록된 장정들에게서 1인당 무명 2필씩 받으면 그것을 가지고 해변가의 량인, 천인들에게 수군근무를 시키고도 남으며 함선 건조, 유지 기타 모든 비용을 다 충당할수 있다고 하였다. 일부 관리들이 반대하였으나 이 규정은 집행되였다. 이것은 수군역이 전면적인 급가고립(돈을 물고 고용하여 역을 지우는 제도)제로 넘어가게 되였다는것을 의미하였다.

같은 때에 조군(조졸)의 경우에도 무명 2필을 내고 조창부근의 장정들을 고용하며 특히 개인배를 삯내여 운반하게 하는것을 허용하는 규정이 채택되였다. (《숙종실록》권40 30년 12월 갑오, 권45 31년 5월 정축, 권39 30년 정월 정사)

전면적인 급가고립제도로 넘어감으로써 수군군정문제는 일단 해결되였으나 그후에도 이러저러한 형태로 수군에 대한 착취와 압박은 계속되였다.

임진전쟁이후시기 수군을 군사훈련에 익숙하게 하고 경계근무, 수색작전 등에 동원하기 위한 대책도 일정하게 세워졌다. 수군훈련-습조는 수조라고 하였으며* 1년에 봄, 가을, 두차례에 걸쳐 수영에 모여서 하고 거진이하 단위들에서도 일정한 규정에 따라 훈련하게 되여있었다.

* 수군의 경우에도 기지들에 성이 있는것만큼 성조(성을 지키기 위한 훈련)도 있었으나 그것은 부차적의의밖에 없었다.

《만기요람》(군정편) 1 조점(操點)조에 보이는 수조의 방식을 보면 대체로 다음과 같다.

수조를 앞둔 한달전에 수사는 국왕에게 보고하여 지시를 받는다. 하루전에 조패(操牌)를 달며 그날 아침에 장1호신호를 하면 초선(척후선)이 떠나서 멀리 나가 사방을 돌아보고 적을 탐지했다고 통지한다. 그러면 장2호신호에 의하여 두길로 나뉘여 바다로 나간다. 첨(尖)자를 지으라는 패쪽을 내걸면 여러 배들이 그대로 따른다. 장3호신호에 의하여 주장이 배에 오르고 닻을 감아올리고 진을 친데로 배를 몰아간다. …중군이하의 장수들은 각각 배우에서 무릎을 꿇고 마중인사를 한다. 다음 진을 치고 대형을 지은 다음 포고관이 발방(훈련개시명령)을 선포하면서 타공(키잡이), 료수(돛다루는 수병), 정수(닻잡이) 등에게 맡은바 직무의 중요성에 대하여 상기시킨 다음 대장에게 적선이 나타나면 포위하여 불랑기, 조총, 화전, 궁전 등으로 소멸하라 등등의 지령을 주며 모두 적선과의 전투훈련을 진행하는 법, 저녁(밤)에 해상에서 진을 치는 법, 야간전투훈련을 하는 법 등을 다 련습시키고 수영기지로 돌아온다는것이다.

수조때의 결진(진을 치는것)과 조련(련습) 등에 대한 자세한 기록

은 《병학지남》(권5 수조정식)과 《병학통》(권1 수군)에 실려있다. *

> * 이러한 훈련규정은 물론 리조 전반기에도 있었으나 그 자세한 내용이 기록에 전해남은것이 없다. (《세종실록》권86 21년 7월 병인)

수조도 3도통제사의 지휘를 받는 수군이 다 모여서 하는 통조, 량남 즉 령남(경상도)과 호남(전라도)의 수군이 모여서 하는 합조 등이 있었다.

《병학지남》의 수조정식은 척계광의 《기효신서》의 내용을 그대로 딴것이 많은데 비하여 《병학통》의 수조관계기사는 우리 나라의 실정에 맞게 고친것이다.

또한 분방법이라 하여 일정한 장소에서 대기하게 하는 제도가 있었다. 임진조국전쟁이후 충청도와 전라도의 수군이 경상도 수역으로 나가서 공동으로 경비를 서는 통영첨방제는 분담이 크다 하여 1651년에 중지하였으나*1 각진에서는 바람새가 험할 때에는 상대적으로 소수의 인원이 경비를 서고 바람새가 고요할 때에는 적이 침입할수 있기때문에 그 2배의 인원이 입방(경비를 서러 가는것)하게 되여있었다. *2 또 통제사는 봄철이 되여 바람이 조용하면 거제행영에 나가서 입방하고 가을에 바람이 세차면 고성 두룡포의 본영으로 돌아와있었으며*3 옹진본영에 있는 황해도수사는 3월부터 8월까지 바람이 조용할 때에는 소강행영에 입방하고 9월부터 2월까지 바람이 세찰 때에는 옹진본영에 돌아와있는것으로 하는 등*4 각급 전영마다 입방하는 장소, 경비서는 장소들이 제정되여있었다.

> *1 《증보문헌비고》권120 병고 12주사 효종 2년
> *2 《만기요람》(군정편) 4 분방법
> *3 《인조실록》권36 16년 정월 기묘
> *4 《증보문헌비고》권34 여지고22 해방4 옹진

그런데 평화가 지속되자 중앙관청이나 각급 관료들이 직무를 태만하였으며 수군군사들을 다른 잡역에 동원시키거나 뢰물을 받고 립역하는것을 면제해주는 등 실제로 입방하여 수색, 순시하며 조련 등을 제때에 하는 제도, 질서가 잘 준수되지 않았고 극히 형식적으로

하거나 그것조차도 이러저러한 구실로 하지 않는 일이 많았다. 실례로 통영합조는 1740년 당시 진행하지 않은지 46년이나 되였고 량남합조는 1761년 당시 진행하지 않은지 69년이 되였다. 그후에도 이런 사태는 계속 되였기때문에 1766년에 삼남지방의 수군은 각각 자기 수영 앞바다에서 훈련을 진행하도록 지시하였다. (《영조실록》권5 16년 1월 경신, 《비변사등록》 영조 37년 2월 2일, 영조 42년 9월 1일)

봉건통치배들은 흉년이 들거나 다른 사고가 있을 때 마치도 인민들을 생각하여 훈련을 중지하는것처럼 가장하였으나 사실은 훈련에 드는 비용을 다른데 탕진하기 위하여 중지한것에 지나지 않았다.

지어 전선들을 몇해가 되도록 륙지에 올려놓은채 바다에 띄워보지도 않고 썩이는 일도 있었다.

이 모든것은 무장력으로서의 수군의 전투력이 극도로 쇠퇴약화되게 하였다. 18세기말~19세기초에 와서 리조봉건국가의 수군은 이미 형식상으로만 존재하고 실질적으로는 작은 해적선도 물리치지 못하는 무기력하고 무능한 수군으로 되여가고있었다.

4. 무기, 장구류의 보장, 개선

임진조국전쟁후 수군무력의 재건, 강화를 위한 대책의 하나는 화포를 비롯한 무기, 장구류, 함선의 의장, 장비들을 제때에 만들어서 보장하며 나아가서는 그것을 더욱 개조, 개량하여 바다싸움에 효과적으로 리용하도록 하는 문제였다.

이 면에서도 봉건정부는 처음에는 일정한 관심을 돌리였다. 1618년에는 대장군전, 진천뢰, 독시, 석류, 화전 등을 많이 생산하도록 지시하였다.[1] 이듬해에 병기주조도감에서 부족되는 동철을 얻어내기 위하여 6품이상의 벼슬을 지내는자들이 200근이상의 구리쇠를 내면 당상관으로 올려주자고 제기하였다.[2] 또한 봉건정부는 각도, 각 군현과 각 진영들에 대하여 달마다 정해진 무기들을 어김없이 제작하여 바치며 스스로 무기, 장구류들을 마련하여둘것을 장려하고 삼남지방의 싸움배지출용으로 쓸 곡식을 비롯한 무기, 전선제작비용

원천을 배정하기도 하였다.

　1653년에 제주도에 네데를란드사람 헨드리크 하멜일행 38명이 표착하였을 때 그들을 금려(왕궁호위부대)에 소속시킨것은 그들이 화포제작, 조종기술에 능하므로 화포를 개량하게 하기 위한것이였다.*³

　　*¹, *² 《광해군일기》권130 10년 7월 정해, 권139 11년 4월 병자
　　*³ 《효종실록》권11 4년 8월 무진

　같은 해에 전선에 적재할 동포(구리로 만든 포)의 원료인 청동이 부족하므로 그를 대신할 철포를 많이 제작할데 대한 의견이 채택되였다.*¹
　이 시기 화포-총통제작에서 특히 힘을 넣은것은 수군 및 해안방어용에 쓸 사거리가 긴 불랑기와 조총, 장총이였다.
　1665년에 황해도, 평안도의 전선들을 제대로 수리제작하도록 하는 동시에 부족되는 조총 수천자루를 내려보내게 하였으며*² 1664년에는 불랑기를 특별히 많이 만들것을 론의하였으며 1681년에는 화포와 불랑기를 많이 만들고 합구탄 500개, 조란환(새알과 같은 작은 철알을 포탄알에 넣어서 만드는것) 5 000개를 만들어 강화부에 보내도록 하였다.*³
또한 1686년에는 강화도에 많은 포대를 축조하면서 원거리사격용으로 필요한 장총(조총보다 사거리가 먼 긴 총)을 많이 제조하게 하였다.*⁴

　　*¹ 《효종실록》권10 4년 정월 경인
　　*² 《현종실록》권10 6년 5월 임인
　　*³ 《현종실록》권8 5년 3월 을축, 《숙종실록》권11 7년 5월 계유.
　　　1709년에도 강화도에 보낼 불랑기 200문을, 1711년에는 조령산성에 보낼 불랑기 250문을 제작한 일이 있다.
　　*⁴ 《숙종실록》권17 12년 9월 정해
　　　이 장총은 《천보총》으로 불리웠으며 1729년에 제작되였다.

　1731년에는 훈련도감에서 동포 50문과 홍이포 2문을 새로 만들었는데 동포의 사거리는 2 000여보(약 3.6km), 홍이포의 그것은 10여리(약 4.5km)에 달하였다. 이것은 화약무기제작에서의 새로운 성과였다고 말할수 있다. (《영조실록》권30 7년 9월 신사)
　한편 재래식무기도 더 발전시키고 많이 만들도록 조치를 취하였다.

그러나 그것들은 극히 일부가 실현되여 국방력강화에 도움을 주었을뿐이고 역시 봉건통치배들의 무관심성과 무능성으로 하여 국방력을 획기적으로 강화하는데 이바지하는것으로는 되지 못하였다.

제2절. 외래침략을 반대하는 투쟁에서 수군의 역할

임진조국전쟁의 상처를 채 가시기도 전에 우리 인민은 후금(청나라)의 침략을 받게 되었다. 17세기 초엽에 새로 일어난 후금이 료동에서 명나라세력을 내몰게 되자 명나라의 일부 패잔병력은 1621년이후 철산, 선천 등지에 몰려와있었고 1623년 명나라장수 모문룡은 철산 가도(피도)를 근거점으로 삼고 후금을 반대하는 전쟁을 계속하였다.

이것을 구실로 후금은 1627년에 침략전쟁을 도발하였다. 이때의 싸움은 주로 륙지에서 진행되였으므로 수군은 큰 전투를 벌린 일은 없고 다만 강화도의 방어를 강화하고 함선을 건조하며 경비, 수송 등의 임무를 맡아 수행하였다.

1629년에 모문룡이 전횡을 부리다가 처단된 후 가도안에서는 류흥치의 반란이 일어났다. 리조정부는 이 기회에 가도를 점령함으로써 청나라의 침입구실을 없애고 서북변방의 안전을 기할 목적으로 리서, 정충신 등의 지휘밑에 전라도 함선 15척을 비롯한 충청도, 황해도 등지의 수군함선들로 함대를 뭇고 가도를 공격하게 하였으나 류흥치는 도망갔다가 명나라장수 심세피에 의하여 처단되였으며 가도에는 의연히 명나라군대들이 남아있게 되었다.

1636년 청나라의 제2차 침입때에 리조봉건정부는 청나라의 요구에 의하여 수륙군을 동원시켜 가도공격에 참가하였으나 적극적인 군사활동은 하지 않았다. 그러는 사이인 1638년에 청나라장수 마부달은 작은 배 70여척을 리용하여 불의에 가도를 점령하였다. 그후 한동안 가도는 비여있었다.

1639년에 청나라는 조선에 대하여 100척의 함선과 6 000명의 수군으로 지원할것을 요구하였다. 리조정부는 할수없이 1640년에 리완등의 지휘밑에 4 651명의 수군을 포함한 지원부대를 파견하였으나 역시 주로 관망하는 태도를 취하였다. [《만기요람》(군정편) 5 가도시말, 《인조실록》권37 16년 7월 계유, 권41 18년 7월 무신]

이 시기에 명나라배들이 서해연안수역에 나타나 해적행위를 하였으므로 그들을 물리치는 문제가 제기되였다. 1643년에는 우리 나라 식량운반선을 습격하였던 명나라배들을 추격하여 그중 1척을 나포하였다. (《인조실록》권44 21년 8월 기묘)

17~19세기 중엽에 해상방어에서 가장 선차적으로 나선 문제는 황당선과 해랑적의 침범을 막는 문제였다. 명나라, 청나라북부의 어민들과 상선들은 이미 16세기경부터 서해를 건너와서 비밀무역도 하고 물고기잡이도 하였다. 그들중 일부는 평상시에는 어업과 상업에 종사하였으나 소득이 적거나 식량이 떨어지면 바다가지대에 상륙하여 로략질을 하기도 하고 우리의 배들을 습격하기도 하는 해랑적(바다도적)으로 변신하기도 하였다.

17세기말이후에는 황당선들이 황해도 장산곶, 해주앞바다에 수백척씩 와서 해삼을 채취하느라고 침범하였고[*1] 1712~1714년에는 그전보다도 황당선의 침습이 심하다는 보고가 자주 리조정부에 올라갔다. 리조봉건정부는 청나라측에 항의하여 그들을 단속하도록 요구하였으며 1710년에는 청나라로부터 조선측이 임의로 처분해도 좋다는 동의를 받았으며 다시 1720년에는 조선측에서 포사격을 가하여 격침, 처단해도 무방하다는 합의까지 받았다.[*2]

[*1] 《숙종실록》권51 38년 6월 임술
[*2] 《숙종실록》권49 36년 9월 기미, 《비변사등록》숙종 46년 7월 16일

그런데 리조통치배들은 그들을 단속할수 있는 실질적대책을 세우지 못하였다. 그저 황해도 등지에 몇개의 수군 진들을 신설(백령

진, 초도진) 또는 조절하였고 얼마 안되는 추포선을 리용하여 황당선 — 해랑적을 쫓아버리거나 나포한다고 하였을뿐이였다. 또한 그들을 잡아도 청나라로 송환한다는것은 많은 비용이 들고 시끄러운 일이였다. 그리하여 1717년에는 황당선 1척을 나포한것을 계기로 하여 앞으로 우리 땅에 상륙하지 않고 바다에 떠있는 황당선은 불들지 말라고 지시하는 형편이였다.*¹ 이것을 안 황당선의 배군들은 도리여 그것을 구경삼아 보고 회회닥거리기까지 하게 되였다. *²

*¹ 《숙종실록》 권51 38년 7월 신축, 권59 43년 2월 무자
*² 《비변사등록》 영조 3년 7월 6일

해랑적의 륙지침범을 막기 위하여 황해도 감영, 병영에 친기위 300명씩을 배속시키고 또 황해도 별무사 200명을 수영에 배속시키기도 하였으며 연해지방 인민들로 대렬을 편성하여 방어하게 하는 조치도 취하였다. *

* 《숙종실록》 권49 36년 11월 계축, 권50 37년 2월 무진, 《비변사등록》 숙종 44년 12월 5일

19세기 중엽에 이르기까지도 황당선의 침범은 계속 되였으나 수영소속 추포무사들 690명은 대개 무술과는 인연이 없는 어민들로서 싸울 일이 생기면 슬금슬금 피하는 판이였다. (《철종일성록》 4년 9월 정사)

1780년대에 청나라해적떼들은 심지어 신도에 상륙하여 그것을 거점으로 부근의 수산자원을 마구 략탈해갔다.

당시 미곶진소속 신도에는 청나라해적 약 600명이 40여개의 초막까지 지어놓고 하나의 마을을 형성하여 살면서 배를 49척이나 가지고 그곳에서 배까지 무어가면서 수산자원을 략탈하였다. (《비변사등록》 정조 10년 3월 3일, 3월 13일)

1785년에 롱천부사는 미곶진첨사와 함께 300명의 포수를 데리고 신도로 건너가서 해적떼들을 내쫓고 그들이 지은 집과 배들, 걸어놓은 그물들을 모두 불태워버리였다. 이것은 우리 수륙군의 련합공격으로 이루어진 군사행동이였다. 그것은 우리측의 정당한 방위전이였고 청나라측과의 합의에 근거한것이였음에도 불구하고 봉건정부는 오히

려 경솔하게 행동하였다고 룡천부사를 비난하였다.(《정조실록》 권21 10년 3월 경술)

이상과 같이 리조정부가 자기의 령해도 변변히 지키지 못하게 된것은 전반적인 국방력이 극도로 약화된 결과 다른 나라와 그 어떤 충돌이 없이 그저 사대, 교린외교나 하면서 무사태평하게 지내려고 하였기때문이다. 이것은 통치배들이 안일과 향락에만 눈이 어두웠던 결과 빚어졌던 사태였다.

인민들과 수군병사들은 봉건통치배들의 이러한 나약하고 무책임한 자세를 비난하였으며 나라의 연해를 굳건히 지켜내기 위하여 투쟁하였다. 그러한 대표적인 실례는 17세기말 동래의 능로군(노젓는 군사) 안룡복이 자발적으로 울릉도와 독도에 침습한 일본해적들을 물리치기 위하여 호우끼주(돗또리현)까지 가서 그 태수(다이묘)와 담판을 하고 독도가 우리 령토라는것을 확인하게 한 사실이다. 이에 대해서도 일부 통치배들은 그가 국법을 어겼으니 처형해야 한다고 떠벌이였으나 남구만 등이 변호하여 무사하게 될수 있었다.

울릉도에 대한 수색토벌은 그전부터 일정하게 진행해오던것이지만 일본해적들의 울릉도침입과 점거책동이 강화된것과 관련하여 다시 규정을 만들고 해마다 토벌을 진행하게 하였다. 그러다가 무슨 사정이 있으면 중지하게 하였다. 이 섬에도 응당 주민들을 살게 하고 그들의 생산활동과 안전을 보장해줄 대책을 세웠어야 하였으나 무능한 봉건통치배들은 대세가 어떠한지도 모르고 아무런 대책도 없이 오래동안 계속 섬을 비워두었다. *

* 울릉도에 도장(島長), 도감(島監)을 둔것은 1895년이후의 일이였다.(《고종실록》 부록 32년 1월 29일, 8월 16일, 건양 2년 5월 26일)

18세기 후반기에 이르러서는 유럽문물이 적지 않게 들어왔다. 이 시기에 카톨릭교가 들어오고 19세기초에는 프랑스선교사들이 카톨릭교를 전파하기 시작하였다.

그리고 18세기말부터 조선연해에 이양선들이 출몰하기 시작하였고 19세기초에는 연해에 침입하기 시작하였으며 19세기 중엽에 이르러 그 회수가 더욱 늘어났다.

이양선들은 조선의 《문호개방》을 강요하는 서방자본주의침략의 척후대였다.

　　1801～1847년에 군함, 무장선단의 침입회수는 7차였으나 1848～1860년에는 무려 200여차에 이르고 1855년에는 한해에 다섯차례나 침입하였다. 그 범위도 확대되여 서해안에 국한된것이 아니라 점차 조선남해, 조선동해까지 확대되였고 그로 인한 인적, 물적손실도 있었다.

　　이러한 모든 사실은 수군의 개건을 절실한 문제로 제기하였으며 또한 이 시기에 리조에서는 수군재건의 가능성도 없는것도 아니였다.

　　18세기 중엽까지에 조선봉건사회내부에서는 자본주의적관계가 발생발전하고있었으며 개별적기술자, 학자들에 의한 유럽의 기술과 문물제도의 연구도 일정하게 진행되고있었다. 리조통치배들이 진심으로 나라를 사랑하고 국방을 강화하려고 하였다면 함선도 대포도 개량하여 강한 수군무력을 건설할수 있었을것이다.

　　그러나 추악한 당파싸움에만 피눈이 되여 날뛰면서 부화방탕한 생활로 세월을 보내고있던 봉건통치배들에 의하여 국방력은 강화될 대신에 쇠퇴하였고 수군력은 추서지 못한채 와해되여 나라의 령해마저 제대로 지켜낼수 없게 되였다. 결과 이양선과 외적선의 침입을 막아낼수 없었으며 나라의 자주권이 엄중한 위협을 당하게 되는데까지 이르렀다. 이것은 전적으로 국왕을 비롯한 썩어빠진 봉건통치배들에 의하여 빚어진 후과였다.

맺 는 말

　유구한 력사와 찬란한 민족문화를 창조한 우리 인민은 세면에 긴 해안선과 넓은 바다를 끼고살면서 원시사회때부터 바다가에서 물고기잡이와 패초류를 뜯는것을 중요한 생업으로 하고 살아왔다. 슬기롭고 용감하며 근면하고 지혜로운 우리 선조들은 전쟁의 경험이 축적되고 생산력도 일정한 수준에 이른 고조선시기에 자기의 수군을 건설하고 바다를 지켰다. 그리하여 우리 나라에서 수군은 2 000여년의 오랜 력사를 가지게 되였다.

　B. C. 3～B. C. 2세기이전에 출현한 수군은 반침략조국방위전쟁의 빛나는 승리로 수놓아진 우리 인민의 유구한 력사와 더불어 자기의 자랑찬 발전의 길을 걸어왔다.

　삼국시기에 자기의 면모를 갖춘 힘있는 해상무력으로 장성된 우리 나라의 수군은 바다싸움, 해상원정, 기지의 설치 등 여러가지의 해상활동을 수행하면서 여러가지 해상전투법을 창조하였다.

　발해와 후기신라의 수군은 등주원정, 청해진의 중부조선이남수역에 대한 제해권장악 등을 통하여 수군활동의 여러가지 우수한 경험과 지식을 창조하였다.

　14세기에 와서 화약무기를 함대에 장비한것은 고려 수군발전의 새로운 계기를 열어놓았다.

　화포를 장비한 포함을 건조하였으며 바다싸움에서 화력기동전술을 적용한 진포바다싸움과 박두양싸움, 쯔시마원정(1380년) 등을 진행한것은 고려수군이 우리 나라 수군사에서 빛나는 한페지를 장식한 자랑찬 업적이였다.

리조시기에 들어와서 리순신장군이 세계최초의 철갑선인 거북선을 가지고 임진조국전쟁에서 적용한 능숙한 전투조법들은 우리 나라 수군군사예술발전에서의 커다란 진보로 되였다.

임진조국전쟁이후 우리 나라의 수군은 부패하고 무능한 봉건통치배들이 국방에 무관심하였던탓으로 점차 쇠퇴하였으며 19세기에 이르러서는 유명무실하게 되였다. 그러나 애국적인 수군군인들은 유미자본주의렬강들과 일본침략자들이 쳐들어올 때마다 용감하게 떨쳐나 싸움으로써 침략자를 물리치는데서 중요한 몫을 감당하였다.

참으로 우리 나라의 수군은 2 000여년간의 자기의 력사에 수많은 업적들과 경험을 남기였다.

이것은 우리 선조들이 쌓은 중요한 군사유산의 일부를 이룬다.

조선수군사는 조선인민의 반침략조국방위투쟁력사에서 중요한 자리의 하나를 차지하며 그것은 우리 인민과 근로자들에게 민족적긍지와 자부심을 안겨주고 그들을 조국에 대한 사랑과 반침략자주정신으로 교양하는데 일정한 기여를 하게 될것이다.

조선수군사(고대 – 중세편)

(개정판)

집필 오봉근, 후보원사, 교수, 박사 손영종
심사 후보원사, 교수, 박사 리영환, 박사 지승철
편집 리은정   장정 김기성
편성 리효심   교정 류 숙

낸 곳	사 회 과 학 출 판 사
인쇄소	평 양 종 합 인 쇄 공 장
인 쇄	주체101(2012)년 1월 15일
발 행	주체101(2012)년 1월 25일

ㄱ-15533

© Korea Social Science Publishing House 2012
   D P R Korea
   ISBN 978-9946-30-001-6